北京古籍叢書

[清] 周家楣　[清] 繆荃孫　編纂

左笑鴻　點校

光緒順天府志

第一册

圖書在版編目（CIP）數據

光緒順天府志．第一册／（清）周家楣，（清）繆荃孫編纂；左笑鴻點校．— 北京：北京出版社，2018.2
（北京古籍叢書）
ISBN 978-7-200-13605-0

Ⅰ．①光… Ⅱ．①周… ②繆… ③左… Ⅲ．①北京—地方志—清代 Ⅳ．① K291

中國版本圖書館 CIP 數據核字（2017）第 282841 號

項目策劃：安　東　　項目統籌：許　可
責任編輯：喬天一　許　可　　責任印製：宋　超
裝幀設計：郭　宇

北京古籍叢書
光緒順天府志
第一册
［清］周家楣　［清］繆荃孫　編纂
左笑鴻　點校

出　版　北京出版集團公司
　　　　北京出版社
地　址　北京北三環中路六號
郵　編　一〇〇一二〇
網　址　www.bph.com.cn
總發行　北京出版集團公司
經　銷　新華書店
印　刷　北京京華虎彩印刷公司
開　本　八八〇毫米×一二三〇毫米　三十二
印　張　十點七五
字　數　一九三千字
版　次　二〇一八年二月第一版
印　次　二〇一八年二月第一次印刷

書號　ISBN 978-7-200-13605-0
定價　128.00 圓
如有印裝質量問題，由本社負責調換
質量監督電話　010-58572393

光緒順天府志百卅卷

光緒甲申仲
冬開雕丙戌
季夏畢工

出版説明

北京背山面海，水甘土厚，古稱『神皋形勝，天府膏腴』。從遼經金、元、明、清，從陪都到京城，地位日益重要。記述北京的地方志，元代的《析津志》已佚，《永樂大典》中的《順天府》也殘缺不全，萬曆年的《順天府志》又嫌簡略。因此，到了光緒初年，順天府官方聘請名家繆荃孫等修纂一部份量較大的順天府志，就是《光緒順天府志》。這部書的體例經精心籌劃，内容經仔細選取，資料經多方核實，因而是一部較有價值的地方志。

同治十一年，直隸總督李鴻章重修《畿輔通志》，調取各府州縣志書，順天獨缺。所以光緒三年就商議修這部書，延請張之洞任總纂，張之洞起草了一個《修書略例》，有通例二十七條，如：宜典核；宜徵實；以地爲主；古書宜備；今事有關土地、人民者詳，餘略；紀事須具首尾，具年月等等。具體三十二條，如：增方言一目；河渠立專門；其地理門内山川，止具大略。此書的修纂很多方面是依據這一例則的。後因張之洞别處作官，就由繆荃孫任總裁。繆荃孫，江蘇江陰人，道光二十四年生，民國八年死，是晚清著名目録、歷史、金石學家。早年曾幫助張之洞編著《書目答問》。光緒二年中進士，入爲庶吉士，三年散館爲翰林院編修。光緒五年府尹萬青藜延請繆荃孫修府志，他三十六歲，正是中年有爲的時候。他不僅編寫了疆域、鄉賢、藝文、金石等卷，而且復審了全書（傅雲龍輔佐復審）。繆還把研究成果寫成單篇文章，如遼、金、元、明故城考，收録在《藝風堂文集》中。

繆又延請當時名儒碩彦擔任各門分纂。有鮑恩綬、廖廷相、陳翥、汪鳳藻、劉恩溥、洪良品、朱一新、傅雲龍、潘遹、蔡賡年等等。他們和繆志同道合，晨夕搜討。其中朱一新編纂的坊巷志由于材料充實，一再以《京師訪巷志稿》單行本問世。朱作御史曾上書論劾李蓮英，以語侵慈禧論罪。朱一新編此稿時白天步行大街小巷，詢問胡同居民；晚上驗查古書，叙列文人名士住宅，是花了心力的。

《光緒順天府志》記述清代以北京爲中心的順天府（包括五州十九縣）的各個方面。有京師、地理、河渠、食貨、經政、故事、官師、人物、藝文、金石等十志。計一百三十卷，三百五十萬字。光緒五年（一八七九）設局修纂，十二年（一八八六）成書。

修府志、縣志是我國保存文化的優良傳統。但有些府縣志蕭規曹隨，因陳相襲，甚至記一些道聽途説的材料而不核實。當年的順天府尹沈秉成在序言中説，修這本書不轉販、沿訛，而是創纂，就有六難：從各種書籍、圖經、志譜、公牘、訪册古今數十萬卷中，探討而出，難一；徵引時必註明原書，列出異同後，力求一是，難二；畿輔五大河五百餘條水道，沿流探源，脈絡畢見，難三；方言參之古語，證以殊音，難四；人物、官宦興何利，除何害，語語徵實，難五；田賦准今，金石證古，難六。

除了歷史典籍外，這書對于當時的公文、訪册也留心訪求，所以書中有大量咸豐、同治、光緒年間的文獻資料。从古今數十萬卷資料中探討而出，確實是下了一番功夫。

對于收録的資料，還要鑒別真僞，核實各家之言。這本書徵引時，每篇文章、每段話必註明出自何書，列出異同，並在按語註解分析鑒別，力求一是，這自然也是要花氣力的。如大城縣東北四十里西有子牙鎮，舊有釣台，《大清一統志》説相傳姜太公釣魚于此，而此書以爲是附會。姜太公釣魚于寶雞的磻溪，而不在這里（九九六頁）。又如北京南城的張相公廟，紀曉嵐在《灤陽消夏録》中以爲是祭祀唐代張仲武的。本書由廟的碑記證明是祀宋人張夏的（三四八頁）。這就避免了訛誤。

要核實材料，就要訪問徵詢、調查研究。所以繆荃孫説：『考古難，證今尤難。一字未確，一節未稔，往往擱筆。至是乃條徵件采，書牘並發，舟車踵接，日下耆舊，敦請考證，務盡所能。』可見本書是經過實地采訪徵詢故老而後成書的。如郊區各縣歷代建城，這些城址在哪里？書中『由今溯昔』，『證今考古』，追溯過去的歷史。燕昭王的碣石宮，《史記》註上説在幽州薊縣西三十里。本書地理志『村鎮』條中則寫明，今石景山區衙門口村『舊有碣石宮，近此』，指出了碣石宮的確切地址，有益于古代薊城的探索。又如陳勝、吴廣戍守漁陽，漁陽在哪里？本書寫明密雲縣城西南二十里兩河莊，『或曰莊之西南數里爲漁陽故城』。密雲臺上村有漢白檀故城，曹操討烏桓即經過這里。又如順義東北二十里的北府村是漢代孤奴故城址。把古城地址説得這樣具體，當是對照文獻實地考察而得來。這種探索考證，幫助我們了解歷史地理，對于編寫北京史、北京歷史地圖，都很有用處。人稱本書『古城故瀆，纖悉具陳』，並非虚語。

本書用很大篇幅記述順天府水道、水利，計有河渠志十三卷（水道四卷，河工七卷，津梁一卷，水利一卷）。這是由于當時形勢要求的。元明清以來，每年需漕運三四百萬石糧食供應北京，假如北京地區修好水利，多打糧食，就不需要從江南運糧來。所以本書很重視京畿的水道和水利。書中不僅對畿輔五大河五百餘條水道，沿流探源，脈絡畢見，而且記述歷代在畿輔修水利的人物和事蹟，記述對河患的治理，如永定河從順治九年修堤開始，按年記載，可知那年大水決堤。它收録河臣向朝廷報險的奏摺，如道光三年，盧溝橋水漲到一丈九尺，處處出槽漫灘，其中雖沿河建排洪洩漲金門閘石壩、郭家務草堤、求賢郜灰壩共十八所，但『全河受病日久，下口太高，無尾閭可以宣洩』，『上壅下潰，此塞彼決』。從書中可見汎濫破堤的，隔二三年卽有。著名訓詁學家王念孫曾兩次作永定河道台，兩次奪職摘去頂戴，並令傾家賠償。從光緒八年五月直隸總督曾國藩的奏疏可知，當時治河並無專款，『歲修等銀，久經裁減』，堤潰搶險則用攤捐，所以他總結説：『河務所以日壞，皆在于此』。可見，晚清腐敗，老百姓只有等着被水淹。

這本書表現了褒揚好人、貶抑壞人的善惡觀念。官師的傳中説：『官斯土者，凡有美政，靡不甄録。』對不受賄的廉吏，能雪冤曲善折獄的官守，不怕權勢減免徭役、奮力救災搶險的清官都一一記載。如乾隆元年，陳惕知武清縣，『初，河工秫稭，臨時采之村落，差至如虎，弊竇乃滋。窮黎且有焚秫稭求免累者。惕備陳厥狀，請先發價買交之工。』（二七二三頁）又如康熙年間，程璇知寶坻縣，『已亥大水，詔賑，璇絶不假手吏胥，按户親給，民以安堵。』（二七二七頁）這正是前面所説人物、官宦興何利，除何害，語語徵實，也是不容易的。

先賢傳中記述歷代出生或籍貫隸屬順天府的有德、有功、有識之士。如康熙時的李煒，有人以千金請託，煒曰：此民間脂膏也！奈何欲污我！因斥譴之。煒以爲思安民莫如察吏，察吏莫若潔躬。明代的張欽不讓正德皇帝私自出關，書中一再譽其清德。乾隆時，敢于懲治把持官府惡吏的黄叔琳，提拔人才扶植正氣的朱筠，書中多方徵引，一再延譽。這些反映當時的社會輿論，是對良好風氣的表彰。

封建時代重視祭祀，本書也很重視祠祀（京師志一卷，地理志兩卷），詳細地記載京城和各州縣的社稷壇、山川壇、城隍廟、八蜡廟等等。乾隆祭淀神祠中說：『蓋淀之有神昭昭矣。』當時是迷信神鬼的。書中記良鄉、涿縣等處有八蜡廟、劉猛將軍廟，反映這里從前蝗災嚴重。書中記大城縣有右軍廟紀念大書法家王羲之，倉頡廟紀念發明文字的倉頡，藥王廟紀念名醫扁鵲、倉公、華陀、孫思邈等。可以說，這些廟當時起了博物館、紀念館的作用。

這本書的重要特色是提供了較系統完備的資料。沿革、官守等都從周代一直記載到清末。另如順天人著作收録了順天府屬各州縣人著作共八百多部，記下了韓嬰、盧植、高誘、張華、高閭、酈道元、陽休之、盧照鄰、盧綸、盧仝、賈島、韓昉、王鬱、耶律楚材、耶律鑄、鮮于樞、宋本、高彦敬、李贄、李三才、王嘉謨、米萬鍾、于奕正、史可法、孫承澤、王崇簡、劉獻廷、王源、黄叔琳、紀邁宜、朱珪、翁方綱、劉錫信、舒位、徐松等等作家的重要著作。金石志收録歷代碑刻一千五百多方，網羅佚失，努力搜求到的。

這本書的另一特色是注重實用性。除了上面説的畿輔水利關係漕運、京城安危之外，諸如煤鐵要需，尤宜籌劃（二〇六一頁）。繆荃孫在此書最後的《序志》上説：『次之曰經政志。官吏之廢置，倉儲之虚實，漕運之更變，學校典禮之制，錢法鹽法之章，兵汛驛傳之籍，編輯公牘，搜訪故事，使人觀其得失而補敝救偏。至若西北叢山擁衛合沓，金鐵之利，見于前史；硝磺之産，訪諸土人。而今僅以煤著，無亦地利之未盡，人謀之未臧乎？』可見，修纂者是講求實用的，是想有益于經濟發展的。其他『夫兵事之成敗，形勢不可不講也。天時之祥異，政令不可不洽也。』所以志故事，由今溯昔，借古閲今，希望歷史的教訓能够裨益于今天。

這本書由順天府尹萬青黎、彭祖賢、周家楣、沈秉成等籌劃主持。光緒八年寫成三分之一，光緒十一年全部纂校完成。其中經費久絀，一再追加款項。所以籌劃始終、閲歷甘苦的周家楣説：『蓋籌款之難如彼，成書之難如此，宜此志之前未有著，及頻謀輟以至于今也。豈果因循哉！』在晚清衰敗、經濟困難的時日，編纂出版了這一部地方巨著，的確是不容易的。

本書亦有不少缺陷和錯失。書内有濃厚的封建意識，如污蔑農民起義，宣揚神鬼迷信、婦女節烈等等。

編纂此書時，繆荃孫居永興寺，『暇日日涉海王村書肆，搜訪異本，典衣購取』，博覽羣書，被人稱爲『博通』。《記述順天府之書》共收北京地方史志等書目二百二十多種，提供了一個難得的書目。由于條件的限制，把一些尚存的書當作佚失，如明崔學履《昌平志》八卷、明郭造卿《燕史》一百二十卷、明蔣一葵《長安客話》八卷、明史國典《懷柔志》四卷，現存藏于北京圖書館等處。

此書于光緒十二年印後，十五年又重印。印前覆校，改削添補二千四百多字，又增天文表、田賦表的校勘表。這次整理，我們卽根據十五年本標點，仍發現不少錯失，如：

卷二十　薊州隆福寺錯爲福隆寺。

卷四十六　挾括河錯爲挾活河。

卷四十八　元郭守敬錯爲郭守忠，漳水錯爲障水，雄鄚錯爲雄鄭。

卷一百二十一　鄉賢表中王熙是崇簡子錯爲崇簡弟。

卷一百二十一　令宛平者爲漢中王養濂錯爲王養源。

卷一百二十三　薛漢世習韓詩誤爲習漢詩。

這些我們都作了改動。

原書與他書有歧異，如杜瑛著《律呂新曆》（四五六四頁），《元史》爲《律呂律曆》；如李秀鼎（四六〇九頁），《中國人名大辭典》作李季鼎，我們都未便改動。另如『古今治得失』（四四七四頁），應作『古今治亂得失』，加了『亂』字，以〔〕標識。

此書由左笑鴻標點。康奉、周南、李宏、張中行、楊韻九、蔡蕃、王燦熾、劉寧勛等校閲了部分章節。于琴、段書安、楊璐爲責任編輯。趙洛通讀全書。

臣萬青藜、臣周家楣跪奏，爲設局纂修順天府志，仰祈聖鑒事：竊查同治十年十二月，直隸總督臣李鴻章恭摺具奏，於保定省城設立志局，重修畿輔通志，奉旨允准在案。現在通志將次告成，必得順天府志纂有專書，方能採輯，以弁志首。查順天府志，自前明萬曆癸巳年府尹謝杰等修輯後，迄今並未續修，文獻無徵，曷以信今傳後？臣等屢思重輯，以順天素無款項，經費難籌，未敢率行開局。茲與督臣商定，量佽公費。臣等擬擇賃公所，作爲順天府志局，分類纂修，期於酌古準今，鮮致遺濫。延請實學官紳，分司纂輯，由臣等悉心校閲，覈定體裁，嚴立限程，剋期蕆事。庶首善之地，興除沿革，綱舉目張，信而有徵，足資考證，而畿輔通志亦得早日告竣，仰副我皇上體國經野、稽古右文之治。所有采訪編輯章程及需用經費，臣等隨時酌覈，籌商辦理。謹會同大學士直隸總督臣李鴻章恭摺奏聞。伏乞皇太后、皇上聖鑒。謹奏。光緒五年四月二十四日具奏，本日奉旨：知道了。欽此。

臣畢道遠、臣周家楣跪奏，爲順天志書稿本告成，現經開雕定限竣事，恭摺仰祈聖鑒事：竊照光緒五年四月二十四日，由前兼管順天府尹萬青藜暨府尹臣周家楣，會同直隸總督臣李鴻章，奏陳設局，纂修順天府志等因一摺，奉旨：知道了。欽此。遵即設局開辦，遴委直隸候補知府任期曼提調局務。嗣經臣家楣以禮去官，經歷任兼尹、府尹接續辦理，至臣道遠、臣家楣同日奉命任事，查核志稿，已具十之二三。府志凡例，本由前兼尹萬青藜暨臣家楣商請現任兩廣總督張之洞，酌定體例門類，並經張之洞允臣家楣於志稿輯齊後，爲之畫一訂定，所分門類，當經延請内閣中書鮑恩綬，翰林院編修繆荃孫、廖廷相、朱一新、陳翥，兵科給事中洪良品，掌貴州道監察御史劉恩溥，兵部郎中傅雲龍，禮部主事詹鴻謨，兵部主事潘遹，國子監學正蔡賡年，江蘇候補知縣羊復禮等，分任纂修。畧度卷則由翰林院庶吉士汪鳳藻，兵部郎中席淦，司務陳壽田、胡玉麟合修。旋因張之洞巡撫山西，舉編修繆荃孫接替總纂。數年以來，經各分纂、總纂編輯成書，計得一百三十卷。現在稿本一律告竣，自本年二月初一日起開雕，限本年七月間竣事，事竣再行敬謹奏聞。理合會同大學士直隸總督臣李鴻章恭摺具陳。伏乞皇太后、皇上聖鑒。謹奏。光緒十一年三月二十五日具奏，本日奉旨：知道了。欽此。

監修

文華殿大學士直隸總督一等伯爵　臣李鴻章

吏部尚書兼管順天府尹　臣萬青藜

都察院左都御史兼管順天府尹　臣童　華

禮部尚書兼管順天府尹　臣畢道遠

湖北巡撫前順天府府尹　臣彭祖賢

江寧布政使司布政使前順天府府尹　臣梁肇煌

雲南巡撫前署順天府府尹　臣張凱嵩

前順天府府尹　臣李朝儀

倉場侍郎前順天府府尹　臣游百川

總裁

署吏部左侍郎通政使司通政使前順天府府尹　臣周家楣

内閣學士兼禮部侍郎銜前順天府府尹　臣沈秉成
順天府府尹　臣薛福辰

總纂

兩廣總督　臣張之洞
翰林院編修　臣繆荃孫

分纂

内閣中書　臣鮑恩綬
翰林院編修　臣廖廷相
翰林院編修　臣陳翥
翰林院編修　臣汪鳳藻
吏科給事中　臣劉恩溥
户科給事中　臣洪良品
陝西道監察御史　臣朱一新

禮部主事 臣詹鴻謨
兵部郎中 臣傅雲龍
兵部郎中 臣席淦
兵部主事 臣潘遹
國子監學録 臣蔡賡年
候選部寺司務 臣胡玉麟
候選部寺司務 臣陳壽田
江蘇候補同知 臣羊復禮

校訂

翰林院編修 臣吴祖椿
刑部主事 臣方孝傑
江蘇歲貢生 臣管禮耕
江蘇舉人 臣屠寄
國子監肄業生 臣傅范初

校刻

吏部主事　臣仇汝顯

刑部主事　臣喬樹枏

光禄寺署正　臣姚凱元

江蘇附貢生　臣李時暘

經理

直隸候補知府　臣任期曼

直隸候補知縣　臣馮瑋

直隸候補直隸州州判　臣吉守善

順天府經歷　臣范思本

直隸候補知縣　臣張振期

候選州判　臣勞錫田

國史館謄録　臣李棣林

采訪

刑部主事　臣周志靖

候選鹽大使　臣周志恭

宛平縣縣丞　臣莊佩蘭

直隸候補縣主簿　臣戴應泰

繪圖

候選縣丞　臣趙　宏

序

光緒十一年，順天府志成，府尹沈君書來問序。我朝因明制，順天爲京師，而直隸專置總督，則兩漢司隸校尉部三輔河南、唐京畿採訪使領京兆之遺制也，鴻章其敢辭。謹按：周小史掌邦國之志，鄭司農謂爲周志，外史掌四方之志，鄭注謂若晉之乘、魯之春秋，王朝之志先於列國，舊矣。前代志順天者，僅有謝杰、沈應文之書，草創荒畧。今皇朝宅京垂三百年，文軌大同，天下郡縣皆有志，而京府尚闕，非所以昭首善也。今湖北巡撫彭侍郎爲尹時，與兼尹德化萬尚書始議創修。侍郎遷去，今通政使周君莅任，與尚書及鴻章奏明開局，凡八年而書成。一代之舊式，四方之和會，可得而述也。勃碣之間，古爲都會；至遼、金而後，正帝王之名；至元、明而後，成一統之志。元有天下之日淺，明則京師已爲近邊，故論都者以爲有堂皇而無室奥。洪惟我大清之受命也，積功累仁，緜歷奕世，迺光宅乎中夏，遷岐豳作豐鎬，開國之遠，同符於成周。内、外蒙古世爲臣僕，兩藏通，新疆平，曩代都護、校尉所治，一齊以法，如郡縣吏。幅員之長，過於建元、開元。昔之論形勢者，以河洛爲天下之中，今則當以京師爲天下之中。

北度大漠，南絶大海，東起龍興之舊都，下臨遼瀋而撫屬國，西開玉門、陽關，直達於天山，遠數萬里，近數千里，四維雄張，以環擁京師。京師當南北之中，而近於東。易繫辭：帝出乎震。太史公封禪書：東方神明之舍。而中國之山川，皆自西而東，猶朝宗而拱極也。往者多疑四海之説，今則環地數大洲，漢、唐、元所未到者，輶軒之使，冠帶之倫，出自闕廷，如履門閾。而環列大小十數國，或自達，或坿屬，皆能通名於上都，以爲中國天子之居，仙宸帝所，以必得至爲榮異，所謂聲教訖於四海也，所謂天覆地載，莫不尊親也。偉矣哉！三代以來，未有開闢廣遠如斯之盛者也。若夫攷其封域，則禹貢冀州之都，而在昔軒轅氏之所宅也。文謨武烈，神聖繼承，制度典則，燦然大備，則周官王制之精意也。著臺省之故事，采閭里之風俗，則立政之篇，二南之詩，固非衛宏舊儀、趙岐決録所得而擬也。紫宫朱堂，鈞臺靈囿，神明之觀，事實乎上林，名正乎甘泉，則三輔黄圖、洛陽宫殿簿諸書無所侈其靡麗也。至於問山川之形勝，究土地之所宜，松亭之關，軍都之塞，昔之邊防，久爲内地，而水利營田，轉漕海運，磊落數大事昭明乎簡册，則近代二顧之書，所爲紀險要而極利病者，由今觀之，皆陳迹也。昔之志京府者，獨推有宋乾、咸二志，南渡偏隅，周權具臣，豈若今日際殷武之中興，大堯典之四宅，卿尹登揚，以佐揆文奮武之治！侍郎方帥鄂，爲時重臣，通政之爲尹也，百廢具舉，比迹於趙張。今沈尹又以特召入尹，而兼總理衙門大臣，於近今爲要任，聲施之耀，正未有期。鴻章久忝畿輔，頃監修通志畢，復喜見斯志之成，因爲述其緣起。至其體例之善，文采之美，則九能三長，授簡綴辭，極天下之選，以成一代之書，信今傳後無疑也。光緒十一年七月，合肥李鴻章。

序

洪惟聖清，畫一區宇，包舉遐邇，四海九有，悉主悉臣，疆域之廣，古所未有。於是有大清一統志，由是各行省以及郡、廳、州、縣各有專志，爛焉大備矣。惟順天府爲天子建都之地，邦畿千里，實稱首善，宜必有志，而缺焉未修，每以爲憾。家楣通籍後，備官京僚，道、咸以前，未聞有無建議修志之舉，近聞吳春帆中丞，張霽亭、彭芍庭兩侍郎官京兆尹，均經謀議及此，家楣身居局外，未得其詳。光緒四年秋七月，奉命尹順天，乃踵彭侍郎之後，遂叩其端倪，詢其要領，則奏稿已具而未之上。時兼尹爲尚書萬文敏師，已請今兩廣總督張香濤制軍創條例，聘訂諸賢修纂。侍郎刻意興辦，力購書籍，備長編之用；並經商請相國合肥李公，籌款九千金。侍郎方屏藩豫章，臨歧殷然相屬，期成厥功。家楣於是商之文敏師，適相國來朝，擬設局開辦。而斯志之難，有非一端所可盡者。尤以其事創而非因，明萬曆有志，簡率未備，且距今數百年矣；侍郎得天府廣記抄本，亦非全書。文敏師謂：前兼尹、府尹，歷有賢能矣，而志未及修，其難可見。我兩人不及修，則與諸公同受因循之誚耳。我兩人修之不易成，成焉而非志之善者，則獨受謭陋之譏矣。家楣曰：以師久任京畿，夙領史館，而得相國李公之任其資，香濤太史爲之例，爲山之基，奚止一簣？今而不修，後將更難，我師與弟，與其同誚因循，固不若獨譏謭陋也。師曰：汝志卽吾志，子其勉爲之。五年四月二十四日，以修志事上陳，得旨俞允。而家楣以母喪去官，接任者爲今江寧布政使梁檀浦前輩，蓋已再任矣。定期開局，以任綬青太守駐局經理。家楣奉母櫬居觀音院，萬文敏師及檀浦前輩、香濤制軍，時詣商修志事宜。制軍允於各門纂齊後，爲之畫一釐訂，而以總纂事由繆小山太史代之。各門分纂，咸一時名儒碩彥；按卷計程，悉本制軍手定凡例爲準。自家楣旋里後，經文敏師、檀浦前輩及兼尹童薇研前輩，歷任府尹李藻舟京兆、張月卿中丞、游會東倉帥，相繼修舉。並以原籌經費不敷，由童、游兩公商之相國李公，續籌六千金以應。光緒八年春正，畢東河師由倉帥升授總憲任兼尹，家楣再任京尹，同日奉命。既視事，知書之已纂者得三之一。時香濤制軍由閣學奉命巡撫山西，封圻事繁，先允畫一之舉恐無以及。家楣惴惴焉慮弗獲成，往商，則曰：得公再任京兆，得小山主總纂事，事無不成，成書必不至謭陋也。方家楣之在里居也，小山太史書來論志事，謂攷古難矣，證今尤難，蓋采訪諸端，一字未確，一節未稳，往往擱筆。至是乃條徵件采，書牘並發，舟車踵接，日下耆舊，敦請攷證，務盡所能；其日久無應及訪證弗獲者，仍其闕。纂輯既齊，繼以校讐，至十一年春，始以志書有成，由東河師及家楣會相國具奏以聞。而今府尹沈仲復前輩抵任時，以經費久絀，家楣任内相國所籌之款已盡，凡順天存公之款，並經移支數千金，而刊刻方半，印訂工資及數月局用又以不支，於是前輩又商之相國，續籌經費，家楣亦上書言之，復得四千金，以既其事。蓋籌欵之難如彼，成書之難如此，宜此志之前未有著，及頻謀頻輟以至於今也，豈果因循哉！今書刊印告成，相國及前輩各有弁言，裔皇壯麗，足以爲斯志光。而家楣自愧不文，惟於其事籌畫終始，閱歷甘苦，於今亦不能無言也。至於書之闕者待補，其諸政之在修書後者，後之君子詳攷而續輯焉，以期文獻常存，翊成我國家文治之隆，是則家楣蘊結願望之誠，固有與天地無窮者矣。時光緒十有一年十二月朔，署吏部左侍郎、通政使司通政使、前順天府尹周家楣撰。

序

光緒十一年春，秉成以特召，入尹順天，適府志垂成，所未成者，坊巷數門，因踵成之，而爲之序曰：順天之爲帝京始遼，然夏禹冀州之都，卽今順天也。周小史掌邦國之志，鄭司農謂爲周志，是京府之志之權輿。燕京志、析津志佚矣。明洪武北平圖經，其書亦佚，僅見之永樂大典卷八千四百二十平字韵。文淵閣書目畧字號北平圖志，或卽一書。又載舊志二册，又往字號載順天府新志一册，書皆不傳。傳者萬曆間謝杰、沈應文志六卷，非畧卽舛，殊難攷徵。我朝宅京二百數十年來，志尚闕如。前尹彭芍亭創修志之議，尋以巡撫湖北去。今通政使周小棠爲尹，踵厥議。或者難之，通政則毅然商之直隸總督李肅毅伯，韙之，且爲籌費，繇是以修志聞，報可。遂於光緒五年十月二十八日開局。草創凡例者，今兩廣總督張香濤也。纂京師志之城池、宫禁、風俗，地理志之風俗，食貨志之户口及故事志，爲户科給事中洪右臣。人物志則洪與編修廖澤羣、内閣鮑印亭分纂之。鮑又纂經政志之倉儲。其纂地理志之疆域、寺觀沿革，經政志之礦廠、錢法，人物志之鄉賢，藝文、金石二志，時則有編修繆小珊。其纂河渠志，官師志及京師志之兵制、水道，地理志之方言，經政志之官吏、漕運、兵制、驛傳，人物志之選舉表，時則有兵部傅懋元。食貨志之田賦、旗租，則傅與吏科給事中劉博泉同纂之。劉又纂故事志之兵事。纂京師志之衙署、官學、倉庫、廠局、寺觀，地理志之山川、城池、治所、冢墓、邨鎮、邊關，食貨志之物産，經政志之典禮，爲國録蔡松夫。京師志之坊巷，纂自編修朱蓉生；壇廟、祠祀、苑囿，纂自編修陳汝翼；關榷纂自兵部潘伯循。潘又纂經政志之鹽法、學校。纂晷度、氣候兩表者爲兵部席翰伯，庶吉士汪芝房，候選部寺司務胡叔藩、陳心耕。覆纂則以繆君領其事，而傅君佐之。分門凡十，統名以志，用華陽國志、臨安志例也。子目六十有九。爲卷百有三十，爲頁幾及六千，凡三百五十萬言有奇。大凡修志者，蕭規曹守；事半功倍，此則創纂也。蓋自羣經箋注，地理專書，正史别史，諸子文集，與夫圖經、志譜、公牘、訪册，於古若今，數十萬卷中，探討而出，難一。修志之弊，非轉販即沿譌，此則徵引必注原書，異同力求一是，難二。畿輔五大河，涉府竟者四，其分合諸水，五百有餘，自來箸述，貫串蓋寡，今則例綜禹貢，體合桑酈，沿流探源，脈絡畢見，難三。志爲史流，志有方言，又經之小學也，有本誼，有通叚，參之古語，證以殊音，難四。如人物，如官師，文學則所治何經，所箸何書，經濟則所興何利，所除何害，語語徵實，不取空文，難五。田賦準今，金石證古，類此誼各有當，例取其嚴，難六。綜此六難，都爲一志，纂志者之力也，實通政與肅毅伯之力也，否則幾何不畏難阻歟？通政爲尹時，百廢具舉，志其一也。近年與肅毅伯濬薊、運諸河十有四，築隄一千數百里，合土二百數十萬方，籌費至三十萬兩有奇，美哉績乎！秉成方惴惴焉於水利、漕運、教養、兵防數大端，懼難爲繼，今得數百年未有之志，藉鏡得失，其厚幸而加勉者，當何如也！内閣學士兼禮部侍郎銜、署順天府府尹沈秉成謹譔。

目録

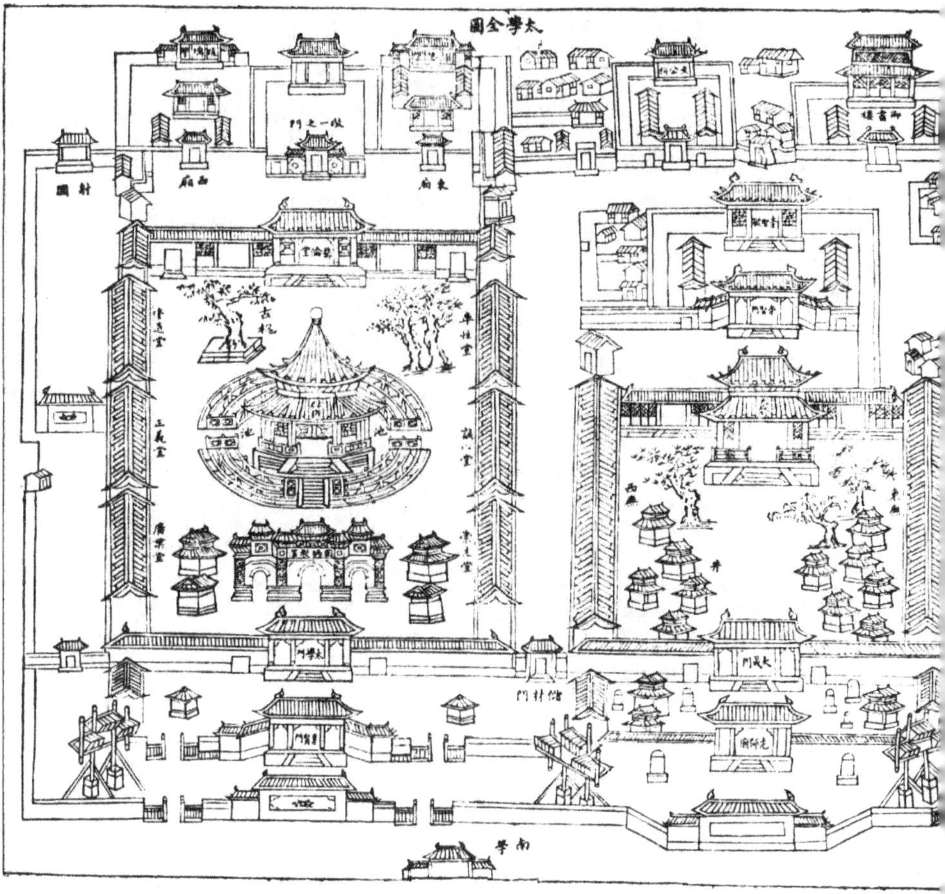
太學全圖
射圃
西廂
東廂
敬一之門
彝倫堂
古槐
率性堂
修道堂
誠心堂
正義堂
池
崇志堂
廣業堂
太學門
集賢門
持敬門
南學
御書樓
西廡
東廡
井
大成門
先師廟

順天府學全圖

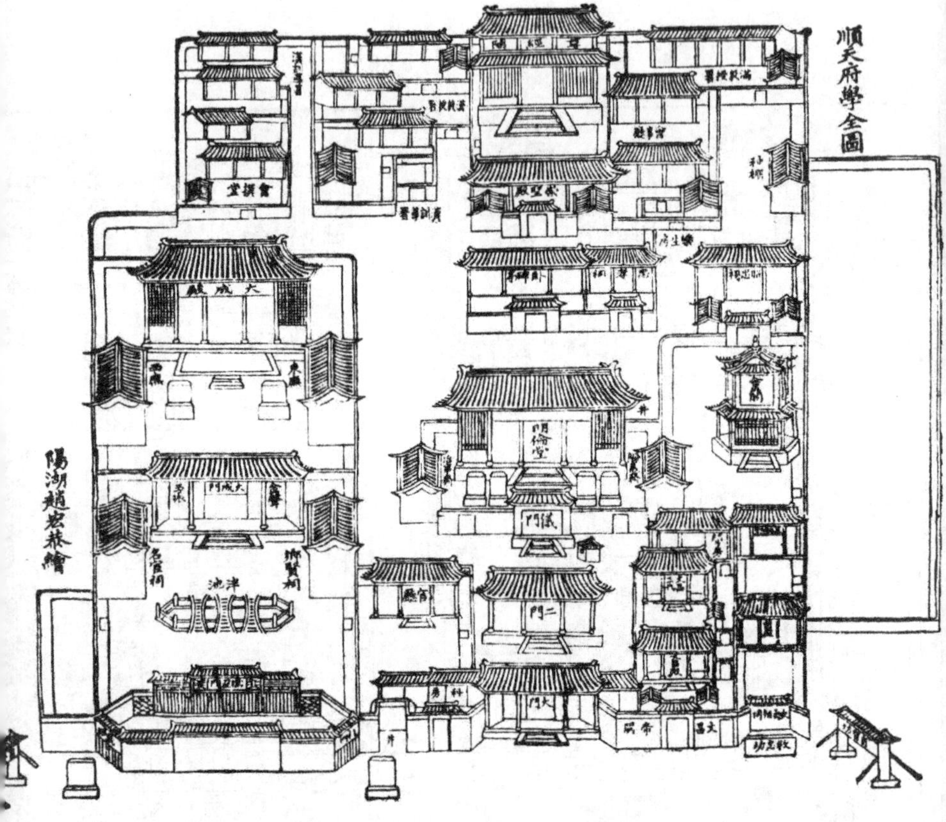

陽湖趙宏恭繪

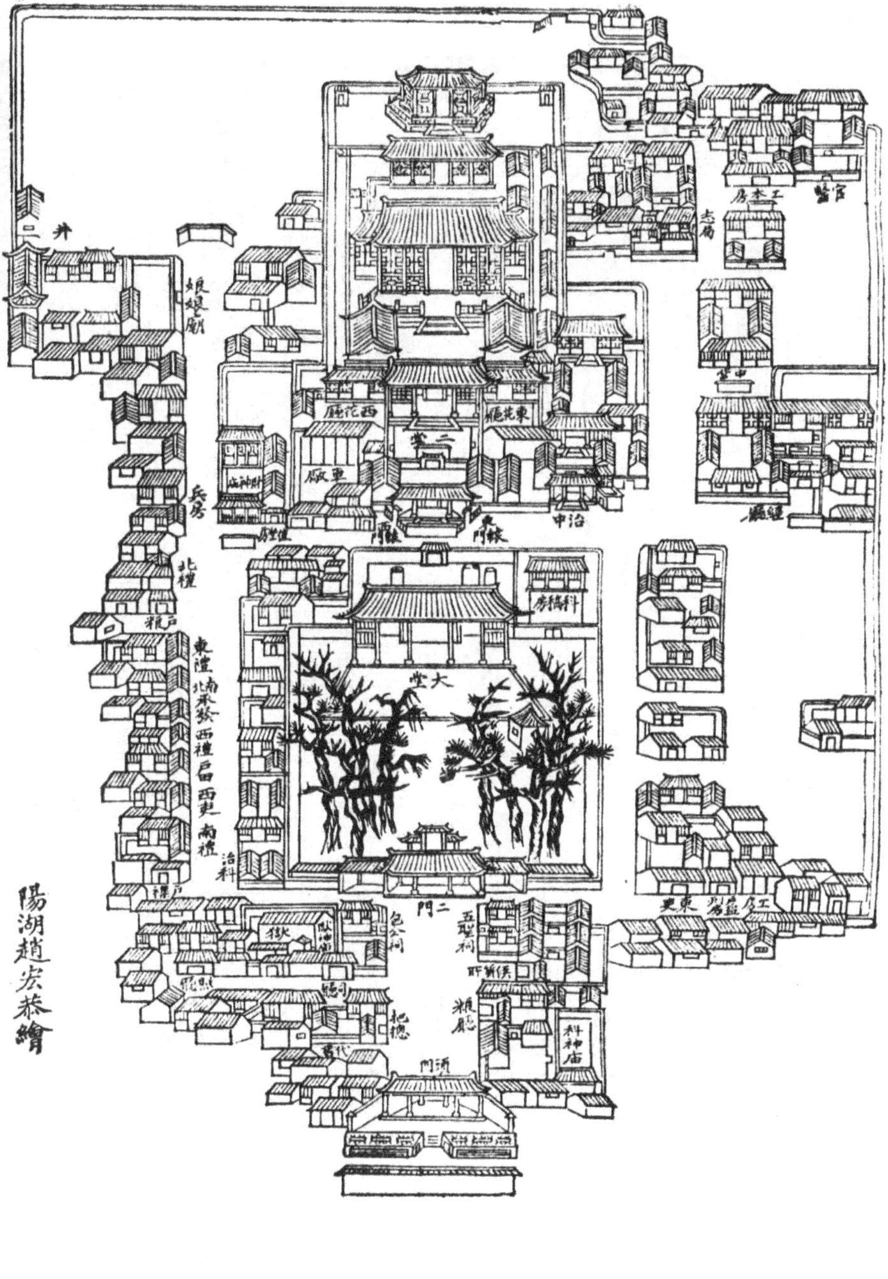

陽湖趙宏恭繪

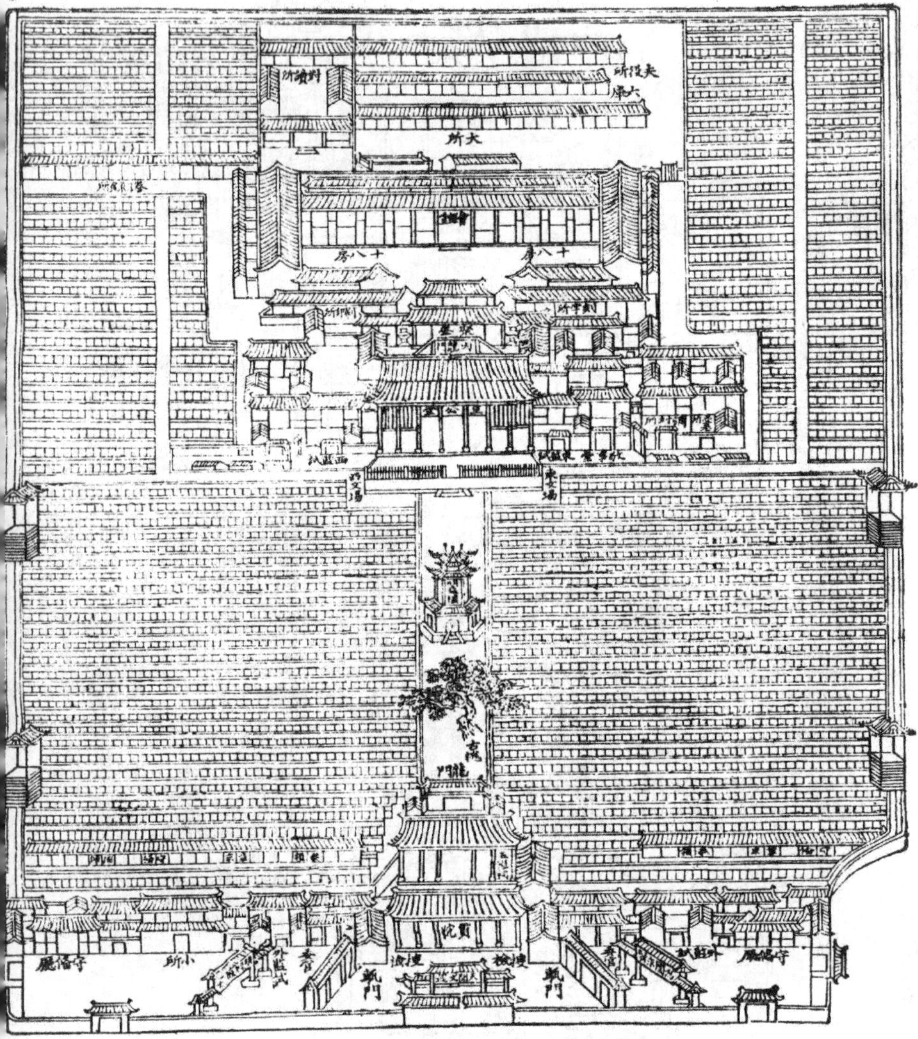
對讀所
夫役所
六房
大所
謄錄所
十八房
十八房
聚奎堂
至公堂
西文場
東文場
龍門
貢院
搜檢
搜檢
轅門
轅門
守備廳
小所
守備廳

順天貢院全圖

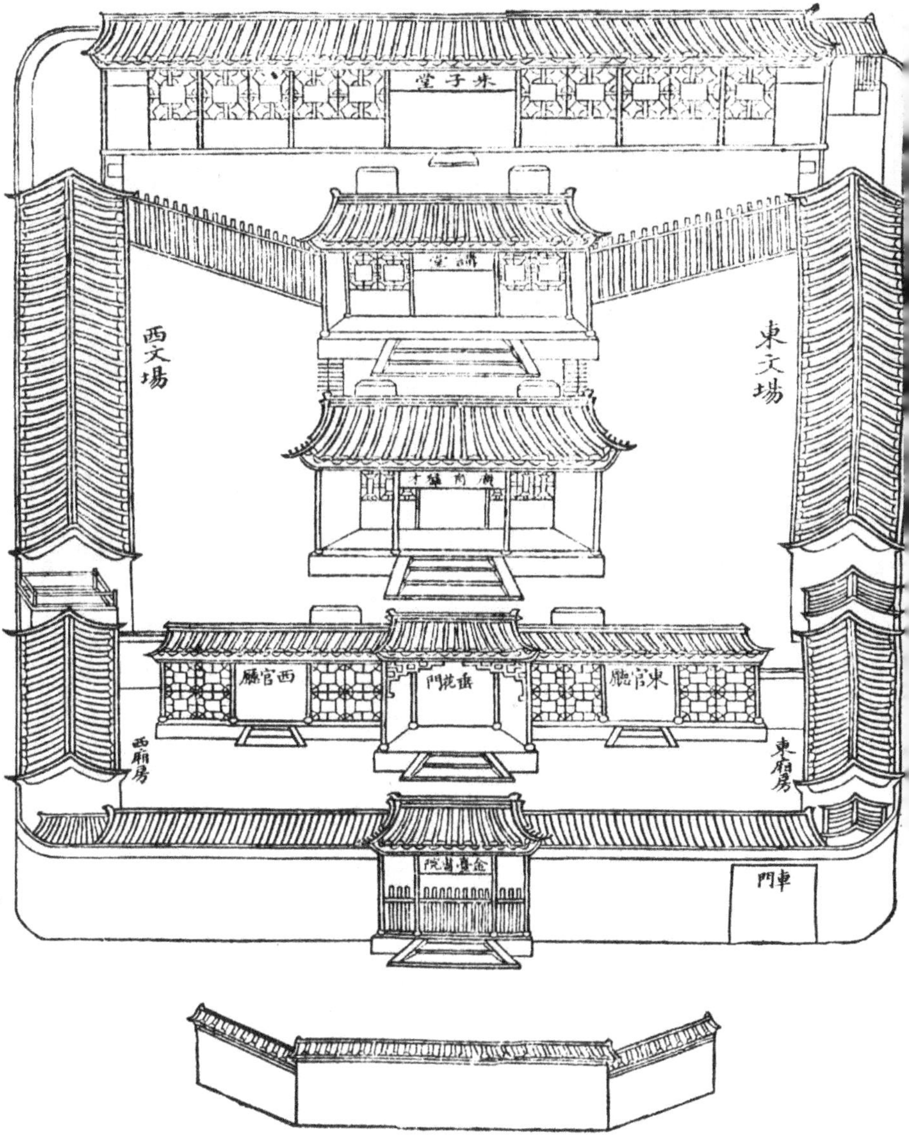

陽湖趙宏恭繪

京師志一

城池

黄岡洪良品纂　江陰繆荃孫覆輯

京師古冀州地，左負遼海，右引太行，喜峯、居庸，擁後翼衛，居高馭重，臨視乎六合。天啓聖清，膺圖建鼎，此維與宅，制沿明舊，邦命維新，翼翼巍巍，億萬年金湯之固矣。溯遼、金肇都，猶沿唐藩鎮舊城，元、明以降，規體增廓，今雖府治，實爲帝都。爰述建繕所由，綴於簡端，遼、金、元、明亦附考焉。志城池。

京城周四十里，爲門九：南爲正陽門，南之東爲崇文門，南之西爲宣武門，東之南爲朝陽門，東之北爲東直門，西之南爲阜成門，西之北爲西直門，北之東爲安定門，北之西爲德勝門。自元至元四年，於中都之東北建城，方六十里，分十一門：正南爲麗正門，南之東爲文明門，南之西爲順承門，正東爲崇仁門，東之南爲齊化門，東之北爲光熙門，正西爲和義門，西之南爲平則門，西之北爲肅清門，北之東爲安貞門，北之西爲健德門。詳見下。明洪武元年，徐達經理元都，縮其城之五里，北廢光熙、肅清二門，其九門仍舊，尋改崇仁曰東直，和義曰西直，安貞曰安定，健德曰德勝。永樂十五年，營建北京宮殿，十五年拓其城之南面、共周圍四十里。正統四年，改麗正曰正陽，文明曰崇文，順承曰宣武，齊化曰朝陽，平則曰阜成。詳見下。

本朝鼎建，修整壯麗。其九門之名，則仍其舊。分别滿洲、蒙古、漢軍八旗方位：鑲黄旗居安定門内，正黄旗居德勝門内，正白旗居東直門内，鑲白旗居朝陽門内，正紅旗居西直門内，鑲紅旗居阜成門内，正藍旗居崇文門内，鑲藍旗居宣武門内。詳八旗地段。皇朝通志三十二。按：唐幽州藩鎮城，在今城之西南。遼之南京，即因之。至金，重加增拓。逮元至元間，建都城，而故址漸廢，至於元之大都，則今安定、德勝門外尚爲城中地。自明初縮城之北面，而元之規制以改。永樂中，重拓南城，又非復明初之舊矣。城垣：南面廣二千二百九十五丈九尺三寸，北二千二百三十二丈四尺五寸，東長一千七百八十六丈九尺三寸，西一千五百六十四丈五尺二寸，下石上甎，共高三丈五尺五寸，堞高五尺八寸，址厚六丈二尺，頂闊五丈；設門九，門樓如之；角樓四，城垜一百七十二；旗礮房九所，堆撥房一百三十五所，儲火藥房九十六所，雉堞一萬一千三十八，礮窗二千一百有八。凡門樓均朱楹丹壁，檐三層，封檐列脊，均緑琉璃。城闉九，惟正陽門城闉闢三門，譙樓一，閘樓三；餘八門城闉各一門，譙樓、閘樓各一。凡譙樓、閘樓，均四面甎垣，設礮窗，雉堞均留鎗竇。正陽門東西，崇文門東，宣武門西，朝陽門南，東直門南，德勝門西，各設水關一，均内外三層，每皆護以鐵柵。欽定大清會典事例六百六十五。

外城環京城南面，轉抱東西角樓，長二十八里，爲門七：南爲永定門，左爲左安門，右爲右安門，東爲廣渠門，西爲廣甯門，在東西隅而北向者，東爲東便門，西爲西便門，明嘉靖三十二年建，四十三年成。（詳見下。）本朝重加修整。（皇清通志二十三。）外城南面二千四百五十四丈四尺七寸，東長一千八百五丈一尺，西一千九十三丈二尺，下石上甎，共高二丈，堞高四尺，址厚二丈，頂闊一丈四尺，設七門，門各有樓，（内永定、廣甯二門，乾隆三十二年，門樓改檐三層，布筩瓦脊獸。）城闉七，角樓六，城垛六十三，堆撥房四十三所，雉堞九千四百八十七，礮窗八十八；東、西便門樓及角樓，制如内城譙樓，設礮窗雉堞，均留鎗竇；東便門東，西便門東，水關各一，皆三洞，每洞内外均有鐵柵；東便門西水關一，内外二層，鐵柵如之。（會典事例六百六十五。）

按會典：雍正八年，覆准内外城墻除土心外之舊址，闊五六尺，頂闊三、四、五尺不等，今議以址闊六尺，頂闊四尺，著爲定例。乾隆三十六年，議以京都城垣最關緊要，所以保護城墻者，上憑海墁，下藉根脚，今議以海墁砌城甎三層，築灰土三步，每步用灰五百斤，地脚灰土五步，每步用灰六百斤，護城根脚散水灰土三步，每步用灰三百五十斤，内城裏外皮城身砌甎址，計九進，頂計五進，外城裏外皮城身砌甎址計八進，頂計四進，均用長一尺五寸、寬七寸五分、厚四寸停泥城甎成砌，每塊給甎價銀三分六釐三毫。

鼓樓在皇城地安門外，址高一丈二尺，廣十六丈七尺有奇，縱減三之一，四面有階，上建樓五間，重檐，前後券門六，左右券門二，磴道門一，繞以圍廊，週建甎垣。鐘樓在鼓樓北，制相埒。明永樂十八年建，後燬於火。國朝乾隆十二年重建，樓三間，柱棁榱題，悉制以石。（會典事例六百六十五。）城有濠，皆玉泉水也。内城之水，發源玉泉山，經高梁橋至城西北，分二支：一、循城北轉東折而南，一、循城西轉南折而東。環繞九門，經九閘，匯流至大通橋而東，隨地形高下，瀠洄貫注，若玉虹然。自西直門角樓北河口迤南，由西直、阜成門繞宣武、正陽、崇文門三孔閘止，長三千九百四十七丈，自西直門角樓北三岔河口迤東，由德勝、安定門繞東直門至朝陽門鴛橋止，長三千八十七丈。正陽門外跨石梁三，餘八門各一。外城濠水，亦自玉泉分流，至四角樓繞城南流，折而東，至東角樓，環繞七門，東達運河，自西便門外東邊甎券橋，由西便、廣甯門繞右安、永定、左安、廣渠門迤北，至東便門二道橋止，長四千七百四丈，匯流達於通惠河，自釣魚臺前三孔石閘迤東，由圓通觀迤南繞小青龍橋，東達護城橋，長一千一百二十丈。城門外各跨石梁一。會典事例六百六十五。

遼故城考

遼太宗會同元年，升幽州爲南京，遼史太宗紀。又曰燕京。遼地理志。聖宗開泰元年，改幽都府爲析津府，遼聖宗紀。地方三十六里，崇三丈，廣一丈五尺，敵樓戰櫓具。八門：東曰安東、迎春，案乘軺録云：幽州城周二十五里，東南曰水窗門，疑有誤。南曰開陽、丹鳳，王曾上契丹事云南有啓夏門。西曰顯西、清音，北曰通天、拱辰。遼地理志。按：遼之故城卽因唐藩鎮城之舊，其地在今城西，偏及郊外地，今琉璃廠在正陽門外，而乾隆間得李內貞墓志，稱其地爲燕京東門外之海王村。又今黑窰廠在永定門內慈悲庵，而今存遼壽昌慈智大師石幢，亦稱爲京東。北盟彙編：郭藥師襲遼，由固安渡盧水，奪迎春門，陳於憫忠寺前。是遼東門在憫忠寺之東，慈悲庵之西，界址規模，略可想見，若後人所謂蕭太后城，卽遼之故城，並非別有一城也。

金故城考

金太祖天會三年，宗望取燕山府，因遼人宮闕，於内外城築四城，每城各三里，前後各一門，樓櫓墉塹，悉如邊城。每城之内立倉廒甲仗庫，各穿複道，與内城通。時陳王兀室及韓常笑其過計，忠獻王曰：百年間當以吾言爲信。（大金國志二十二。）及海陵立，有志都燕，而一時上書者争言燕京形勝，梁漢臣曰：燕京自古霸國，虎視中原，爲萬世之基。（日下舊聞考四，引煬王江上録。）何卜年曰：燕京地廣堅，人物蕃息，乃禮義之所。（大金國志十三。）天德三年，始圖上燕城宮室制度。三月，命張養浩等增廣燕城。城門十三：（金圖經作十二，少光泰一門。）東曰施仁，曰宣曜，曰陽春，南曰景風，（金圖經作景豐。）曰豐宜，曰端禮，西曰麗澤，曰灝華，曰彰義，北曰會城，曰通元，曰崇智，曰光泰。（金史地理志。）遂以燕爲中都，府曰大興，定京邑焉。都城之門，每一面分三門，一正兩偏，其正門旁又皆設兩門，正門常不開，惟車駕出入，餘悉由旁兩門焉。（日下舊聞引金圖經。）周圍二十七里，樓壁高四十尺，樓計九百一十座，地塹三重。（許元宗奉使行程録。）築城用涿州土，人置一筐，左右手排立定，自涿至燕傳遞，空筐出，實筐入，人止土一畚，不日成之。（日下舊聞考三十七，引析津志。）正隆四年二月丁未修。（金史海陵本紀。）至衛紹王時，蒙古軍至，乃命京城富室遷入東子城，百官入南子城，宗室保西城，戚里保北城，各分守兵二萬。大興尹烏陵用章命京畿諸將，毀各橋梁，瓦石悉運入四城，往來以舟渡運，不及者投之于水。拆近城民屋爲薪，納之城中。蒙古兵攻城，四城兵皆迭自城上擊之，蒙古兵凡比歲再攻，不能克。大金國志二十二。按：金之都城因遼之舊，周二十七里，至天德三年，東南二面展築三里，與四子城相屬，外城包之，廣七十五里，在今都城南面，元代尚有遺址，當時多謂之南城，而指新都爲北城。今就前人志乘、文集、碑刻所記，準以現在地面，參稽互審，如憫忠寺、昊天寺，今在宣武門南，與廣甯門相近，而元人皆稱爲南城古蹟。又今城外白雲觀西南有廣恩寺，卽遼金奉福寺，距西便門尚遠，而金泰和中曹謙碑記，謂寺在都城內。金天王寺卽今天甯寺，在廣甯門外稍北，而元一統志謂在舊城延慶坊內。金圖經載都土地廟在舊城通元門內，通元乃金都城北門也，而都土地廟在今宣武門外西南，土地廟斜街。由此考之，則金故都當在今外城迤西，以至郊外之地。金蓋因遼舊城展拓其東北隅，當與今都城西南隅相接。元王惲中堂事記云：中統元年赴開平，三月五日發燕京，宿通元北郭，六日午憩海店，距京城二十里。海店卽今海淀。許元宗奉使行程録云：自良鄉六十里至燕山府，燕山府八十里至潞縣。以道里核計，則金之都城較今城偏西南。按蔡珪傳，有兩燕王及太子丹之葬，珪獨考其非是，乃漢劉建及劉嘉之葬也。大定九年，詔改葬於城外。劉頍傳：南苑有唐碑，書貞元十年御史大夫劉怦葬。世宗見之曰：苑中不宜有墓。劉頍家本怦後，詔賜怦錢二百貫，令頍改葬於城外。據此二傳，可見海陵築城時，於遼故城之東南二面，皆大爲增廣，故兩燕王及劉怦墓舊時皆在城外者，悉圍入城中，至大定始爲遷出。明太祖實録云：太祖令指揮葉國珍計度，南城周圍凡五千三百二十有八丈，南城故金時舊基也，是金故城遺蹟，明初尚有存者。逮嘉靖時，築外羅城而後，遼金故城遺址，遂茫昧不可復識矣。按大金國志、金圖經，皆言京城門十二，金史獨於北面多光泰一門。考北平圖經，謂奉先坊在舊城通元門內，而析津志又謂在南城清怡門內，二名錯見，疑清怡卽通元之別稱。析津志亦作十二門，至北曰會城、通元、崇智，改門曰怡清，曰光泰，明言清怡乃通元所改，光泰乃崇智所改也。金史修時尤在國志、圖經之後，所言不足據。又按國志卷二十二有云：大軍至昌平，榜諭居民自爲計，城內外亂甚，老弱奔號。少尹張天和奏，請京城一十八門隨方便自門以出，則是城有十八門，不止於各書所載十三門、十二門也。國志卷二十三又云：十月十八日，大軍至城下，一屯大安門。十一月初一日，攻順陽門、南順門、四會門，此四門者，他書均不載，不知爲各門之別名歟？抑各門外另有此數門歟？至其子城有四，皆在大城內，如完顏律明請守大城用章希古，曰：大城汗漫，凡七十餘里，如何去守！設或不利，必皆走入小城。所謂小城，卽此四城也。觀於大軍攻內城，四城兵皆迭至，自城上擊之，則知此四城原爲護內城之用，而金主亮復築外城以包之。今外城遺址已失，而四城地界方位，更無從辨矣。

元故城考

元太祖十年，克燕，初爲燕京路總管大興府。元史地理志。世祖中統二年，修燕京舊城。元史本紀。至元元年，都中都。四年，始於中都之北建今城而遷都。九年，改大都。元史地理志。城方六十里二百四十步，分十一門：輟耕録。正南曰麗正，南之右曰順承，南之左曰文明，北之東曰安貞，北之西曰健德，正東曰崇仁，東之右曰齊化，東之左曰光熙，正西曰和義，西之右曰肅清，西之左曰平則。元史地理志。時詔舊城居民之遷京城者，以貲高及有官者爲先，仍定制以八畝爲一分，其或地過八畝，及力不能築室者，皆不得冒據，聽他人營築。築城已周，乃於文明門外向東五里立葦場，收葦以蓑城，每歲收百萬，以葦排編，自下砌上，恐致摧塌。日下舊聞考引析津志。按析津志所言，則元時都城乃用土築，蓋至明初改築時，始加以磚甓也。二十年，修大都城。二十一年五月丙午，以侍衛親軍萬人修大都城。二十九年七月癸亥，完大都城。元世祖本紀。至治二年十一月，以洪澤、芍陂屯田軍萬人修大都城。元成宗本紀。至治二年七月，修大都城。元英宗本紀。至正十九年冬十月庚申朔，詔京師十一門皆築甕城，造弔橋。元順帝本紀。按：元之都城，視金之舊城拓而東北，至明初改築，迺縮其東西迤北之半而小之。今德勝門外有故土城闉，隆然墳起，隱隱曲抱，如環不絶，傳爲北城遺址。而野獲編謂今之鼓樓正在城北，以爲卽元之前朝門。夫元大内實在太液池左右，其前朝門不當在此。日下舊聞考云：元城京師有司定基，正直慶壽寺海雲、可菴二師塔，敕命遠三十步許，環而築之。慶壽寺今爲雙塔寺，二塔屹然尚存西長安街之北。而吴師道城外紀游詩，謂觀象臺、泡子河俱在文明門外，則元時南面城根去東西長安街不遠。攷明洪武時，經理元故都，東西徑一千八百九十丈。至永樂時，拓南城二千七百餘丈。是由雙塔寺拓至宣武門，幾及二里，約四百丈有奇。重築南面一千八百丈，東西各四百丈，與二千七百餘丈適合。是可爲元城在雙塔寺之確證。按日下舊聞考云：元張中丞養浩歸田類藁，有登憫忠寺閣詩，注：北三十里爲大内，與析津志、北京志及元李洧孫大都賦所紀皆不合，北三十里，當是三里之訛耳。據唐景福中重藏舍利記：燕城東南隅爲憫忠寺。又北京志：至元四年，始定鼎於中都之東北三里。夫中都本唐舊城，遼、金展拓不過數里，見金蔡珪大覺寺記，當時憫忠寺之在城東南如故也。元都城周六十里，以圍三徑一衡之，城中南北相直應二十里，加以新舊都城相去三里，則憫忠寺距元之安貞門不過二十三里，焉有大内遠隔三十里者乎？且元大内在太液池東，爲金萬甯宫苑地，此外更無大内。李洧孫賦曰：揭五雲於春路，迓萬寶於秋方。則崇天門外東西坊也。曰：山萬歲之嶙峋，冠廣寒之崢嶸，池太液之浩蕩。則指瓊花島也。曰：麗正之所包羅，崇仁之所聯絡，和義之所綱維，安貞、健德之所囊括。則指都城各門也。合城坊門囿以觀，則元大内卽近液池，益信。而揆以憫忠閣北三里，約略相符矣。

明故城考

洪武初，改大都路爲北平府，縮其城之北五里，廢東西之北光熙、肅清二門，其九門俱仍舊。日下舊聞考引寰宇通志。大將軍徐達命指揮華雲龍經理故元都，新築城垣，南北取徑直，東西長一千八百九十丈。又令指揮張煥計度故元皇城，周圍一千二百六丈，又令指揮葉國珍計度南城，周圍凡五千三百二十八丈。南城故金時舊基也。改元都安貞門爲安定門，健德門爲德勝門。日下舊聞引明太祖實録。舊土城周圍六十里，克復後，以城圍太廣，乃減其東西迤北之半，創包磚甓，周圍四十里。其東、南、西三面各高三丈有餘，上闊二丈；北面高四丈有奇，濶五丈；濠池各深濶不等，深至一丈有奇，濶至十八丈有奇。城爲門九：南三門：正南曰麗正，左曰文明，右曰順承；北二門：左曰安定，右曰德勝；東二門：東南曰齊化，東北曰崇仁；西二門：西南曰平則，西北曰和義；各門仍建月城外門十座。日下舊聞考引洪武北平圖經。永樂元年正月，禮部尚書李至剛等言：自昔帝王，或起布衣，平定天下，或由外藩入承大統，其於肇迹之地，皆有升崇。竊見北平布政司，實皇上承運興王之地，宜遵太祖高皇中都之制，立爲京都。制曰：可，其以北平爲北京，府爲順天府。日下舊聞引成祖實録。四年閏七月，建北京宫殿，修城垣。明史地理志。十七年十一月，拓北京南城，計二千七百餘丈。日下舊聞考引成祖實録。按：元城京師，有司定基，直慶壽寺，卽今雙塔寺，在西長安街北，距宣武門幾及二里。每里通爲二百六十丈，約四百丈有奇。洪武經理元故都，新築城垣，南北取徑直，東西長一千八百九十丈。是明初南城，自東至西，長一千八百九十丈也。至永樂時，拓而南幾及二里，不獨南面長一千八百九十丈之城，固宜重築，而東西並宜各加四百丈有奇，統而計之，適得二千七百餘丈。正統元年十月，命太監阮安、都督同知沈青、少保工部尚書吴中，率軍夫數萬人，修建京師九門城樓。四年四月，修造京師門樓、城壕、橋閘完。正陽門正樓一，月城中左右樓各一；崇文、宣武、朝陽、阜成、東直、西直、安定、德勝八門，各正樓一，月城樓一；各門外立碑樓，城四隅立角樓，又深其濠，兩涯悉甃以磚石；九門舊有木橋，今悉撤之，易以石，兩橋之間各有水閘，濠水自城西北隅環城而東，歷九橋、九閘，從城東南隅流出大通橋而去。自正統二年正月興工，至是始畢。日下舊聞引英宗實録。更名麗正爲正陽，文明爲崇文，順承爲宣武，齊化爲朝陽，平則爲阜成，餘四門仍舊。城南一面，長二千二百九十五丈九尺三寸，北二千二百三十二丈四尺五寸，東一千七百八十六丈九尺三寸，西一千五百六十四丈五尺二寸，高三丈五尺五寸，垛口五尺八寸，基厚六丈二尺，頂收五丈。工部志。嘉靖二十一年，掌都察院毛伯温等言：宜築外城。二十九年，命築正陽、崇文、宣武三關廂外城，既而停止。三十二年，給事中朱伯辰言：城外居民繁夥，不宜無以圍之。臣嘗履行四郊，咸有土城故址，環繞如規，周可百二十餘里。若仍其舊貫，增卑補薄，培缺續斷，可事半而功倍。乃命相度興工。明典彙。閏月丙辰，兵部尚書聶豹等上言：臣等於本月六日，會同掌錦衣衛都督陸炳、總督京營戎政平江伯陳圭、協理戎政侍郎許論，督同欽天監監正楊緯等，相度京城外四面，宜築外城，約七十餘里。自正陽門外東馬道口起，經天壇南牆外，及李興、王金箔等園地，至蔭水菴牆東止，約計九里；轉北，經神木廠、獐鹿房、小窯口等處，斜接土城舊廣禧門基止，約計一十八里；自廣禧門起，轉北而西至土城小西門舊基，約計一十九里；自小西門起，經三虎橋村東、馬家廟等處，接土城舊基，包過彰儀門，至西南，直對新堡北牆止，約計一十五里；自西南舊土城轉東，由新堡及黑窰廠，經神祇壇南牆外，至正陽門外西馬道口止，約計九里。大約南一面計一十八里，東一面計一十七里，北一面勢如椅屏，計一十八里，西一面計一十七里，周圍共計七十餘里，内有舊址堪因者約二十二里，無舊址應新築者約四十八里。其規制、臣等議得外城牆基，應厚二丈，收頂一丈二尺，高一丈八尺，上用甎爲腰，牆基應埰口五尺，共高二丈三尺，城外取土築城，因以爲濠。正陽等九門之外如舊。彰儀門、大通橋各開門一座，共門十一座。每門各設門樓，五門，四角設角樓四座。其通惠河兩岸，各量留便門，不設門樓。城外每面應築敵臺四十四座，每座長二丈五尺，廣二丈，收頂一丈二尺，每臺上蓋鋪房一間，以便官軍棲止，四面共計敵臺一百七十六座，鋪一百七十六所。城内每面，應築上城馬道五路，四面共馬道二十路。西直門外及通惠河工處，係西湖、玉河水出入之處，應設大水關二座；八里河、黑窑廠等處，地勢低窪，潦水流聚，應設小水關六座。城門内兩傍工完之日，擬各蓋造門房二所，共二十二所，以便守門人員居處。疏入，得旨，允行。乙丑，建京師外城興工，遣成國公朱希忠告太廟，敕諭陳圭、陸炳、許論及工部左侍郎陶尚德、内官監右少監郭暉提督工程，錦衣衛都指揮使朱希孝、指揮僉事劉鯨監督工程，又命吏科左給事中秦梁、浙江道御史董威巡視工程。四月，上又慮工費重大，成功不易，以問嚴嵩等。嵩等乃自詣工所視之，還言：宜先築南面，俟財力裕時，再因地計度以成四面之制，所以南面横濶。於是嵩會圭等議覆：前此度地畫圖原爲四周之制，所以南面横濶凡二十里，今既止築一面，第用十二三里便當收結，庶不虚費財力。令擬將見築正南一面城基，東折轉北，接城東南角；西折轉北，接城西南角，并力堅築，可以刻期完報；其東、西、北三面，候再計度，以聞。報允。日下舊聞引世宗實錄。重城包京城南一面，轉抱東西角樓止，長二十八里，爲七門：南曰永定、左安、右安，東曰廣渠、東便，西曰廣甯、西便。城南一面，長二千四百五十四丈四尺七寸，東一千八十五丈一尺，西一千九十三丈二尺，各高二丈，垜口四尺，基厚二丈，頂收一丈四尺。四十二年，增修各門甕城。工部志。四十三年六月丁酉，京師重城成。日下舊聞引世宗實錄。内外兩城，計垜口二萬零七百七十二垜，下砲眼共一萬二千六百有二。春明夢餘錄。張四維京師新建外城記：上臨御之三十二年，廷臣有請築京師外城者，參之僉論，靡有異同。天子乃命重臣相視原隰，量度廣袤，計工定賦，較程刻日。於是京兆授徒，司徒計賦，司馬獻旅，司空鳩役，總以勳臣，察以臺諫，與夫庶司百職，罔不祇嚴。乃遂畫地分工，授規作則，制緣舊址，土取沃壤。僚藩輸鏹以贊工，庶民子來而趨事。曾未越歲，而大功告成。崇庳有度，瘠厚有級。繚以深隍，覆以甎植。門垣矗立，樓櫓相望。巍乎焕乎，帝居之壯觀也！夫易垂設險守國之文，詩有未雨桑土之訓。帝王城郭之制，豈以勞民？所以固圉宅師，以隆王者居重之威，以奠下民安土之業，以絶奸宄覬覦之念，此固乃聖人因時之政，不得不然者爾。萬曆三十三年，重修京城外城。明史神宗本紀。孫承宗重修都重二城碑記：紀維文皇奠鼎燕畿，以建都城，扼吭拊背，維萬世之安。我世宗肅皇帝，念生齒滋繁，比廬溢郭，重毖庚戌之役，詔從侍郎臣邦瑞議，築外郛於三門，凡以固圉宅師，尊宸極、消姦萌也。今皇上甲辰夏，恆雨，壞民廬舍無算，城有圮，於是秋七月朔，工部尚書臣某以災異上聞。若曰：天不忘根本，肆不輯於兩城，而釁於雨，夫衆心爲城，外頹中陷，是且有土崩之象，將無彌縫其闕，而固吾圉也，其何變之能圖？蓋時報圮者方三百丈，未甚也。又旬日，雨溢渠，計圮都城且七百七十七丈有奇，重城亦三百三十丈有奇，而埤堄亭舍不與。於是臣某再以數上聞，若曰：災不可玩，備不可弛，玩災弛備，不可以甯。是時皇上方以帑金十萬理民廬舍，疏入，不卽問。乃臣某再以修葺上聞，若曰：刻期我惟築，無甯狥故常，而不慮事以授，豈其不秋防是虞？若猶是枕纂而不以聞也，則少不遑卽剟户而逸者，四走無際，它其誰捍禦之？其若掌故何？定鼎來，是墉是壑，有基勿壞，方今千丈之瑕，秋防之候，即三旬而成，尚虞窺予，況其平板幹稱，畚築非卒辦也，而繕司困憊，曾餱糧之不具，則登登之築，無甯泄泄也。於是天子下其議，停一切小修。若曰：上天下儆，恆雨壞垣，尚亟修之，固我保障，無怠無玩。乃以繕部郎中臣某同員外郎臣某實專料理，而科臣某、臺臣某實專巡察，時以行築者，飭其不勉者。蓋以八月趨事，明年某月告成功。日發丁男若干，金錢若干，天子重念勞人，陞賞各有差，且詔臣某爲之記。臣以爲城以盛民也，我皇上先民居而後兩城，其以鞏皇圖、綏蒸民，意深遠矣。然威靈遐鬯，夷裔率服，方且極覆爲城，極載爲池，豈其介在藩籬，是豐芑之謀，不藉爲大耳。不然，百家之聚，尚勤藩垣，豈其根本天下，而不以備？然臣竊有警也。昔我肅皇帝建永定外郛，而難其守，臣謂守在城廓者危，守在四夷者安，守在民力者疏，守在民心者密。今天下浚膏實之，而罷力築之，則民不堪，嘆溢災之，而築鑿苦之，則天且若甚忍於民。夫民不堪將生心，而天不忍，或其未忘也。我皇上惕於生心，而幸是未忘，必且以祖宗之德澤，維法度而上爲百姓守法，下且爲朝廷守國，頃所爲慎重，而不輕用民，意在斯乎？夫慎重而不輕用民，先王之所以爲天下也。臣謹稽首頓首而爲之言。銘曰：皇明御宇，奄有萬方。燕畿奠鼎，拊背扼吭。文經武緯，細大畢張。是憑是式，繫於苞桑。泰有茹彙，城有復隍。天子曰：吁，其固我防。及度廣袤，乃察相翔。司徒計賦，乃芻乃糧。司馬獻旅，乃穀乃揚。司空鳩役，乃飭乃獎。萬臿雲奮，萬雉雲長。悦以忘勞，迄可大康。天子曰都，誰爾衆襄？詞臣載筆，俊蹟用章。小臣稽首，曰惟帝光。匪城不易，惟守未遑。過城則傾，恃城則亡。於鑠帝賚，比於金湯。惟帝念功，無怠無荒。億萬斯年，民悦無疆。

天啟元年十月，給事中魏大中報京城濬濠工竣。東便門迤北，員外郎何玉成監濬一百四十丈，張時俊監濬一百五十三丈，主事劉鱗長監濬一百六十一丈，主事張杰監濬一百五十五丈，主事張泰階監濬一百四十五丈；朝陽門迤北，主事吳時亮監濬五百九十四丈；東直門迤北轉西，主事陸之祺監濬五百九十六丈；安定門，主事曾櫻監濬門東四百三十丈，門西一百六十丈；安定門迤西，主事劉鱗長監濬二百六十丈，主事韋國賢監濬一百七十丈，員外郎陸化熙監濬二百三十九丈；德勝門迤西，主事劉存慧監濬六百十九丈；西北角樓迤南，員外郎趙贊化監濬一百七十七丈；西直門迤南，主事張時俊監濬一百九十三丈，主事楊師孔監濬四百六丈八尺；阜成門迤南，主事張泰階監濬二百八十丈，員外郎趙贊化監濬二百五十三丈；西便門至正陽門，主事李養德監濬一千一百二十丈八尺一寸；正陽門至崇文門，郎中吴叔度監濬四百九十五丈；崇文門至東便門，郎中吴叔度監濬四百九十二丈；重城，員外郎林宲監濬五千一百五十丈。藏密齋集。崇禎己卯二月，内監曹化淳議京城外開河以通漕糧。自是年三月十九日起，至辛巳六月，所開河，自土城廣渠門起，至大通橋運糧河北岸，挑河長三千八百六十二丈，又東直門外關帝廟挑月河長二百七十丈，鬬虎營至關帝廟大石橋，挑河長三千一百五十一丈。命内監于躍爲河工總理，而以兵部司官輪督班軍，共用班軍二十三萬二千餘名，五城、兩縣募夫二萬九百餘名。兵部侍郎吴甡視工，以爲勞費無益，且傷地脉，抗疏止之。春明夢餘録三。按：唐之幽州，其址半在今城之西。金展其南，元拓其東北，明縮其北，而復營其南，於是昊天、憫忠、延壽、竹林、仙露諸寺，向之限於城外者，今悉圍入城中，自梁園以東，至於神木廠，舊所稱爲郊外地者，今並郊壇，而悉爲城内地矣。

元鐘鼓樓考

鐘樓至元中建，閣四阿，簷三重，懸鐘於上。聲遠愈聞之。鼓樓舊名齊政樓，此樓正居都城之中。樓下三門。樓之東南轉角街市，俱是針鋪；西斜街臨海子，率多歌臺酒館。有望湖亭，昔日皆貴官遊賞之地。樓之左、右，俱有果木、餅麪、柴炭、器用之屬。齊政者，書璇璣玉衡以齊七政之義。析津志。上置銅刻漏，制極精妙，故老相傳，以爲先宋故物。其制爲銅漏壺四：上曰天池，次曰平水，又次曰萬分，下曰收水。中安鐃神，設械，時至則每刻擊鐃者八，以壺水滿爲度，涸則隨時增添，冬則用温水云。圖經志書。

元和管禮耕校

京師志二

宮禁上

黄岡洪良品纂　江陰繆荃孫覆輯

本朝宮禁，皆因前明。而紫禁城以外均爲民居，較之明制損三之一。塗茨紹周，卑宮法禹，列聖儉德，前古罕聞。詳其制度，紀其方向，遠希三輔之圖，近法臨安之志，而以遼、金、元、明故宮攷附焉。志宮禁。

皇城在京城中，圍徑三千二百二十五丈九尺四寸。自正陽門之内曰大清門，皇朝通志都邑略。會典事例六百六十一：順治元年，定鼎燕京，上大清門牌額。東南曰長安左門，西南曰長安右門，東曰東安門，西曰西安門，正北曰地安門，舊爲北安門，順治九年改今名。日下舊聞考三十三。

大清門在正陽門内，門三闕，飛檐翼空，下繞石欄，廣數百步，前爲天街。左右列石獅一，下馬石牌各一。門内有千步廊，東西相嚮者各一百一十間，又左右折而北嚮者各三十四間。舊聞考九。會典事例六百六十一：凡吏、兵二部選官掣籤，禮部鄉、會試磨勘試卷，刑部秋審，俱集於此。其外東爲户部米倉，西爲工部木倉。其左折而北者，東接長安左門；其右折而北者，西接長安右門。門各三闕，東西嚮。門外下馬石牌各一，東西繚以紅牆。其長安門内，正中南嚮者爲天安門，舊曰承天門，順治八年改今名，是爲皇城正門。門五闕，重樓九楹，彤扉三十六。舊聞考九。會典事例六百六十一：凡國家大慶，覃恩，宣詔書於門樓上，由垛口正中，承以朶雲，設金鳳銜而下焉。門外華表柱二，金水橋環之；門内亦華表柱二。東西兩廡各二十六間，東廡之中爲太廟門，西廡之中爲社稷壇門，門各五楹，東西嚮。兩廡之北，正中南嚮者爲端門，制與天安門同。門内東廡五間，爲禮科公署。其東北爲太廟右門，西爲社稷壇左門，門三楹，東西嚮。又北，東西廡四十二間，均聯檐通脊，東爲吏科公署七間，户科九間，西爲中書科直房六間，兵科、刑科公署各七間，又六科公所二間，餘爲各部、院、府、寺、監朝房。又北東出者爲闕左門，舊聞考十。會典事例六百六十一：凡九卿會議、揀選、驗看，俱集於此。西出者爲闕右門，舊聞考十。會典事例六百六十一：凡八旗都統會議集於此。門外下馬牌各一。闕左門外西嚮者爲太廟西北門，闕右門外東嚮者爲社稷壇東北門。又北，東西廡各三間，爲王公朝集之所。

紫禁城在皇城中，南北各二百三十六丈二尺，東西各三百二丈九尺五寸。門凡四：南曰午門，北曰神武門，東曰東華門，西曰西華門。四維皆有角樓。國朝宮史。舊聞考三十三：明初，燕邸即元隆福、興聖遺址，在太液池西。元舊内在太液池東。其後永樂間，改建都城，則燕邸即元舊内並爲西苑，而宮城則徙而之東。我朝定鼎，因之。午門前接皇城之端門，是爲紫禁城正門，門三闕，上覆重樓，九楹彤扉，六十六間；前左設嘉量一，右設日圭一。闕西向者曰左掖門，東向者曰右掖門，閣道盤雲，明廊迴起，兩觀翼聳，與中相輔，俗所謂五鳳樓也。國朝宮史。會典事例六百六十一：凡頒朔、宣旨、常朝俱於此。國有大征討，凱旋獻俘，樓上正中設寶座，皇帝御樓受焉。樓上置鐘鼓，凡視朝，則鳴鐘鼓於樓上，駕出入午門亦如之。舊聞考十。會典事例六百六十一：親祀壇廟，出午門以鐘，時饗太廟以鼓。

午門内東西兩廡各二十二間，皆崇基。東廡之中爲協和門，西廡之中爲熙和門，舊爲雍和門，乾隆元年改今名。兩廡之北，正中南嚮者爲太和門，九楹，三門，前後陛各三出，左右陛各一出。重檐翬飛，石欄繚折，列銅獅二，寶鼎四。環以金水河，跨石梁五，卽金水橋也。左右各一門，皆南嚮，左曰昭德門，右曰貞度門。兩廡爲領侍衛檔房，東廡北爲稽察欽奉上諭處，南爲内閣誥敕房，西廡北爲繙書房，南爲起居注館，東南隅爲内閣公署，西南隅爲膳房外庫，舊爲國史館。太和門内，東西廡各三十二楹，東廡中爲體仁閣，西廡中爲宏義閣，閣各重樓九楹，皆東西嚮。廊廡四周相接，爲内務府銀庫、衣庫、緞庫、皮庫及茶、瓷分庋之所，武備院甲庫、氈庫、鞍庫附焉。東廡之北爲左翼門，西廡之北爲右翼門，東西嚮。正中爲太和殿，殿基崇二丈，殿矗十一丈，廣十一楹，縱五楹，康熙八年建。上爲重檐，脊四垂，前後金扉四十，金瑣窗十有六，龍墀丹陛，陛間列寶鼎十八，銅龜、銅鶴各二，日圭、嘉量各一。丹墀下爲文武官行禮位，範銅爲山形，俗呼爲品級石。鐫正、從一品至九品，東西各二行，行十有八。會典事例六百六十一。日下尊聞録二：每歲元日、冬至、萬壽三大節，及大慶典，則受賀，凡大朝會、燕饗、命將出師、臨軒策士、及百僚除授謝恩，皆御焉。圜丘大祀前一日祀祝版，祈穀、常雩亦如之。殿左爲中左門，殿右爲中右門，門各三楹。殿後東、西兩廡各三十間。正中南嚮者爲中和殿，縱廣各三間，方檐圓頂，金扉瑣窗，陛各三出。會典事例六百六十一。宸垣志略二：玉牒告成，恭進於中和殿；凡祭祀，視祝版，耕籍，視五穀農器於此。西廡爲銅器庫。其後爲保和殿，深廣九楹，重檐垂脊。前陛三出，南嚮，後陛三出，北嚮，會典事例六百六十一。宸垣志略二：每歲除夕，筵宴外藩，每科策試新進士，皆御焉。列祖實訓、實録告成，纂修官恭進於此。與太和殿兩廡丹楹相屬，四隅各有崇樓矗起，中通甬道。乾隆三十年重修。殿旁東爲後左門，西爲後右門，門各三間，南嚮，前後出陛；殿後迤北數十步，崇基列陛，與殿相對者即乾清門也。自午門至此，凡門數重，歷殿三，皆外朝之制。而在午門左右者，由協和門東出爲文華殿，殿深廣五楹，南嚮，康熙二十三年重建。殿前門三間，崇階九級；丹陛與露臺相值，臺左右各二陛，各十一級。東爲本仁殿，西爲集義殿，殿各五楹，東西嚮。會典事例六百六十一。古今地理述一：康熙二十三年重建，東西後配殿各五楹。殿後爲主敬殿，乾隆三十九年建，殿五楹。由本仁殿折而東爲傳心殿，殿廣五楹。會典事例六百六十一。日下尊聞録四：殿内祀皇師伏羲、神農、軒轅氏，帝師陶唐氏、有虞氏，王師夏禹、商湯、周文王，皆南向；先聖周公，東位西向，先師孔子，西位東向。每歲經筵，先遣官祭告。殿前東西角門二。北嚮五間爲治牲所，南嚮三間爲景行門。院東有大庖井，上覆以亭；國朝宮史。日下舊聞考三十五：傳心殿前左側，泉味獨甘，甲於別井。玉堂叢話云：黃諫嘗作京師泉品，謂玉泉第一，文華殿殿東大庖井第二，即此。殿後有祝版房、神廚，各三間；再後爲直房五間。

文華殿後爲文淵閣，皇朝通志都邑略。會典事例六百六十一：乾隆三十九年，勅建文淵閣於文華殿之後，藏欽定四庫全書凡三萬六千册，每歲御經筵畢，賜講官茶於此。閣制倣浙江鄞縣范氏天一閣。

閣制三層，上下各六楹，層階累折而上。上覆緑色瓦，前甃方池，跨石梁一，引玉河水注之。閣後壘石爲山。垣門一，北嚮；門外直房數楹，爲直閣諸臣所居。循閣西北，爲上駟院，西嚮；其南爲御馬廐；閣北南嚮者爲箭亭。循文華殿而東北，跨石梁三，前有三座門，門内東、西舊爲鷹狗處、御馬廐。正北有殿宇三所，覆以緑瓦，爲皇子所居，其中曰擷華殿，其前爲王公大臣宿衛直房，東爲御藥庫，稍西夾道内爲御茶膳房庫宇，又爲蒙古朝房。循文華殿而東南，北嚮者爲内閣尊藏實録庫，爲紅本庫，爲户部内庫，爲鑾儀衛内鑾駕庫；循庫左轉而北，爲國史館，南嚮，舊在午門内，今移置於此；國朝宫史。嘯亭續録一：乾隆庚辰，特命開國史館於東華門内，簡儒臣之通掌故者司之。攷毛奇齡雪中入直史館詩：朔風吹捲玉河沙，早見天街散雪花。苑外撲將千片蝶，壇深噪過幾羣鴉。遮成翠幄疑朝雨，望出紅牆似曉霞。誰賜錦貂還左掖，獨騎羸馬上東華。毛奇齡入直在康熙時，已有羸馬上東華之句，則史館自國初已移東華門内，特乾隆時以修史復開耳。其南爲東華門，門外有下馬石牌，即紫禁城之東門也。由熙和門西出爲武英殿，殿門制與文華門同。前跨石梁三，周以石檻。殿廣五楹，東、西陛九級。殿前東爲凝道殿，西爲焕章殿，後爲敬思殿，左右廊房凡六十三間，皆貯書籍。按：欽定命刊各書，俱於殿左、右直房校刊、裝潢。東北爲恒壽齋，西北爲浴德堂，皆詞臣校書直次。

武英殿之北爲方略館。皇朝通志都邑略。按：館爲軍機章京纂輯方略及直宿之所。再折而北，東嚮者爲回子學、緬子學。詳官學。又北正中爲内務府官署，爲果房，爲冰窖，爲造辦處。殿西爲咸安宫，宫五楹，左右各三楹，爲尚衣監。國朝宮史。會典事例六百六十一：恭製御服於此。其後殿宇舊爲皇子居，國朝宮史。會典事例六百六十一：乾隆二十四年，奉旨：將廣儲司、兆祥所、尚衣監改建皇子住房三百六十間。是尚衣監爲皇子居，特改自乾隆時，後又改爲別館矣。嗣爲三通館。爲清字館。又西爲咸安宮官學。武英殿之南爲外瓷器庫，稍西爲南薰殿，國朝宮史。宸垣識略二：列代帝后圖像，前明貯於內庫。乾隆十四年，命工重加裝潢，移藏於南薰殿。自太昊、伏羲而下，爲軸者六十有八，爲冊者七，爲卷者三，先聖先賢圖冊五，詳定位置，次第甲乙，歲以盛夏曝而庋之，扃鑰惟謹。又明諸帝王冊，向貯工部外庫，今附藏殿之西室。西有廬舍三十四間，爲御書處。國朝宮史。宸垣識略二：專管恭刻御製詩、文、法帖之屬。稍北爲西華門，門外有下馬石牌，即紫禁城之西門也。國朝宮史。凡此皆外朝之制。而自乾清門左右以至神武門，則爲內廷宮掖。舊聞考十三。

乾清門在保和殿後，正中相對，南嚮，門廣五楹，中三陛三出，各九級，周以石闌，列金獅二。國朝宮史。會典事例六百六十一：凡御門聽政，於門中間設寶座，部院以次啟事，內閣面奉諭旨於此。齋戒日，太常寺進銅人陳於扉左案上。召見臣工及引見庶僚，俱由門之右門入。門之東爲內左門，西爲內右門，皆南嚮。按：左門不常啟，凡軍機處、南書房、上書房等官與懋勤殿、宏德殿行走各官及御養心殿、乾清宮，召見文武官員，均由此出入。其前東出者爲景運門，西出者爲隆宗門，順治十二年重建。會典事例六百六十一。門各五楹，東西嚮。內左門之東，內右門之西，周廬各十二間，東、西各有侍衛直宿房。又東爲散秩大臣直班處，及文武大臣奏事待漏之所；西爲內務府、軍機處直舍，皆南嚮。其相對周廬各五間，東爲宗室王公奏事待漏之所，西爲軍機滿、漢章京直舍，國朝宮史。趙翼簷曝雜記：軍機處本內閣之分局，雍正年間，用兵西北兩路，以內閣在太和門外，儤直者多慮漏泄事機，始設軍機房於隆宗門內，選內閣中書之謹密者入直繕寫，後名軍機處，地近宮廷，便於宣召。其旁井亭各一。乾清門內左、右陛，北者二，中路甬道相屬。正中南嚮者爲乾清宮，宮廣九楹，深五楹，中設寶座，順治十二年建，康熙八年重修，嘉慶二年災，重建。國朝宫史。會典事例六百六十一：凡臨軒聽政，於內廷受賀，賜燕，及召見臣工，引見庶僚，接覲外藩屬國陪臣御焉。嘯亭續録一：每歲元旦及上元日，欽點皇子、皇孫及近支王、貝勒、公，曲宴於乾清宫。康熙癸巳，仁廟六旬，開千叟宴於乾清宫，預宴者一千九百餘人。乾隆乙巳，純廟五旬，開千叟宴於乾清宫，預宴者三千九百餘人，各賜鳩杖。乾隆壬寅，普宴宗室於乾清宫，凡三千餘人。左右列圖史、璣衡、彝器，殿前列銅龜、鶴各二，日圭、嘉量各一，寶鼎四；東丹陛之下有文石臺二，上安設社稷江山金殿。宫之東爲昭仁殿，國朝宫史。按：高宗純皇帝敕檢內府書宋、金、元、明舊板書籍四百部，庋藏殿內。高宗御書額曰天禄琳瑯。今有書目十卷，續目廿卷。後楹爲五經萃室，亦藏岳珂刊刻五經。西爲宏德殿，同治時穆宗毅皇帝讀書於此。稍南爲端凝殿，三楹，西嚮。再南爲舊設自鳴鐘處；又南東出者，爲日精門，門南爲御藥房；又南轉而北嚮者，爲上書房，雍正中建，嘉慶七年重修。國朝宫史。嘯亭續録一：皇子六齡即入上書房讀書，書房在乾清宫左，五楹，面北向，近在禁籞，以便上稽察也。宫之西廡嚮東，與端凝殿相對者爲懋勤殿，聖祖仁皇帝讀書於此，殿三楹。其南爲批本處。國朝宫史。嘯亭續録二：國初監明季秉筆太監之弊，特簡翰林官一員，滿內閣侍讀一員，滿中書舍人六員，在內廷行走，專司批發；凡本章，大學士票擬以上，經上披覽畢，即交該處清字批示，然後交付內閣學士恭録發鈔，俗謂之紅本。又南西出者爲月華門。又南爲內奏事處，又爲尚乘轎。國朝宫史。會典事例六百六十一：祇奉皇帝出入御輿。又南轉而北嚮者，西爲南書房。國朝宫史。嘯亭續録二：本朝自仁廟建立南書房於乾清門右階下，擇詞臣才品兼優者充之。東爲宫監辦事處。又東爲侍衛直次。昭仁殿之左，東出者爲龍光門；宏德殿之右，西出者爲鳳彩門。

乾清宫後爲交泰殿，滲金圓頂，制與中和殿同，國朝宫史。會典事例六百六十一：御用寶璽凡二十有五，俱尊藏於此。殿兩廡，左出者爲景和門，右出者爲隆福門。殿後爲坤甯宫，廣九楹。國朝宫史。嘯亭續録一：定制，大內於元旦次日及仲春、秋朔行大祭神於坤寧宫，欽派内外藩王、貝勒、輔臣、六部正卿吃祭神肉。左爲東暖殿，右爲西暖殿，東暖殿之東爲永祥門，稍北爲基化門，俱東出。西暖殿之西爲增瑞門，稍北爲端則門，俱西出。坤寧宫後，北嚮正中爲坤寧門，門外卽御花園。園正中南嚮者爲天一門。左曰瓊苑東門，右曰瓊苑西門。天一門外列金麟二。門内南嚮者爲欽安殿，頂嵌滲金寶瓶，恭祀元天上帝於殿中。殿前有方亭二。殿後稍北，叠石爲崇山，山有石洞，山巔有御景亭。山之東爲摛藻堂，堂之東爲凝香亭，池上有亭曰浮碧。其南爲萬春亭，又南而西嚮者爲絳雪軒，軒南卽瓊苑東門也。殿西稍北爲延暉閣，閣相對爲四神祠。閣西爲位育齋，齋前有池，池上有亭曰澄瑞，卽亭爲斗壇。齋西爲毓翠亭，其南爲千秋亭，又南爲養性齋，東嚮七楹，南北嚮各三楹，皆有樓。齋南卽瓊苑西門。殿北爲承光門，北嚮，門外列金象二。左爲延和門，右爲集福門，東西嚮，正中爲順貞門。其北爲神武門，門外有下馬石牌，卽紫禁城之北門也。由日精門而東爲東一長街，南卽内左門，中爲近光左門，北爲長寧左門，又北而西，卽瓊苑東門。由近光左門而北，西嚮門凡三：曰咸和左門、廣生左門、大成左門。咸和左門之東相對爲景曜門，中間南嚮者爲景仁門，門内爲景仁宫。廣生左門東，相對爲履和門，中間南嚮者爲承乾門，門内爲承乾宫。大成左門之東，相對爲凝瑞門，中間南嚮者爲鍾粹宫。三宫之東，爲東二長街，南爲麟趾門，北爲千嬰門。街東與景曜門相對，爲凝祥門，再東爲昭華門，中間南嚮者爲延禧門，門内爲延禧宮。街東與履和門相對爲德陽門，再東爲仁澤門，中間南嚮者爲永和門，門内爲永和宮。街東與凝瑞門相對爲昌祺門，再東爲衍瑞門，中間南嚮者爲景陽門，門内爲景陽宮。六宮之東爲小長街，街西嚮東直出者爲蒼震門，街東爲内庫房，其北嚮西者爲欽昊門，門内爲天穹寶殿，恭祀昊天上帝。千嬰門之北有殿宇五，所謂乾東五所也。

日精門長街之南嚮東爲仁祥門。又東相對爲陽曜門，正中爲齋宮。國朝宮史。宸垣識略二：凡大祀，致齋於此。再東爲毓慶宮，乾隆六十年，仁宗睿皇帝受封皇太子後，自擷華殿移居此宮；今上登極後，幾暇讀書於此。東室西嚮者爲繼德堂，東次室爲味餘書室，再東爲知不足齋。宮前爲祥旭門，再南爲前星門，祥旭門内爲惇本殿。由月華門而西，爲西一長街，南卽内右門，中爲近光右門，北爲長甯右門，又北而西，卽瓊苑西門。由近光右門而北，東嚮門凡三：曰咸和右門，廣生右門，大成右門。咸和右門之西，相對爲純佑門，中間南嚮者爲永壽門，門内爲永壽宮；廣生右門之西，相對爲崇禧門，中間南嚮者爲翊坤門，門内爲翊坤宮；大成右門之西，相對爲長泰門，中間南嚮者爲儲秀門，門内爲儲秀宮。三宮之西爲西二長街，南爲螽斯門，北爲百子門。街西與純祐門相對爲嘉祉門，再西爲啟祥門，中間南嚮者亦曰啟祥門，門内爲啟祥宮。與崇禧門相對爲敷華門，再西爲綏祉門，中間南嚮者爲長春門，門内爲長春宮。與長春門相對爲咸甯宮。再西爲永慶門，中間南嚮者爲咸福門，門内爲咸福宮。百子門之北，有殿宇五所，謂乾西五所也。近東者今爲重華宮，高宗純皇帝龍潛舊邸。宮前曰重華門，門内爲崇敬殿，殿額曰樂善堂。宮之東廡爲葆中殿，國朝宮史。宸垣識略二：葆中殿額曰古香齋，十種書籍名取此。西廡爲浴德殿，宮之後爲翠雲館，宮之東爲漱芳齋。

月華門長街之西，南嚮爲延慶門，門内爲延慶殿。殿北爲廣德門，門内爲撫辰殿。殿後卽建福宮。國朝宮史。會典事例六百六十二：宮爲乾隆年間特旨所建。宮後爲惠風亭，亭北爲靜怡軒，軒後爲慧曜樓，西爲吉雲樓。齋垣之西爲碧琳館，館南爲妙蓮花室，室南爲凝暉堂，堂南室曰三友軒，堂前爲延春閣，閣北相對，蓋卽敬勝齋云。

月華門之西，相對爲遵義門，門内西南嚮者爲養心門，門内爲養心殿，嘉慶七年重修。國朝宮史。按：是殿爲列聖宵旰寢興之所。殿東、西暖閣，閣後室東爲寢宮，西曰隨安室。西暖閣有室曰三希堂，閣後北接後軒三楹，東爲無倦齋，西爲梅塢。殿後爲穿堂，爲二層殿，殿之北室曰能見室，其東曰攸芋齋。由景運門東出，左爲肅誠門，門中南嚮者爲奉先殿，殿前後各七楹，中奉安列聖神龕，詳壇廟。殿東爲夾道，卽蒼震門前直街也。街東爲甯壽宮，國朝宮史。會典事例六百六十一：甯壽宮自乾隆壬辰歲葺，備歸政後尊養之所。門凡六：正中爲皇極門，東出曰斂禧門，西出曰錫慶門，又西嚮曰履順門、蹈和門，東嚮曰保泰門。皇極門之内爲甯壽門，門前列金獅二，門内爲皇極殿，殿重檐，仿乾清宫制。殿廡東出者爲凝祺門，西出者爲昌澤門，又西卽履順門。殿後卽甯壽宫，亘以長街，正中爲養性門，門内爲養性殿。殿後爲樂壽堂，堂西爲三友軒，堂後爲頣和軒，東暖閣亦曰隨安室，西暖閣外曰如亭，後厦曰導和養素軒，後爲景祺閣。由甯壽宫而東，保泰門北，崇樓三層，爲暢音閣，閣相對爲閲是樓。後殿宇四所，前殿曰尋沿書屋，後殿之東曰景福門，門正中南嚮者爲景福宫，乾隆四十九年因五代同堂之慶，額曰五代五福堂。宫後爲梵華樓，稍西爲佛日樓。由甯壽宫而西，爲蹈和門，内爲衍祺門，門内爲古華軒，軒西爲禊賞亭，亭東爲抑齋亭，北爲旭輝亭。軒後垂花門内爲遂初堂，堂後叠石屏，其西爲延趣樓，東嚮，樓外爲聳秀亭，亭北爲萃賞樓，西爲雲光樓。樓後圓亭曰碧螺，其北爲符望閣，閣後爲倦勤齋，齋西廊外爲竹香館，閣西爲粹軒，其南曰得閒室，北爲淨塵心室。

景福宫之後爲兆祥所，舊爲皇子所居。西爲花園，又西卽神武門也。由隆宗門西出，右爲慈甯宫，順治十年建，乾隆十六年重修。正中南嚮者爲慈寧門，東爲永康左門，西爲永康右門，門前列金獅二，門内卽慈甯宫正殿。殿前東廡門曰徽音左門，西廡曰徽音右門，東廡之南有佛堂，後供佛像，宫左殿宇二層，東曰慈祥門，與啟祥門對，又南爲長慈甯宫之前爲咸若館，館之左爲寶相樓，其南爲含清齋，右有吉雲樓，其南爲延壽堂，堂北爲慈蔭樓。國朝宫史。會典事例六百六十一：南舊有門曰永安，左曰迎禧，右曰覽勝，今制惟正南爲長慶門。

慈甯宫之西爲壽康門，門内爲壽康宫，又南爲慈甯右門。壽康宫後爲東西長街，街西長庚門，門内正中南嚮者爲壽安門，門内爲春禧殿。殿後爲壽安宫，本咸安宫舊址，乾隆十六年改建。殿前延樓，左右相屬，中爲崇臺三層，殿後庭中，叠石爲山，室三楹，東曰福宜齋，西曰萱壽堂。

慈甯宫之東北，即啟祥門外夾道，其北南嚮者爲凝華門，門内爲西華閣，閣三楹，覆以金瓦，俱供佛。閣後爲昭福門，門外爲梵宗樓。門内爲寶華殿，殿後爲香雲亭，其北爲中正殿。

壽安宫之北爲英華門，門内爲英華殿，乾隆二十七年重修。殿西北有城隍廟，國朝宫史。宸垣識略三：城隍廟，雍正四年勑建。其祀典則内務府掌儀司司之。廟東爲祀馬神之所，其路西連房爲酒醋房，東即神武門也。

神武明稱元武，以在宫禁之北也。我朝避高宗廟諱，改焉。

神武門外爲北池子，過橋爲北上門，達景山。北上門爲景山正門，南與神武門對。門内即景山，一名萬歲山，高百餘丈，周垣二里，林木陰翳，峰巒秀聳，爲大内之鎮山。山前有綺望樓；山上有亭五，俱供佛。山旁翼以短垣，接東西圍牆，有小門二，山後東曰山左裏門，西曰山右裏門，中南嚮者爲壽皇殿。殿凡九室，重檐金楹，如太廟制，恭奉列聖御容。殿後東北曰集祥閣，西北曰興慶閣。殿東爲永思門，門内爲永思殿。國朝宫史。嘯亭續録：永思殿即列聖苫廬地，凡臨瞻謁日，必於永思殿傳膳，辦事，蓋孝思不匱意也。又東爲觀德殿，殿東有護國忠義廟，塑關帝立馬像，詳祠祀。前對景山，後倚地安門云。舊聞攷二十。出地安門，至北新橋，東北柏林寺，西則雍和宫在焉，世宗憲皇帝潛邸也，登極後命曰雍和。宫前寶坊二，正中石坊一，自是而内，甬道相屬，爲昭泰門，門前列銅獅二，東西碑亭，中爲雍和門，門内爲天王殿，中爲雍和宫。宫後爲永佑殿，殿後爲法輪殿，西爲戒壇，後爲萬福閣，東爲永康閣，西爲延甯閣，後爲綏咸殿。宫之西後爲關帝廟，前爲觀音殿。宫之東爲書院，門三間，入門爲平安居，後有堂，堂後有如意室，室後正中南嚮爲太和齋，書院正室也。齋南爲畫舫，南嚮正室曰五福堂，齋西爲海棠院。皇朝通志都邑略。

西苑在西華門之西，門三，東嚮，門内爲太液池。玉泉從北安門水關導入，匯爲巨池，周廣數里，上跨長橋，修數百步，東西樹坊各一，曰金鰲，曰玉蝀。橋之北曰北海，南曰中海，又南曰南海，即瀛臺禁地也。循池東岸度橋，折而西，臨池北嚮者爲德昌門，左右朝房，門内正中北嚮者爲勤政殿，殿後爲仁曜門。門南過橋爲瀛臺，平隄石闌，拾級而登，正中北嚮者爲翔鸞閣，建相風金鳳於屋極，左右延樓迴抱，閣後有樓二，東曰祥輝，西曰瑞曜。又南爲涵元門，門内東嚮者爲慶雲殿，西嚮者爲景星殿，正中南嚮者爲涵元殿，殿之東爲藻韻樓，西爲綺思樓。正中北嚮相對者爲香扆殿，殿左右各有室三楹，曰溪光樹色，曰水一方，北嚮，又左右各有北接室三楹，曰虚舟，曰蘭室，東西嚮，殿後南嚮，崇基下臨者即瀛臺也。臺爲趯臺陂舊址，即明時所謂南臺者。國朝順治年間，稍加修葺，（會典事例六百二十二。）聖祖時駕幸瀛臺，常於此聽政。（皇朝通志都邑略。）臺之東爲春明樓，西爲湛虚樓，中庭有木變石，臺南爲迎薰亭。自翔鳳閣至此，統名瀛臺。三面臨水，臺南蓼渚蘆灣，參差掩映，即南海也。由藻韻樓折而東，南嚮者爲補桐書屋，高宗純皇帝嘗讀書於此，庭有雙桐，其一爲風雨所摧，於乾隆九年補植。北嚮者爲隨安室。由書屋再折而東，爲待月軒，軒南有海神祠，北建六方亭於石巖上，曰鏡光，又構亭於水中，曰牣魚，轉石徑而南爲牣谷。綺思樓西，山上有臺，額曰八音克諧。臺北爲長春書屋，屋後小室曰漱芳潤，屋西有亭臨池，曰懷抱爽。左右山石間有劍石二，曰插笏。其南隔池相對者爲寶月樓。由仁曜門折而東，過崑崙石，度橋，有亭曰垂虹，又東南一亭，曰俯清泚，稍北爲淑清院，院東北隔水南嚮者爲葆光室。院左過小橋，有堂三楹，曰韻古堂。堂舊曰蓬瀛在望，乾隆三十年西師奏凱後，適得江西所獻古鎛鐘，即貯斯堂，因易今名。堂之側垣，門東有亭曰流杯亭，北爲素尚齋，齋左右迴廊，廊之東南池上有室，曰千尺雪，又東有亭，曰魚樂。循池岸折而南爲日知閣，閣後左門東南爲春及軒，軒左爲交蘆館，又左爲芸齋，稍南爲賓竹室，室南爲蕉雨軒，又南爲雲繪樓，樓西爲韻磬居，又西南曰清音閣，閣與樓上下相通，有門曰印月，門外東南則船塢也。由閣沿隄而南爲同豫軒，軒後爲鑑古堂。軒前有室曰香遠，曰静柯，曰自在觀；山下有室，曰鷺濤。由仁曜門折而西，有屋數楹，爲聖祖養蠶之所。又西橋上有亭，曰結秀亭，西爲豐澤園，爲康熙年間所建，南嚮，門五楹，門前有稻田數畝，聖祖嘗親臨勸課農桑。雍正年間，每歲耕耤，先期演耕於此。乾隆年間踵而行之。門内爲惇敍殿，本名崇雅殿，乾隆年間，以燕宗室於此，移舊額於園西，而改今名。殿東爲菊香書屋，殿後爲澄懷堂，堂北爲遐矚樓。園西有亭，曰荷風蕙露，與亭相對有門，門内爲崇雅殿，殿東爲静憩軒，西爲懷遠齋。又後有臺，北面臨水，其南隔水相對者，爲純一齋。由德昌門折而西，有門東嚮，入門循山徑南，爲春耦齋，北嚮，齋後隔池相對者爲聽鴻樓。樓南徑路盤紆，亭榭間出，西北有小竹亭，南折而東，北嚮者爲植秀軒，又折而西爲石池。池穿石洞出，爲虚白室，東嚮，室南有亭，曰竹汀，亭南爲愛翠樓。由竹汀再折而西，有樱亭一。又由愛翠樓南下，有佛宇一所，北嚮，臨池額曰大圓鏡。其東稍北有石門，石門外即荷風蕙露亭也。由亭循池西岸而南，爲茂對齋，其右爲涵春室，齋西有亭曰延賞。由春耦齋循池西岸而北，有高閣，南嚮，曰紫光閣。閣爲明之平臺，國朝改建爲閣，聖祖常仲秋校射於此，嗣後於閣前試武進士，至今循以爲例。乾隆年間，十全紀勝，凡在事諸臣，炳列丹青，併弆藏得勝靈纛及俘獲軍器。又自乾隆二十六年後，外藩筵燕亦於此。閣後爲武成殿，左右有廡，各十有五楹。又北爲時應宮，（詳祠祀。）宮之東爲福華門，門外卽金鰲、玉蝀橋西街。由西苑門循池東岸而北，爲蕉園，（國朝宮史。按：蕉園一名淑園，園內有明崇智殿舊址。）嚮北有門，入門南折而西，面南者爲萬善門，門内爲萬善殿，後爲千聖殿，其東爲迎祥館，館東爲朗心樓，樓東南有壇。千聖殿西爲集瑞館，館西爲悦性樓。自萬善門西行，抵水埠，有亭出水中，曰水雲榭。石碣恭鐫高宗御書太液秋風四字，卽燕山八景之一也。榭之北有長橋，卽金鰲、玉蝀橋。西紅牆夾道，有門相對，南卽福華門，北爲陽澤門，與闡福寺通。金鰲、玉蝀橋之東有崇臺，因臺爲圓城，俗名團城，周圍數百步。兩掖有門各一，東曰昭景，西曰衍祥，皆有樓。入門，由磴道左右分上，其中爲承光殿，卽元儀天殿之舊也。（國朝宮史。舊聞考：殿前有古栝，傳爲金時遺植。）殿南石亭，置元時玉甕，恭鐫高宗御製玉甕歌，柱間刻詞臣奉敕詠玉甕詩。殿後爲敬躋堂，北環城，南抱承光殿。東爲古籟堂，又東有亭曰朶雲，西爲餘清齋，由齋内曲廊而西，有亭曰沁香，其後小石山上有亭曰鏡瀾。城外東西以紅牆爲界，有門二：東曰承光左門，西曰承光右門。北駕石橋，過橋卽永安寺。詳寺觀。寺牆之東，緣山而升，有亭曰振芳；再升，有亭曰慧日。稍西，有穹碑二：一爲順治八年建塔記，一爲雍正十一年重修記。再升，則普安殿之東廊。寺牆之西，緣山而升，有亭曰蓬壺挹勝，再升爲悦心殿，每值臨幸塔山，視事於此。殿後爲慶霄樓，樓上下各有七楹，南嚮，高祖每逢臘日，奉皇太后觀冰嬉於此。殿東爲静憩軒，轉石屏入牆門，接普安殿。殿後躡石磴層躋而升，爲善因殿，殿後卽白塔，其下爲藏信礮之所，此塔山之南一面也。由慶霄樓西折而下，有二道：其一，循樓而南，不數武有室，曰一房山，其房覆湖石而成；由房南間石巖，蟠旋而下，爲蟠青室，室皆迴廊環抱。由悦心殿西角門出，山半有亭曰揖山，其下有石橋，南北有坊各一，過橋，又南北有坊各一，橋之北正中爲琳光殿。其一，循樓轉而北，有亭曰妙鬘雲峯，歷石磴而下，有殿曰水精域，再下爲甘露殿，殿前卽琳光殿。再轉而北，長廊二十五楹，左右圍抱相合者，爲閲古樓，壁嵌三希堂法帖石刻。樓後有亭曰烟雲畫態，稍北爲畝鑑室，此塔山之西一面也。由閲古樓轉而東，有亭曰邀山，又東北，曰酣古堂，西嚮。倚石爲洞，循洞而東，爲寫妙石室，室之東間爲樓，緣梯而降，爲石洞，循石洞東行數百步，再穿石洞而出，有小广三間，曰盤嵐精舍。再轉而北，爲環碧樓，由樓繞廊而下，爲嵌巖室。再折西，山上有亭曰一壺天地，又西，有房爲摺扇形，曰延南薰，循洞門北行數十武，亦達摺扇形房。自房而西，有亭曰小崑邱，亭西有平臺石柱，爲銅仙承露臺，又西，爲得性樓，樓下爲延佳精舍，稍北，爲抱沖室。樓左右以山廊，歷磴而下，爲鄰山書屋，與畝鑑室之北牆相通。其東爲漪瀾堂，堂正中北嚮者爲碧照樓，樓長廊六十楹，左右環繞，極東曰漪晴樓，極西曰分涼閣，又碧照樓之左爲遠帆閣，亦北嚮。閣後爲道甯齋，齋與鄰山書屋相接。由漪瀾堂而東，有堂曰晴欄花韻，堂前有臺，與堂相對。又東爲紫翠房，卽順山房，又東爲蓮華室，此塔山之北一面也。由瓊島春陰石幢拾級而上，爲看畫廊，繞廊而上，爲交翠庭，庭之下，廊之側，攀援石洞而出者，爲古遺堂，與堂相對者爲戀影亭。自堂攝梯以下，仍緣石洞而出者，爲見春亭。亭南卽智珠殿，殿前過橋而東，卽陟山門，此塔山之東一面也。

承光殿之東，與蕉園門相對者，爲桑園門。入門循池東岸而北數百步，過陟山門，西有水殿，藏御舟；東有門，西嚮。門内循廊躡山而北，山巔有堂，曰雲岫厂，北嚮，曰崇椒室，西嚮。又循長廊曲折北下，有軒曰濠濮間，北嚮，臨池有石梁，北接石坊，坊北有門，入門爲春雨林塘殿。殿後有軒曰空水澄鮮，池北相對者爲畫舫齋，迴廊四面，臨瞰方池，池上兩廊各有室，東爲鏡香，西爲觀妙。齋之左爲古柯庭，庭東爲緑意廊，廊北爲得性軒，庭後有室曰奥曠，西嚮，齋之右爲小玲瓏室。水殿北爲龍王廟，廟後有橋，南北坊各一，過橋而北，卽先蠶壇。東爲觀桑臺，臺後爲親蠶門，門内卽親蠶殿。殿後爲浴蠶池，池北爲後殿，均覆以緑琉璃瓦。由壇西折而北，爲荷沼，其北爲鏡清齋，齋東爲抱素書屋。循書屋東廊而下，爲韻琴齋，其左有亭曰碧鮮，南嚮。鏡清齋西爲畫峯室，齋後爲沁泉廊，廊西四面皆山，山上有亭曰枕巒，廊東有石橋，南卽抱素書屋也。橋北躡磴而上，爲罨畫軒，循軒東廊而南，爲焙茶塢。

太液池之北，水中有亭，面臨北海者，爲五龍亭，中曰龍澤，左曰澄祥，曰滋香，右曰湧瑞，曰浮翠。亭後有石坊二，其北爲闡福寺。（詳寺觀。）寺東爲澂觀堂，堂之後有殿曰寄清淨心，又曰浴蘭軒，軒後爲快雪堂，堂五楹。（壁嵌舊刻快雪堂法帖石刻。）北爲萬佛樓，東門内爲澄性堂，外環以長廊，前有池，後有山，山後爲鏡藻軒，軒西南爲致爽樓。正西有圓光門一，門有室曰澹吟室。軒東南爲湛碧亭，正東爲清約池，又有亭曰妙相亭，亭後卽真實般若殿。萬福樓西有門接通衢，卽陽澤門道也。（會典事例六百六十一。）

武進屠寄校

京師志三

宮禁下

黄岡洪良品纂　江陰繆荃孫覆輯

遼故宮考

遼會同初，受石晉獻幽州，始至自南京，備法駕，入拱辰門，御元和殿，行入閤禮，又御昭慶殿，宴南京羣臣。（遼史太宗紀。按：石晉纔以地獻，太宗駕至，即有元和、昭慶等名，則猶非遼所建之宮殿也。蓋幽州自安史叛亂，已稱大燕，唐末劉仁恭復僭大號，當時創建，必久有宮殿名，遼特仍其舊耳。）大內在西南隅。皇城内有景宗、聖宗御容殿，殿東曰宣和，南曰大內。內門曰宣教，外三門曰南端、左掖、右掖；門有樓閣，毬場在其南，東爲永平館。皇城西門曰顯西，設而不開。北曰子北。西城巔有涼殿，東北隅有燕角樓。（遼地理志。）會同三年十二月丁巳，詔：燕京皇城西南堞建涼殿。（遼史太宗紀。）統和二十四年八月丙戌，改南京宮宣教門爲元和，左掖門爲萬春，右掖門爲千秋。（遼史聖宗紀。按，紀云：外三門爲南端，亦似改名。檢地理志，惟云外三門曰南端、左掖、右掖，改左掖曰萬春，右掖爲千秋，是左掖、右掖與元和同改，惟南端仍舊耳。）重熙五年壬戌，詔修南京宮闕府署。（遼興宗紀。）大內極其壯麗，（遼史拾遺十四。）累代各有增飾。宮凡十，各有門户出兵馬，阿保機曰洪（案兵衛志作宏。）義宮，德光曰永興宮，兀欲曰積慶宮，述律曰延昌宮，明記曰章敏宮，案禁扁作彰愍。突欲曰長寧宮，燕燕曰崇德宮，隆緒曰興聖宮，隆慶曰敦睦宮，隆運曰文忠王府。契丹國志二十三。又有嘉寧殿，遼道宗紀：清寧五年十月朔，幸南京，祭興宗於嘉寧殿。仁政殿，金世宗紀：世宗嘗謂宰臣曰：宮殿制度苟務華飾，不必堅固，今仁政殿遼時所建，全無華飾，但見他處歲歲修完，惟此殿如舊。洪武殿，日下舊聞考二十九：孫承澤云：遼之正殿曰洪武，後之年號，先見於此。大安殿，日下舊聞考二十九：朱昆田曰：遼以大安名殿，而金以之紀年，亦兆之先見者。清涼殿，王士點禁扁。長春宮，遼聖宗紀：統和十二年三月戊午幸南京，壬申如長春宮。按：北平古今記云：遼有二長春宮，一在京，一在長春州。十二年三月入長春宮，非南京之長春宮。攷史，戊午幸南京，壬申如長春宮，戊午距壬申僅十五日，不應即至上京之長春宮，似應仍指南京而言。永昌宮，太和宮，遼兵衛志。延慶宮，延和宮，禁扁。五鳳樓，按：遼景宗紀：保寧五年春正月，御五鳳樓觀燈。迎月樓，按：遼天祚帝紀乾統四年冬十月御迎月樓，賜貧民錢。五花樓，禁扁。天膳堂，乾文閣，鳳凰門，禁扁。果園。遼景宗紀：開泰五年，駐蹕南京，幸內果園。若夫梳妝一臺，世艷稱之，至指白塔寺爲其故址，按野獲編云：大內北苑中有廣寒殿者，舊聞爲耶律后梳妝樓。成祖命留之，爲後世鑒戒。宣宗曾爲之記。西河詩話云：遼后梳妝臺址，在太液池東小山上，一名瓊華島，即今白塔址是也。皆世俗傳聞，未可爲據。

金故宮考

金太祖至燕京，入內，見大殿動搖，出，於城東紫村建寨，遼史拾遺十二。未嘗營立宮室也。熙宗時，始詔盧彥倫營造燕京宮室。金史盧彥倫傳。海陵欲遷都於燕，廼先遣畫工寫汴京宮室制度，至於闊狹脩短，曲盡其數。北盟會編二百四十四，引張棣金虜圖經。有司以圖上。爰以梁漢臣充脩燕京大內正使，孔彥舟爲副使，按圖營之，運一木之費至二十萬，舉一車之力至五百人，續通鑑綱目。

自天德四年起，至貞元元年畢工，凡役民八十萬，兵夫四十萬，作治數年，死者不可勝計。宮殿皆飾以黃金五采，其屏扆牕牖，亦皆由破汴都輦致於此，攬轡録：初，汴中宮匠有名燕用者，制作精巧，凡所造下刻其名，及用之於燕，而名已先兆。恢麗閎侈，勞費以億萬計。貞元四年，金主亮率文武百官駕始幸焉。續資治通鑑一百三十一。金皇城周九里三十步，自龍津橋之北，攬轡録：過石玉橋，燕石色如玉，上分三道，皆以欄楯隔之，雕刻極工，中爲御路，亦闌以杈子，兩旁有小亭，中有碑曰龍津橋。曰宣陽門，按：大金國志三十三云：宣陽門，内城之南門也。門上金書額，兩頭有小四角亭，即登門路也。門分爲三：中門爲御路，常闔，皆畫龍；兩旁門通行，皆畫鳳，用金釘釘之。大金國志三十三：上有重樓，制度宏大。三門並立，中門惟車駕出入乃開，兩偏分雙隻日開一門。過門有樓二：一曰文樓，一曰武樓。文樓轉而東，曰來寧館；武樓轉而西，曰會同館。北盟會編二百四十四：二館皆爲本朝使人設也。正北曰千步廊，廊東、西相對，各二百餘間，分爲三節，節爲一門，第一門通街市，第二門通毬場，第三門通太廟。詳見下。將至宮城，東、西轉，亦各有廊百許間。馳道兩傍植柳，廊脊覆碧瓦。宮闕殿門，皆覆以碧瓦。金地理志。端門十一楹，曰應天之門，攬轡録。金地理志：應天門舊名通天門，大定五年更。内城之正南門也，開兩夾，有樓如左右昇龍之制，東、西兩角樓，每樓次第攢三簷，與夾樓接，極工巧。北盟會編二百四十五。樓高八丈，四角皆垛樓，瓦皆琉璃，金釘朱户，五門列焉，常扃，惟大禮祫享則由之。東、西相去一里許，又各設一門，左曰左掖，右曰右掖，各有武夫守衛。大金國志。門内有左右翔龍門，及日華、月華門，前曰大安殿。金地理志。按：大安殿，金受朝賀於此。趙秉文甲子元日大安早朝詩云：闕角蒼龍建斗杓，衣冠萬國大安朝。使臣未入分班立，殿陛先陛按笏招。彩仗中門瞻北極，丹墀側畔聽簫韶。太初甲子天元朔，萬歲常瞻玉燭調。金臺集：大安殿基今爲酒家壽安樓。舊聞考引析津志：壽安樓在燕京皇城内，東華門之西，街東。左、右掖門内，殿東廊曰敷德門。金地理志。北盟會編二百四十四：使人入左掖門，直北循大安殿東廊後壁行，入敷德門。正北列三門，中曰粹英，爲壽康宫，母后所居也；金地理志。金海陵紀：貞元三年十月丙子，皇太后至中都，居壽康宫。西曰會通門，門北曰承明門。又北昭慶門，東曰集禧門，尚書省在其外。其東、西門，左、右嘉會門也，門有二樓，大安殿後門之後也。其北曰宣明門，則常朝後殿門也。金地理志。北轅録：由會同門、承明門入左嘉會門，趨而南至幕次。少頃，鳴鐘，鐘罷，衛士山呼，百官裹見，有曳玉帶者五人先出，後知爲東宫、親王、平章、令公也。頃之，入宣明門，次仁政門，於隔門上面序立三節，自東入，拜於大氈上，上有一品至七品黑漆黄字牌子，蓋其朝序也。一氈可容數百人，遍地制成龍鳳。殿九楹，前設露臺，柱以文繡。兩廊各三十間，中有鐘、鼓樓，廊外垂金漆簾，額飾以繡，廊之西，馬有韉紅繡鞍者數匹，乃高麗所進。殿門外衛士二三百人分兩旁立，盡戴金花帽，錦袍。宣明門外，直至外廊外，甲士青縚甲居左，旗執黄龍；紅縚甲居右，旗執紅龍；外廊皆銀槍，左掖門入皆金槍，人依一柱以立，凡門屋下，皆青隊，執弓矢，人數各有差。北曰仁政門，旁爲朶殿。朶殿上爲兩高樓，曰東、西上閤，門内有仁政殿，常朝之所也。金地理志。按：仁政殿遼時所建，見遼故宫考。金章宗紀：明昌四年八月，國史進世宗實録，上朝服袍帶，御仁政殿，降座受之。宣宗紀：至寧元年九月，御仁政殿視朝。内城之正東門曰宣華，大金國志。金海陵紀：正隆元年二月，御宣華門觀迎佛。正西門曰玉華，拱城乃内城之正北門也。大金國志。金衛紹王紀：崇慶元年七月，有風自東來，吹帛一段墜於拱辰門。後朝門制度：守衛一與宣華、玉華等，金碧翬飛，規模閎麗。大金國志。殿九重，凡三十有六樓，閣倍之。正中位曰皇帝正位，後曰皇后正位，位之東曰内省，西曰十六位，妃嬪居之。大金國志。金圖經：天德三年，張養浩等取真定府潭園材木建宫室及涼位十六。又有常武殿，金熙宗紀：貞元九月己未，常武殿擊鞠。貞元殿，世宗紀：大定元年十二月己未，御貞元殿，受羣臣朝。北平古今記云：自此以後，即無貞元之稱，或以海陵年號爲嫌而改之也。泰和殿，世宗紀：大定二年正月辛未，御泰和殿，宴百官、宗戚、命婦。泰和二年，更名慶寧殿。紫極殿，大金國志十六：大定六年正月己酉朔，大會羣臣於紫極殿。垂拱殿，世宗紀：大定十四年四月乙亥，上御垂拱殿。神龍殿，世宗紀：大定二十八年三月丁酉，受羣臣朝，復宴於神龍殿。福安殿，世宗紀：大定二十九年正月癸未，上崩於福安殿。慶和殿，顯宗紀：大定二十五年冬十月庚戌朔，辛相以下朝見於慶和殿。章宗紀云：大定二十九年十一月，詔立皇太孫，稱謝於慶和殿。樞光殿，章宗紀：明昌五年六月丙戌，以天壽節宴樞光殿。紫宸殿，章宗紀：承安二年秋七月戊辰，天壽節，御紫宸殿受朝。睿思殿，章宗紀：承安二年八月，詔對睿思殿。臨武殿，章宗紀：泰和元年五月甲寅，擊毬於臨武殿。泰和八年十一月癸卯朔，御臨武殿，試護衛。魚藻殿，章宗紀：泰和三年五月壬申，以重五拜天射柳，四品以上官侍宴魚藻殿。廣仁殿，章宗紀：泰和七年正月壬午，詔百官同對於廣仁殿。薰風殿，大金國志：正隆三年五月，上坐薰風殿，命吏部尚書李通、翰林直學士蕭廉召對。

集賢殿，顯宗紀：每三日一次，於集賢殿受尚書省啟事。清輝殿，金太祖諸子傳：世宗召皇太子、諸王，侍食於清輝殿。慶春殿，金史完顏守道傳：守道懇求致仕，特賜宴於慶春殿。天香殿，金史完顏匡傳：完顏匡朝京師，賜宴於天香殿。絳霄殿，翠霄殿，大金國志二十五：崇慶元年十一月，大軍百計攻城不能克，獨柴薪乏，拆絳霄殿、翠霄殿、瓊華閣，分給四城。正隆殿，北平古今記：大定十六年春正月，國主御正隆殿受印寶，一曰：承天休延萬億永無極；二曰：受命於天，既壽永昌；三曰：天子之寶；四曰：天子行寶；五曰：天子信寶；六曰：皇帝之寶；七曰：天子神寶；八曰：御書之寶；九曰：皇帝恭膺天命之寶；十曰：天下同文之寶。置符寶郎，隸門下省，大朝會則陳之。瑤光殿，章宗紀：承安二年六月，詔罷瑤光殿工作。廣武殿，金地理志：有廣武殿，爲擊毬、習射之所。崇慶殿，金地理志：又有崇慶殿。厚德殿，金五行志：大定二年閏月，神龍殿十六位焚，延及泰和、厚德殿元和殿，金禮志：受尊號儀：帝服衮冕，御元和殿。按：此卽遼之元和殿，非魚藻池之元和殿也。熙春殿，金顯宗紀：顯宗殯於熙春殿。臨芳殿，安仁殿，隆德殿，金地理志。景明宮，金章宗紀：明昌五年四月乙卯，幸景明宮。永安宮，金世宗紀：大定二十六年四月己未，幸永安宮。按：永安宮名，禁扁諸書未載。芳華閣。大金國志：妃嘗與主同輦過御龍橋，見石如白雪，歸而愛之，白國主，於蘇山輦至，築巖洞于芳華閣。原廟建於天德四年，其宮曰衍慶，殿曰聖武，門曰崇聖。金禮志。日下舊聞考引金圖經注：金本無宗廟，不修祭祀，自平遼後，所用執政大臣多漢人，往往說天子之孝在尊祖，尊祖在建宗廟。金主方開悟，遂築室於內之東南隅，廟貌雖具，制極簡略。迨亮徙燕，乃築巨闕於南城之南，千步廊之東，曰太廟，標名曰衍慶之宮。東、西神御殿，金禮志。志又云：大定十七年正月，詔於衍慶宮聖武殿西建世祖神御殿，東建太宗、睿宗神御殿。丕承殿，天慶殿，金禮志。志又云：大定十七年，導太宗御容於聖武殿，行禮畢，以次奉安於丕承殿，睿宗御容奉安於天慶殿。崇聖閣，燕昌閣。金禮志。志又云：大定二十一年閏月，昭祖、景祖奉安燕昌閣上，肅宗、穆宗、康宗奉安閣下，明肅皇帝奉安崇聖閣下。大安殿之北爲東宮，宮有承華殿，金世宗紀：大定二十九年正月，名太后宮曰仁壽，二月更名隆慶。至章宗明昌五年，禮官言，宜易隆慶宮爲東宮，慈訓殿爲承華殿，從之。西至玉華門，曰同樂園，瑤池蓬瀛，柳莊杏村，盡在于是。大金國志。師柘同樂園詩：晴日明華構，繁英蕩緑波。蓬邱滄海近，春色上林多。流水時雖逝，遷鶯暖自歌。可憐歡樂地，鉦鼓散雲和。瓊林苑有横翠殿，寧德宮，金地理志。有瑤光臺，瑤光樓。城北離宮有大寧宮，按：大寧宮，大定十九年建。後更爲壽寧宮，又更爲壽安宮，明昌二年更爲萬寧宮。宮有瓊華島，金地理志。高士奇金鰲退食筆記六：瓊華島或本宋艮嶽之石，金人載此石自汴至燕，每石一，准糧若干，俗呼爲折糧石。上爲廣寒殿，按元遺山集云：瓊島在太液池中，皆疊石爲之，其巔古殿，結構翔起，周迴綺牖玉檻，重階而上，榜曰廣寒之殿，相傳遼太后梳妝臺。金鰲退食筆記云：今殘石壞礎，猶刻雲物及廣寒殿字。妝臺在焉。按葛邏禄廼賢金臺集，有妝臺詩云：廢苑鶯花盡，荒臺燕麥生。韶華如逝水，粉黛憶傾城。野菊金鈿小，秋潭玉鏡清。誰憐舊時月，曾向日邊明。自注云：妝臺，李妃所築，今在昭明觀後。妃嘗與章宗露坐，上曰：二人土上坐。妃應曰：一月日邊明。上大悦。堯山堂外紀云：章宗爲李宸妃建梳妝臺於都城東北隅，今禁中瓊華島妝臺，本金故物也，目爲遼蕭后梳妝樓，誤。析津志云：妝臺在金故宮之西，壽安酒樓之北。蓬萊院，大金國志：承安三年，國主幸蓬萊院，陳玉器及諸玩好，視其款識多宣和物，惻然動色。宸妃進曰：作者未必用，用者未必作，宣和作此，以爲陛下用耳。香閣，金章宗紀：承安四年三月，户部尚書孫鐸、郎中李仲略、國子祭酒趙帆，始轉對香閣。瑞雲樓，金史本傳：海陵登瑞雲樓納涼，命楊伯雄賦詩。瑞光樓，按中州集：道陵中秋賞月瑞光樓，召趙渢文孺對御賦詩，以清字爲韻，渢詩云：秋氣平分月正明，蕊珠宮闕對蓬瀛。已驅急雨銷殘暑，不遣微雲點太清。簾外輕風飄桂子，夜深涼露滴金莖。聖朝不奏霓裳曲，四海歌謳卽樂聲。道陵讀至落句，大加賞異，手酌金鍾以賜，且字之曰：文孺，以此鍾賜汝作酒直。士林榮之。宣和門，金禮志：受尊號儀，恭謝祖廟，還，御宣和門。寶昌門，金海陵紀：貞元三年，登寶昌門，觀角觝。廣陽門，金衛紹王紀：至寧元年八月，呼沙呼殺知大興府圖克坦南平、刑部侍郎圖克坦穆延于廣陽門西。西横門，金章宗紀：承安二年閏月，出西横門觀稼。後園，金章宗紀：明昌六年十二月，幸後園，閱軍器。東園，按金章宗紀云：泰和七年正月，幸東園，射柳。南園，金章宗紀：顯宗殯於南園熙春殿。世宗至自上京，未入國門，先至熙春殿致奠。西園，金章

（宗紀：承安二年三月，幸西園，閱軍器。）熙春園，（金章宗紀：明昌三年，幸熙春園。）廣樂園，（金世宗紀：大定三年五月，以重五幸廣樂園，射柳。）東明園，（大金國志：承安三年，賞菊於東明園，見屏間畫宣和艮嶽，問內侍。余琬對曰：宣和帝運東南花石築艮嶽，致亡其國，先帝圖之以爲戒。宸妃怒曰：宣和之亡，不緣此石，乃用童貫、梁師成故爾。蓋譏琬也。宸妃鄭氏，南宋華原郡王居中之曾孫。）南苑，（金史劉頍傳：南苑有舊唐碑，書貞元十年御史大夫劉怦葬。上見之曰：苑中不宜有墓。以劉頍家本怦後，詔賜頍錢三百貫改葬之。）西苑，（金章宗紀：明昌元年三月，擊毬於西苑；五月，拜天於西苑，射柳，擊毬。）北苑，（金章宗紀：明昌五年四月朔，幸北苑。）芳苑，（金章宗紀：泰和二年正月，幸芳苑觀燈。）環秀亭。（金章宗紀：承安元年六月，幸環秀亭觀稼。）城南行宮有建春宮。（金地理志。金章宗紀：承安元年二月，幸南都行宮春水。三年正月，如城南春水，名行宮曰建春。日下舊聞考云：明昌五年正月，幸城南別宮，所謂別宮者，即承安時之建春宮也。明昌在承安改元之前，是時尚未有建春之名，故或稱別宮，或稱行宮，無定名焉。）燕京宮闕雄麗，爲古今冠。（大金國志二十五。）貞祐初，爲亂兵所焚，月餘不絕。（使蒙日録。）以地理揆之：金大內當在今廣寧、右安門外云。（日下舊聞考。按：王士點禁扁所載名目，與汴京並稱，無所分別，故不備録。）

元故宮考

至元十一年，始大城京師於大興故城之北。中爲天子之宮。宮城周回九里三十步，東西四百八十步，南北六百十五步，崇三十有五尺。（陶宗儀輟耕録二十一。）南臨麗正門，麗正門內曰千步廊，可七百步；建靈星門，門外蕭牆，周迴可二十里許。（大都宮殿考。元故宮遺録：俗呼紅門闌馬牆。）門內有河，河上建白石橋二座，名周橋，（大都宮殿考。析津志：周橋義或本於造舟爲梁，故曰周橋。）皆琢龍鳳祥雲，明瑩如玉，橋下有四白石龍，擎戴水中。繞橋盡高柳，鬱鬱萬株，遠與內城西宮海子相望。度橋可二百步，爲崇天門，元故宫遺録。按：元祭祀志：車駕出宫，凡祭祀前一日，所司備儀從，内外仗侍，祠官兩行，序立于崇天門外。宋褧崇天門唱名詩云：三月吉日當十三，紫霧氤氳閶闔南。天子龍飛坐霄漢，儒生鵠立耀冠簪。黄麾仗内清風細，丹鳳樓頭曉日酣。獨愛玉階階下草，解將袍色染成藍。薩都拉丁卯及第謝恩崇天門詩云：禁柳青青白玉橋，無端春色上宫袍。卿雲五彩中天見，聖澤千年此日遥。虎榜姓名書敕旨，羽林冠帶豎旌旄。承恩朝罷頻回首，午漏花深紫殿高。據此，元旦放榜謝恩，亦於崇天門外云。門分爲五，東西一百八十丈，深五十五尺，崇八十五尺。左、右趓樓二，趓樓登門，兩斜廡十門，闕上兩觀，皆三趓樓，連趓樓東西廡各五間，輟耕録。蕭洵故宫遺録：門分爲五，總建闕樓其上，翼爲回廊，低連兩觀，旁出爲十字角樓，高下三級，兩旁各去午門百餘步，有掖門，皆崇高閣。内城廣可六七里，方布四隅，隅上皆建十字角樓，其十字角樓，即趓樓也。西趓樓之西，有塗金銅幡竿，附宫城南面，有宿衛直廬。輟耕録。元世祖紀：至元二十八年二月，建宫城南面周廬，以居宿衛之士。凡諸宫門，皆朱户丹楹，藻繪彤壁，琉璃瓦飾簷隙。崇天之左曰星拱，三間一門，東西五十五尺，深四十五尺，崇五十尺；崇天之右曰雲從，制如星拱。東曰東華，輟耕録。元世祖紀：至元十九年五月乙酉，宫城初建東、西華，左、右掖門。七間三門，東西一百十尺，深四十五尺，崇八十尺；西曰西華，制如東華；北曰厚載，五間一門，東西八十七尺，深高如西華。角樓四，據宫城之四隅，皆三趓樓，琉璃瓦飾簷脊。星拱南有御膳亭，亭東有拱辰堂，輟耕録。元順帝紀：至正元年，賜文臣宴於拱辰堂。即此。蓋百官會聚之所。東南角樓東迤北，有生料庫，庫東爲柴場，夾垣東北隅有羊圈，西南角樓南紅門外，留守司在焉。輟耕録。按：留守司在宫城西南角樓之南，專掌宫禁工役者。

西華門南有儀鸞局，輟耕録。元世祖紀：至元十一年二月初，立儀鸞局，掌宫門管鑰、供帳、燈燭。西有鷹房。輟耕録。元武宗紀：至大元年二月，立鷹坊，爲仁虞院。仁宗紀：至大四年二月，罷仁虞院，改置鷹坊總管府。柯九思宫詞云：元戎承命獵郊坰，敕賜新羅白海青。得雋歸來如奏凱，天鵞馳道入宫庭。蓋元制冬春之交，天子或親幸近郊，縱鷹隼搏擊，以爲游豫之度，曰飛放；又設獵户，俾致鮮食，以薦宗廟，供天庖；故置鷹坊以統之，所管有鷹人，蒙古語謂之錫寶齋。厚載門北爲御苑，外周垣，紅門十有五，内苑紅門五，御苑紅門四，此兩垣之内也。大明門在崇天門内，大明殿之正門也，七間三門，東西一百二十尺，深四十四尺，重簷。輟耕録。元禮樂志：上尊號受朝賀，前朝二日，儀鸞司設大次於大明門外。旁建掖門，大都宫殿考。左曰日精，右曰月華，皆三間一門，輟耕録。元禮樂志：元正受朝，尚引引殿前班，皆公服，分左右入日精、月華門，就起居位。繞爲長廡，中抱丹墀之半，右爲文武樓，與廡相連，中爲大明殿，故宫遺録。乃登極、正旦、壽節、會朝之正衙也。輟耕録。元世祖紀：至元十八年二月，發侍衛軍四千完正殿，二十一年正月，帝御大明殿，右丞相和爾果斯率百官奉玉册、玉寶，上尊號。殿十一間，東西二百尺，深一百二十尺，高九十尺；柱廊七間，深二百四十尺，廣四十四尺，崇五十尺。寢室五間，東西夾六間，後連香閣三間，東西一百四十尺，深五十尺，崇七十尺，青石花礎，白玉石圓碣，文石甃地，上藉重裀，丹楹金飾，龍繞其上，四面朱瑣窗，藻井間金繪飾，燕石重陛，朱闌塗金，銅飛雕冒，中設七寶雲龍御榻，白蓋，金縷褥；輟耕録。故宫遺録：殿基高可十尺，前爲殿陛，納爲三級，繞置龍鳳白石闌。闌下每楯壓以鼇頭，虛出闌外，四繞於殿。殿楹四向皆方柱，大可五六尺，飾以起花金龍雲。楹下皆白石龍雲花頂，高可四尺，楹上分間仰爲鹿頂斗栱，攢頂中盤黄金雙龍。四面皆緣金紅瑣窗，間貼金鋪，中設山字玲瓏金紅屏臺，臺上置金龍床，兩旁有二毛皮伏虎，機動如生。并設后位。輟耕録。按朱彝尊云：前代未有帝后並臨朝者，惟元則然，故大明殿亦設后位焉。諸王、百僚、怯薛官侍宴坐牀，重列左右，前置鐙漏，貯水運機，小偶人當時刻捧牌而出；輟耕録。元文類：郭守敬于世祖朝進七寶燈漏。又元史志云：大明殿燈漏之制，高丈有七尺，架以金爲之，其曲梁之上，中設雲珠，左日、右月，雲株之下，復懸一珠，梁之兩端，飾以龍首，張吻轉目，可以審平水之緩急，中梁之上，有戲珠龍二，隨珠俯仰、又可察準水之均調。燈毬雜以金寶爲之，内分四層，上環布四神，旋當日月參辰之所在，左轉日一週次，爲龍、虎、鳥、龜之象，各居其方，依刻跳躍，鐃鳴以應于内。又次週分百刻，上列十二辰，各執時牌，至其時，四門通報，又一人當門内，常以手指其刻數；下四隅，鐘鼓鉦鐃各一人，一刻鳴鐘，二刻鼓，三鉦，四鐃，初正皆如是。其機發隱於櫃中，以水激之。木質銀裹漆瓮一，金雲龍蜿蜒繞之，高一丈七尺，貯酒可五十餘石。雕象酒卓一，長八尺，闊七尺二寸，玉瓮一，玉編磬一，興隆笙一，輟耕録。按：興隆笙在大明殿下，其制：植象管於柔韋，以象大匏土鼓，二韋橐，按其管，則簧鳴；籆首爲二孔雀，笙鳴機動，則應而舞；凡燕會之日，此笙一鳴，衆樂皆作，笙止，樂亦止。前懸繡緣朱簾，至冬月，大殿則黄貓皮壁幛，黑貂褥。輟耕録。大明殿後連爲柱廊十二楹，四周金紅瑣窗，連建後宫，廣三十步，深入半之；後有寢宫，俗呼爲拏頭殿，東西相向，至冬，則自殿外一周皆籠護皮帳，夏則黄油絹幕，内寢屏幛，重複帷幄，而後裹以銀鼠；席地皆編細簟，上加深紅厚氈，後露茸單。宫後連抱長廡，以通前門，以貯妃嬪，而每院間必建三楹，東、西相向，爲繡榻，廡後横亘道，以入延春宫，丹墀皆植青松，卽萬年枝也。置金酒海，前後列紅蓮床。其上爲延春閣。大都宫殿考。文思殿在大明寢殿東，三間，前後軒，東西三十五尺。紫檀殿在大明寢殿西，制如文思，輟耕録。按：日下舊聞考云：文思、紫檀二殿，輟耕録謂在大明寢殿之東、西，昭儉録所載，與輟耕録同，惟蕭洵故宫遺録，謂在延春閣後，與二書不合。考禁扁注，大明西曰紫檀，東曰文思，北曰寶雲，此四殿爲大内前位。當以輟耕録爲是，大都宫殿考則沿故宫遺録之誤也。蓋輟耕録載，延春閣在寶雲殿後，爲延春閣之正門，寶雲殿南卽大明殿，東西卽文思、紫檀二殿，四殿相去不遠，長廊複道，本自相通，故宫遺録以爲在延春宫後，與輟耕録所載，其詞雖殊，推其方位自合。皆以紫檀香木爲之，縷花龍涎香間白玉飾壁，草色髹緑，其皮爲地衣。輟耕録。元世祖紀：至元二十八年三月，發侍衛兵，營紫檀殿。英宗紀：至治二年閏月，作紫檀殿。寶雲殿在寢殿後，五間，東西五十六尺，深六十三尺，崇三十尺。鳳儀門在東廡中，三間一門，東西一百尺，深六十尺，高如之。門外有庖人室，稍南有酒人室。麟瑞門在西廡中，制如鳳儀門，外有藏庫二十所。鐘樓又名文樓。在鳳儀南，鼓樓又名武樓。在麟瑞南，皆五間，崇七十五尺。嘉慶門在後廡寶雲殿東，景福門在後廡寶雲殿西，皆三間一門，周廡一百二十間，崇三十五尺，四隅角樓四間。凡諸宮周廡，並丹楹彤壁藻繪，琉璃瓦飾簷脊。延春門在寶雲殿後，延春閣之正門也，五間三門，東西七十七尺，重簷。懿範門在延春左，嘉則門在延春右，皆三間一門。延春閣輟耕録。昭儉録：在興聖宮後。九間，東西一百五十尺，深九十尺，崇一百尺，三簷，重屋柱廊七間，廣四十五尺，深一百四十尺，崇五十尺。輟耕録。禁扁：延春閣後曰咸寧，堂之扁曰芳潤，曰拱辰，亭之扁曰碧芳。寢殿七間，東西夾四間，輟耕録。元英宗紀：延祐七年十二月，作延春閣後殿。故宮遺録：延春閣梯級，由東隅而升，長短凡三折而後登，雖至幽暗，闌楯皆塗黃金龍雲，冒以丹青絹素，上仰亦皆拱爲攢頂，中盤金龍，四周皆繞金珠瑣窗，窗外繞護金紅闌干，憑望至爲雄傑，宮後仍爲主廊。后宮、寢宮，大略如前。後香閣一間，東西一百四十尺，深七十五尺，高亦如之，重簷，文石甃地，藉花毳裀，簷帷咸備，白玉石重陛，朱闌，銅冒楯塗金，雕翔其上。閣上御榻二，柱廊中設小山屏牀，皆楠木爲之，而飾以金。寢殿楠木御榻，東夾紫檀御榻，壁皆張素畫，飛龍舞鳳，西夾事佛像。慈福殿又名東煖殿，在寢殿東，三間，前後軒，東西三十五尺，深七十二尺。輟耕録。元史王結傳：元統二年，王結召拜翰林學士，中宮僧尼於慈福殿作佛事，已而殿災，結言僧尼褻瀆，當坐罪。明仁殿又名西煖殿，在寢西，制如慈福。

輟耕録。元史：至正初，許有壬進講明仁殿。景耀門外，左廡中三間一門，高三十尺，清灝門在右廡中，制如景耀。鐘樓在景耀南，鼓樓在清灝南，各高七十五尺，周廡一百七十二間，四隅角樓四間。玉德殿在清灝外，七間，東西一百尺，深四十九尺，崇四十尺，飾以白玉，甃以文石，中設佛像。輟耕録。元英宗紀：延祐七年十二月，鑄銅爲佛像，置玉德殿。東香殿在玉德殿東，西香殿在玉德殿西，宸慶殿在玉德殿後，輟耕録。禁扁：清灝門西曰玉德，後曰宸慶，二殿大内後位也。九間，東西一百三十尺，深四十尺，高亦如之，中設御榻，簾帷裀褥咸備，前列朱闌，左右闢二紅門，後山字門三間。東更衣殿在宸慶殿東，五間，高三十尺；西更衣殿在宸慶殿西，制如東殿。輟耕録。延春宮後有清寧宮，輟耕録。元順帝紀：皇太子常坐清寧殿，分布長席，列坐西番、高麗諸僧。宮制略如前，宮式後引抱長廡，外護金紅闌檻，各植花卉異石，皆以處嬖幸之屬。又後爲厚載門，上建高閣，故宮遺録。析津志：厚載門，禁中之苑囿也，内有水碾，引水自元武池，灌溉種花木，自有熟地八頃。八頃内有小殿五所，上曾執耒耜以耕，擬於籍田也。環以飛橋，舞臺於前，回闌引翼，每幸閣上，天魔歌舞於臺，繁吹導之，自飛橋西升，市人聞之，如在霄漢。臺東百步許又有觀星臺，臺旁雪柳萬株，掩映左右。臺西爲内浴室，前有小殿。由浴室而出内城，臨海子，廣可五六里，駕飛橋於海中，西起瀛洲圓殿，由瀛洲殿後北引長橋，上萬歲山。故宮遺録。隆福殿在大内之西，興聖宮前，輟耕録。禁扁：興聖宮正曰興聖，西曰寶慈，東曰嘉德。隆福宮正曰光天，東曰壽昌，西曰嘉禧，西位曰文德，東位曰睿安。日下舊聞考引昭儉録：儀天殿西爲木橋，長百七十尺，通興聖宮之夾垣。亦名曰隆福宮，左、右、後三向，皆爲寢殿。殿東有沈香殿，長廡環抱，大都宮殿考。元成帝紀：至元三十一年正月，改皇太后所居舊太子府爲隆福宮。前南紅門三，東西紅門宮各一，繚以甎垣，南紅門一，東紅門一，後紅門一。光天門，光天殿正門也，五間三門，崇三十二尺，重簷。崇華門在光天門左，膺福門在光天門右，各三間一門。光天殿七間，東西九十八尺，深五十七尺，崇七十尺。輟耕録。元英宗紀：延祐七年十一月丁亥，作佛事于光天殿。柱廊七間，深九十八尺，崇五十尺。寢殿五間，兩夾四間，東西一百三十尺，崇五十八尺五寸。重簷、藻井、瑣窗，文石甃地，藉花毳裀，懸朱簾，重陛、朱闌，塗金雕冒楯。正殿縷金雲龍，樟木御榻，從臣坐牀重列前兩旁，寢殿亦設御榻，裀褥咸備。青陽門在左廡中，明暉門在右廡中，各三間一門。輟耕録。按：楊仲宏集，謂皇太后命改隆福宮，趙孟頫擬光天二字。似光天殿舊爲隆福宮。然攷禁扁，隆福宮、光天等殿，皆在興聖之前。輟耕録亦曰隆福殿在興聖前。則隆福宮之卽爲隆福殿無疑，特宮殿皆可通稱耳。且元史言隆福宮爲皇太后所居，舊太子府所改，則隆福宮與光天殿固一名也。今從禁扁、輟耕録、元史爲正。翥鳳樓在青陽南，三間，崇四十五尺。驂龍樓在明暉南，制如翥鳳，後有牧人宿衛之室。壽昌殿亦曰東煖殿，在寢殿東，三間，前後軒重簷。輟耕録。元史泰定紀：泰定元年三月癸亥，修佛事于壽昌殿。嘉禧殿，亦名西煖殿，輟耕録。趙孟頫宮詞：殿西小殿號嘉禧，玉座中央靜不移。讀罷經書香一炷，太平天子政無爲。中位佛像，旁設御榻。鍼綫殿在寢殿後，周廡一百七十二間，四隅角樓四間；侍女直廬五所，在鍼綫殿後，又有侍女室七十二間，在直廬後，及左右浴室一區，在宮垣東北隅。文德殿在明暉外，以楠木爲之，亦曰楠木殿，三間，前後軒一間。輟耕録。元泰定帝紀：泰定元年七月，作楠木殿。東爲睿安殿，與文德殿相對，鹿頂五間，在睿安殿西北，而光天殿西北角樓西後，亦有鹿頂小殿，輟耕録。按禁扁注：光天殿西位爲文德，東位爲睿安。今攷諸書，祇詳文德，而睿安缺載。今據禁扁補録。蓋東、西二鹿頂也。日下舊聞考。元仁宗紀：延祐五年二月，建鹿頂殿于文德殿後。又按昭儉録：光天殿之周廡，四隅皆有角樓四間，而其西廡中爲明暉門，門外卽文德殿，其所載西北角樓西後有鹿頂小殿，蓋卽延祐所建，其地正當西位，文德殿之後，與東位睿安殿後五間相配也。香殿在宮垣西北隅，三間，前軒一間，前寢殿三間，柱廊三間，後寢殿三間，東、西夾各二間。輟耕録。元武宗紀：至大元年八月，李郝寧以建香殿賜金五十，銀四百九十兩。文宸庫在宮垣西南隅，酒房在宮垣東南隅，内庖在酒房之北。興聖宮在大内之西北，萬壽山之正西，輟耕録。元武宗紀：至大元年二月，建興聖宮，爲皇太后所居。丹墀内多桃李，析津志。建小直殿，引邃河分流其下，甃以白石，翼爲仙橋，四起瑣窗，而抱綵樓，樓後東西日月殿。大都宮殿考。按禁扁云：興聖宮西曰寶慈，東曰嘉德。興聖殿後曰徽儀，其北曰延華。其東西日月殿，或卽寶慈、嘉德，而其後徽儀、延華二殿，輟耕録、大都宮殿考、故宮遺録皆不及載。後又有禮天臺，高跨殿上。稍東有流杯亭。宮四隅繚以周垣，南闢紅門三，東、西紅門各一，北紅門一。南紅門外兩旁附垣，有宿衛直廬，凡四十間，東西門外各三間，南門外夾垣内有省、院、臺、百司官侍直板屋，北門外有窨花室五間，東夾垣外有宦人之室十七間，凌室六間，酒房六間，南北西門外，棊置衛士之舍二十一所，所爲一間。外夾垣東紅門三，直儀天殿弔橋西紅門，一達徽政院門内，迤北有鹿頂房二，各二間；又北，有屋二所，各二間；迤南有庫一所，及屋三間；北紅門外有臨行門一所，三間，此夾垣之北門也。興聖門，興聖殿之北門也，五間三門，重簷，東西七十四尺。明華門在興聖門左，肅章門在興聖門右，各三間，一門。興聖殿七間，東西一百尺，深九十七尺；柱廊六間，深九十四尺。寢殿五間，兩夾各三間，後香閣三間，深七十七尺。正殿四面朱懸瑣窗，中設扆屏，榻張白蓋，簾帷皆錦繡爲之。其柱廊寢殿亦各設御榻，白玉石重陛，朱闌塗金冒楯，覆以白瓷瓦，碧琉璃飾其簷脊。輟耕録。按禁扁云：興聖宮正曰興聖。則興聖殿乃興聖宮之一殿也。宏慶門在東廡中，宣則門在西廡中，各三間，一門。輟耕録。禁扁：宣則北門曰奎章門之扁。凝暉樓在宏慶樓北，五間，東西六十七尺；延顥樓在宣則南，制如凝暉。嘉德殿在寢殿東，三間，前後軒各三間，重簷。寶慈殿在寢殿西，制如嘉德。輟耕録。元文宗紀：天曆元年十一月，命高昌僧作佛事於寶慈殿。山字門在興聖宮後，延華閣之正門也，正一間，兩夾各一間，重簷，一門，置金寶瓶，又獨脚門二，周角以紅版垣。延華閣五間，方七十九尺二寸，重阿十字脊，白琉璃瓦覆，青琉璃瓦飾其簷，脊立金寶瓶，單陛御榻，從臣坐床咸具。東西殿在延華閣西，左、右各五間，前軒一間。圓亭左，延華閣後，旁有芳碧亭，圓亭東，三間，重簷，十字脊，覆以青琉璃瓦，飾以緑琉璃瓦，脊置金寶瓶。徽青亭在圓亭西，制如芳碧，輟耕録。按日下舊聞考云：徽清亭據禁扁註，在延華閣。昭儉録：延華閣在興聖宮後，徽清亭在延華閣後，圓亭之東，與芳碧亭相對。析津志：繡女房牆外南牆内是圓殿，一直板房前，卽延華閣，西有婆羅樹。徽清亭，惟輟耕録作徽青，微異。塑佛像。按元泰定紀：至治三年十二月，塑瑪哈噶拉佛像于延春閣之徽清亭。延春當作延華，泰定紀誤。浴室在延華閣東南隅，東殿後，旁有鹿頂井亭二間，又有鹿頂房三間。畏吾兒殿在延華閣右，六間，旁有窨花半屋八間。木香亭在畏吾兒殿後。東鹿頂殿在延華閣東版垣外，正殿五間，前軒三間，東西六十五尺，深三十九尺，柱廊二間，深二十六尺；寢殿三間，東西四十八尺；前宛轉置花朱闌八十五扇。殿之旁有鹿頂房三間，庖室二間，面陽。鹿頂房三間，按鹿頂之制，三椽，其頂若笥之平，故名。妃嬪庫房一間，縫紝女庫房三間，紅門一。西鹿頂殿在延華閣西版垣之外，制同東殿。東殿之旁有庖室三間，好事房二，各三間，獨脚門二，紅門一。妃嬪院四，二在東鹿頂殿後，二在西鹿頂殿後，各正室三間，東西夾四間，前軒三間，後有三椽半屋二間，侍女室八十三間，半在東妃嬪院左，西向；半在西妃嬪院右，東向；室後各有三椽半屋二十五間。東鹿頂殿紅門外，有屋三間，鹿頂軒一間，後鹿頂房一間，庖室一間，在凝暉樓後，正室五間，前軒一間，後披屋三間，又有鹿頂房一間，鹿頂井亭一間，周以土垣，前闢紅門。酒房在宮垣東南隅，庖室南，正室五間。前鹿頂軒三間，南、北房各三間，西北隅鹿頂房三間，紅門一，土垣四周之。學士院在奎章閣後，四鹿頂殿門外之西偏，三間，輟耕録。昭儉録：奎章閣在興聖殿西廡，宣則門北。天曆初，建奎章閣於西宮興聖殿之西廊，爲屋三間以藏物，中間諸官入直所，北間南向設御座，左右列珍玩，命羣玉内司掌之，閣官署銜，初名奎章閣，隸東宮屬官，後文宗復位，乃陞爲奎章閣學士院，輟耕録。虞集奎章閣記：天曆二年三月，作奎章之閣，備間燕之居，將以緝熙典學，乃置學士，俾頌祖宗之成訓，毋忘創業之艱難，而守成之不易也。又俾陳夫内聖外王之道，興亡得失之故，而以自儆焉。其爲閣也，因便殿之西廡，擇高明而有容。不加飾乎采斵，不重勞於土木，不過啟户牖以順清燠，樹皮閣以棲圖書而已。至於器玩之陳，非古制作法度者，不得在列。其爲處也，跬步户庭之間，而清嚴邃密，非有朝會、祠享、時巡之事，幾無一日而不御於斯。於是宰輔有所奏請，宥密有所圖維，諍臣有所繩糾，侍臣有所獻替，以次入對，從容密勿，蓋終日焉。而聲色狗馬，不軌不物者，無因而至前矣。後改爲宣文閣。大都宮殿攷。元史周伯琦傳：至正元年，改奎章閣爲宣文閣。生料庫在學士院南，又南爲鞍轡庫，又南爲軍器庫，又南爲庖人、牧人宿衛之室。藏珍庫在宮垣西南隅，制如酒室，惟多鹿頂，半屋三間，庖室三間。輟耕録。萬歲山在大内西北，太液池之陽，金人名瓊華島，至元八年改今名。輟耕録。元世祖紀：中統四年春三月庚子，伊克德勒丹請修瓊華島，不從。至元元年春二月壬子，修瓊華島。明王直記畧：山皆奇石疊成，相傳金人取宋艮嶽石爲之，至元增飾，加結構焉。瓊島春陰爲燕京八景之一。其山皆疊玲瓏石爲之，峯巒隱映，松檜隆鬱，秀若天成，引金水河至其後，轉機運㪺，汲水至山頂，出石龍口，注方池，伏流至仁智殿，後有石刻蟠龍，昂首噴水仰出，然後由東西流入於太液池。山前有白玉石橋，長二百餘尺，直儀天殿後。橋之北有玲瓏石，擁木門五，門皆爲石色，内有隙地，對立日月石，西有石棋枰。輟耕録。故宮遺録：由三門分道東西而升，下有金主圍棋石臺盤。又有石坐床，左右皆有登山之徑，縈行萬石中，洞府出入，宛轉相迷，至一殿一亭，各擅一景之妙。山之東有石橋，長七十六尺，闊四十一尺半。爲石渠以載金水西流於山後，以汲於山頂也。又東爲靈囿，奇獸珍禽在焉。上有廣寒殿，在山頂，七間，東西一百二十尺，深六十二尺，崇五十尺，輟耕録。元文宗紀：天曆二年冬十月戊申，作佛事於廣寒殿。又按元好問遺山集：瓊華島絶頂有廣寒殿，近爲黄冠輩所毁。萬曆七年，廣寒殿傾頽，其脊多至元錢，是金末已毁，元時重建也。李賢賜遊西苑記：其頂有殿，當中棟宇宏偉，簷楹翬飛，高插於層霄之上，殿内清虚，寒氣逼人，雖盛夏亭午，暑氣不到，殊覺曠蕩蕭爽，與人境異，曰廣寒。重阿藻井，文石甃地，四面瑣窗，板嵌其裏，偏綴紅雲，輟耕録。韓文賜遊西苑記：廣寒殿高廣明靚，四壁彫彩雲累萬，結砌而成。而蟠龍矯蹇於丹楹之上。輟耕録。故宮遺録：廣寒殿皆綫金朱瑣窗，綴以金鋪，內外有一十二楹，皆繞刻龍雲，塗以黃金，左、右、後三面，則用香木鑿金爲祥雲數千萬片，擁結於頂，仍盤金龍。中有小玉殿，輟耕録。元世祖紀：至元四年，作玉殿於廣寒殿中。內設金嵌玉龍御榻，輟耕録。元世祖紀：至元三年四月，五山珍御榻成，置瓊華島廣寒殿。左右列從臣坐床，前架黑玉酒瓮一，玉有白章，隨其形刻爲魚獸出没於波濤之狀，其大可貯酒三十餘石。輟耕録。元世祖紀：至元二年十二月，瀆山大玉海成，敕置廣寒殿。又有玉假山一，峯玉響鐵一，懸殿之後。有小石筍二，內出石龍首，以噀所引金水，西北有厠堂一間。仁智殿在山之半，三間，崇三十尺。輟耕録。元文宗紀：至順元年夏四月，命西番僧作佛事于仁智殿。金露亭在廣寒殿東，其制圓頂尖，上置琉璃珠，崇二十四尺，亭後有銅幡竿一。輟耕録。故宮遺録：方壺殿右爲呂公洞，尤爲幽邃，洞上數十步爲金露殿。玉虹亭在廣寒殿西，制度同金露。輟耕録。故宮遺録：金露殿由東而上爲玉虹殿，殿前有石巖如屋，每設宴，必温酒其中，更衣。方壺亭在荷葉殿後，崇三十尺，重屋八面，無梯，自金露前複道登焉，又曰線珠亭。輟耕録。故宮遺録：山半有方壺殿，四通左右之路，幽芳翠草紛紛，與松檜茂樹蔭映上下，隱然仙島。此作方壺亭，微異。瀛洲亭在温石浴室後，制同方壺。玉虹亭前仍有登重屋複道，亦曰綫珠亭。荷葉殿在方壺亭前，仁智殿西北，三間，崇二十三尺，方頂，中置塗金寶瓶。圜亭凡八面，又曰臙粉亭，在荷葉殿稍西，蓋后妃添妝之所也。介福殿在仁智東差北，東西四十一尺，崇二十五尺。延和殿在仁智西北，制如介福。湩室在介福殿前，牧人之室在延和殿前，三間，庖室在馬湩前東，浴室、更衣殿在山東平地，三間兩夾。輟耕録。元世祖紀：至元二十一年七月壬申，造温石浴室及更衣殿。故宮遺録：山左數十步，萬柳中有浴室，前有小殿，由殿後左右而入，爲室凡九，皆極明透，交爲窟穴，至迷所出路。中穴有盤龍，左底仰首而吐吞一丸於上，注以温泉，九室交涌，香霧從龍口中出，奇巧莫辨。所謂殿，疑卽更衣殿也。

太液池在大内西，周回若干里，中植芙蓉。輟耕録。元掖庭記：己酉仲秋之夜，武宗與諸嬪妃泛月于禁苑太液池中，月色射波，池光映天，緑荷含香，魚鳥羣集，於是畫鷁中流，蓮舟夾持，往來便捷。帝乃開宴張樂，令宮女披羅曳縠，前爲八展舞，歌賀新涼一曲。池上有萬安宮。按日下舊聞考云：元世祖曾命邱處機居太液池之萬安宮。今據補。儀天殿在池中圓坻上，當萬壽山，十一楹，崇三十五尺，圍七十尺，重檐圓頂，臺址甃以文石，藉以花裀，中設御榻，周闢瑣窗；東、西門各一間，西北厠堂一間，臺西向，列甃甎龕，以居宿衛之士。東爲木橋，長一百二十尺，闊二十二尺，通大内之夾垣；西爲木弔橋，長四百七十尺，闊如東橋，中闕之立柱，架梁於二舟，以當其空。至車駕行幸上都，留守官則移舟斷橋，以禁往來。是橋通興聖宮前之夾垣，後有白石橋，乃萬壽山之道也。輟耕録。析津志：元儀天殿西木弔橋，在萬壽山之南，興聖宮之東，瓊華島之北。犀山臺在儀天殿前水中，上植木芍藥。御苑在隆福宮西，后妃多居焉。香殿在石假山上，輟耕録。韓雍賜游西苑記，稱賽蓬萊。三間，兩夾二間，柱廊三間，龜頭屋三間，丹楹瑣窗，間金藻繪，玉石礎，琉璃瓦。殿後有石臺，山後闢紅門，門外有侍女室二所，皆南嚮，並列，又後直紅門三。三門之外有太子鄂爾多荷葉殿二，在香殿左、右，各三間，圓殿在山前，圓頂上置金寶瓶，重簷，後有流杯池，池東、西流水圓亭二，輟耕録。故宮遺録：少東有流杯亭，中有白石床如玉，臨流小座，散列數多，刻石爲水獸，潛躍其旁，塗以黄金。又皆制水鳥浮杯，機動流轉，而行勸罰必盡歡洽，宛然尚在目中。圓殿有廡以連之。歇山殿在圓殿前，五間，柱廊二，各三間；東西亭二，在歇山後，左右，十字脊。東、西水心亭在歇山殿池中，直東西亭之南，九柱重簷，亭之後各有侍女房三所，爲三間，東房西向，西房東向，前闢紅門三，内立石以屏内外，外築四垣以周之，池引金水注焉。棕毛殿在假山東偏三間後。輟耕録。元泰定帝紀：泰定元年十二月，新作棕殿成。鹿頂殿三間，前啟紅門，立垣以區分之，少西，出掖門爲慈仁殿。大都宮殿攷。圭齋集：至正二年七月丁亥，帝御慈仁殿，拂郎國進天馬。按日下舊聞考云：龍光殿，輟耕録不載，見王氏禁扁。又有慈仁、慈德二殿，注云：三殿並巴延鄂爾多。考元史，太祖后妃有四，鄂爾多四十餘人，世祖鄂爾多四，武宗鄂爾多一，蓋后妃分居之地也。又後苑中有金殿，四外盡植牡丹百餘本，高可五尺。故宮遺録。輟耕録：殿楹窗扉，皆裹以黄金，故名之。苑西有翠殿，又有花亭、毬閣。殿前有野果，名紅姑娘，外垂絳囊，中空；有桃子如丹珠，味甜酸可食，盈盈繞砌。苑外重繞長廡，廡後出内牆，外連海子，以接厚載門。大都宮殿考。如金脊殿，元泰定紀：泰定元年八月庚午，作中宮金脊殿。水精殿，元泰定紀：三年秋七月，皇后受雅滿達噶戒于水精殿。欽明殿，元泰定紀：四年八月庚辰，作欽明殿成。宸德殿，元順帝紀：至正八年四月，皇太子徙居宸德殿，命有司修葺之。龍光殿，續文獻通考：至正八年，永寧禪師入覲，説法於龍光殿。七寶殿，瑶光殿，通雲殿，凝翠殿，紅鸞殿，入霄殿，五華殿，德壽宮，翠華宮，擇勝宮，連天樓；又有迎涼之所曰清林閣，旁上二亭，東曰松聲，西曰竹風；又有温室，曰春熙堂；曰九引臺者，七夕乞巧之所也；曰刺繡亭、緝衮堂者，冬至候日之所也；九龍墀，延香亭，春時宮女傳杯於此；拱璧亭，又名夜光亭；探芳徑旁爲逍遥市；又有集賢臺、集寶臺、眺遠閣、留連館、萬年宮：並在禁苑。元掖庭記。

明故宮考

明成祖初封於燕，其邸即元故宮。孫承澤春明夢餘録六。其制：社稷、山川二壇在王城門之右。王城四門：東曰體仁，西曰遵義，南曰端禮，北曰廣智；門樓廊廡二百七十二間；中曰承運殿，十一間；後爲圓殿，次曰存心殿，各九間；承運殿之兩廡，爲左、右二殿，自存心、承運周圍兩廡，至承運門，爲屋百三十八間。殿之後爲前、中、後三宮，各九間；宮門兩廂等室九十九間。王城之外，周垣四門，其南曰靈星，餘三門同王城門名。周垣之内，堂庫等室一百三十八間；凡爲宮殿室屋八百一十一間。日下舊聞考三十三引明太祖實録。太宗登極後，即故宮重建奉天三殿，以備巡幸受朝。永樂十五年，始改建皇城於東，去舊宮里許，悉如金陵之制。夢餘録。明鑑：永樂四年閏七月，營北京宮殿，以泰甯侯陳珪董其役，宥雜犯死罪以下令輸作。明史太宗紀：永樂四年，分遣大臣採木於四川、江西、湖廣、浙江、山西，所遣往四川之尚書宋禮言，有數大木，一夕自浮大谷達於江。天子以爲神，名其山曰神木山，遣官祠祭。内閣書目：永樂十五年，鼎建北京宮殿，有瑞靄浮空，金水橋河冰凝結浮圖諸象，又慶雲呈采、團圞如日，正當御座中，且現五色天花。於是大小臣工咸爲歌頌，有聖德瑞應詩二十卷。其皇城外圍牆，三千二百二十五丈九尺四寸。夢餘録。向南者曰大明門，與正陽門、永定門直對。日下舊聞考。長安客話：凡國家有大典，則啟大明門出，不則常扃不開。明倫大典：聖母將至，禮部議：由東安門入；再議：由大明左門入。張璁曰：天子必有母也，焉可由旁門入乎？聖母至，由大明中門入。稍北，過公生左門，而向東者曰長安左門；再東過玉河橋，自十王府西夾道往北，向東者曰東安門；劉若愚酌中志七。舊聞考引成祖實録：東安門外建十王邸、通爲屋宇八千三百五十楹。轉而過天師菴、草場，轉西向北，曰北安門，卽俗稱厚載門是也；轉而過太平倉迤南，向西曰西安門；再南，過靈濟宮、灰廠，曰長安右門，酌中志。長安客話：每日百官奏進，俱從二長安門入，守者常十數百人，皆禁軍也。翰林記：有外朝房，在長安右門外，以待漏。城外圍之六門也。牆角環紅鋪七十二處，紅柵之內，門之北，則登聞鼓院在焉。其紫禁城外，向南第一重曰承天門，酌中志。長安客話：進大明門，次爲承天之門，天街横亘承天門之前。明憲宗實録：成化元年三月，命工部尚書白圭董造承天門。宮史：每年霜降後，吏部等衙門朝審刑部重囚，在門前中甬道之西，東西甬道之南。門內東太廟，西太社、太稷；二重曰端門；三重曰午門。酌中志。翰林記：本院朝房在午門外右第六區，每候朝，則殿閣大學士、本院學士，講、讀官皆在焉；詹事府朝房在午門外右第十八區。魏闕西分曰左掖門，曰右掖門，轉而向東，曰東華門，酌中志。湧幢小品：新宮既遷舊内東華門之外，逼近民居，喧囂之聲，至徹禁籞，宣德七年，始加恢擴，移東華門於玉河之東，遷民居於灰廠西之隙地。向西曰西華門，向北曰元武門，酌中志。此內圍之八門也。牆外環紅鋪三十六處，酌中志。明宮史：每晚有勛臣一員，在門左門內直宿。每更，官軍提銅鈴巡之，而護城之河遶焉。

午門之内曰皇極門，夢餘録。按：皇極門舊名奉天門，考夢餘録云，嘉靖三十六年，奉天等殿門災。明史輿服志云：帝以殿名奉天，非題扁所宜用，宜更定以答天庥。明年重建奉天門，更名曰大朝門。夢餘録又云：四十一年，三殿成，改奉天殿曰皇極殿，門曰皇極門。據此，是奉天門曾經改爲大朝門，甫經一年，又改爲皇極門也。明宮史：俗所謂羅兒天，銅壺滴漏在此。又舊聞攷引愨書云：皇極門外兩廡四十八間，除曠八間，實四十間，東二十間爲實録、玉牒、起居諸館及東閣，會坐公揖在焉；西二十間，上十間爲諸王館，下十間則會典諸館也。左曰弘政門，夢餘録。明宮史：弘政門卽東角門也，嘉靖四十一年改東角門曰宏政，考選通政司參議及鴻臚寺官在此。右曰宣治門，夢餘録。明宮史：宣治門卽西角門也，嘉靖四十一年，改西角門爲宣治。居西向東曰歸極門，夢餘録。明宮史：卽右順門。夢餘録：嘉靖四十一年，改右順門曰歸極。明神宗實録：萬曆二十五年六月戊寅，歸極門火，延燒皇極等殿，文昭、武成二閣，迴廊皆燼。考天啟七年，修建極等殿成，蓋歸極門當亦於此時竣工云。居東向西曰會極門。夢餘録。明宮史：卽左順門。夢餘録：嘉靖四十一年，改左順門曰會極門。按玉光劍氣集云：會極門，凡京官上、下、接本，俱於此處。

皇極門内，居中向南者曰皇極殿。蕪史。按：皇極舊名奉天殿。明典彙：奉天殿，永樂十五年十一月建。夢餘録：嘉靖三十六年，奉天等殿災。四十一年，三殿成，改奉天殿曰皇極殿。舊聞考引明神宗實録：萬曆四十三年八月庚戌，重建三殿。熹宗實録：天啟五年八月戊戌，皇極殿豎金柱，九月甲寅門工成，七年八月乙未，中極殿、建極殿插劍懸牌，三殿開工，自天啟五年二月二十三日起，至七年八月初二日報竣。殿兩旁，左向西者曰文昭閣，酌中志。明世宗實録：嘉靖四十一年，文樓更文昭閣。三朝野史：崇禎十五年八月，上御朝畢，登文昭閣。閣在皇極殿東，上步下閣，御德政殿，召五閣臣，言：文昭閣兩旁可建直房，朕不時召對，及講讀有疑問，先生往來亦便。翼日遂於閣左右各設直房。右向東者曰武成閣。酌中志。世宗實録：嘉靖四十一年，武樓更武成閣。南北連屬穿空，上有滲金圓頂者，曰中極殿，酌中志。明世宗實録：四十一年九月，三殿成，改華蓋殿爲中極，謹身殿爲建極，詔曰：人君建中建極，乃斂疇錫福之基，臣民會極歸極，實欽若從乂之道，特崇表正，用迪訓行。野獲編卷四：太祖初定大朝會正殿曰奉天殿，門名亦如之；其後文皇營北京，遂仍其名。世宗更其名曰皇極，而華蓋殿則曰中極，謹身殿則曰建極，蓋取洪範之義，若皇極、建極，本屬一義，而中極尤爲無出。殿之兩旁，東曰中左門，酌中志。舊聞考引懲書：中左門之左有小廂房，有扁曰德政殿，崇禎十五年五月，召諸臣入對於此。西曰中右門。再北曰建極殿，殿居中向後，高距三纏白玉石闌干三上者，雲臺門也，與乾清門相對，兩旁向後者，東曰後左門，西曰後右門，即雲臺左右門，亦名平臺。酌中志。明宮史：凡召對閣臣等官，或於平臺，即後左門也。又召對記：崇禎丙子八月十六日，上御平臺，召諸臣入對。又東曰景運門，西則隆宗門，門西向南者曰仁德門，中則乾清門，門外左、右金獅各一，門内丹陛數重。酌中志。天啟宮詞注：乾清宮丹陛下有老虎洞，洞中甃石成壁，可通往來。其居中南嚮者爲乾清宮大殿。夢餘録。明武宗實録：正德九年正月，乾清宮火。至十一年十一月，乾清宮成。萬曆二十四年，乾清宮又災，至二十五年二月又建。按：宮史，大扁曰敬天法祖，崇禎元年八月初四日懸掛，係司禮監掌印高太監時明筆，以正殿扁額令宦侍書之，明之失紀，即此可見。殿左曰日精門，右曰月華門；左小門曰龍光，右小門曰鳳彩；殿之東、西有斜廊，廊之後，左曰昭仁殿，酌中志。明史輿服志：明初東爲宏德，西爲肅雝。至萬曆十一年，更名東暖閣曰昭仁，西暖閣曰宏德。右曰宏德殿，皆南嚮；又小殿二：左曰端凝殿，酌中志。志又云：端凝殿，尚冠等近侍所司御服袞冕玉帶等錢糧貯此。右曰懋勤殿。酌中志。明典彙：嘉靖十四年秋，乾清宫左、右小殿成，上命禮部尚書夏言擬額，殿東貯冕弁，西藏書史，言擬左曰端凝，右曰懋勤。上悦曰：卿所擬取端冕凝旒，懋學勤政，義甚善。遣中使賜言金幣。殿東西各有角門，宫後披簷，東曰思政軒，西曰養德齋。酌中志。明宫殿額名思政軒、養德齋，崇禎五年四月添額。按宙載云：暖閣在乾清宫之後，凡九間，有上有下，上下共置床二十七張，天子隨時居寢，制度殊異。再北則穿堂，居中圓殿曰交泰殿，滲金圓頂，如中極殿制。再北曰坤寧宫，皇后所居也，有中門向後，閉而不開。蕪史。明宫殿額名：坤寧宫，嘉靖十四年七月添額。宫左曰永祥門，宫右曰增瑞門；夢餘録。明宫史：俱萬曆二十五年二月十一日添額。宫之東披簷曰清暇居，北圍廊曰游藝齋；夢餘録。明宫殿額俱崇禎五年十月添額。宫之後左曰景和門，右曰龍福門；再北右曰端則門，左曰基化門，正中爲坤寧門。夢餘録。明宫史：坤寧宫有門，原曰廣運門，嘉靖十四年七月，改曰坤寧門。乾清宫後，過日精門之東曰崇仁門，原名迎祥門。稍南曰内東裕庫，酌中志。夢餘録：崇仁門稍南曰奉慈殿，萬曆中改東裕庫。曰宏孝殿，酌中志。明穆宗實録：隆慶元年三月，更名景雲殿曰宏孝殿。曰神霄殿。酌中志。夢餘録：萬曆中改崇光殿爲神霄殿。明史禮志：明世宗孝烈后，隆慶時祀宏孝殿；穆宗母孝恪皇太后，隆慶初祀神霄殿；萬曆三年俱遷祔奉先殿，二殿遂罷。由日精門而北，爲東一長街，曰順德左門，夢餘録。明宫史：日精門往北向南曰景和門，今曰順德左門，係嘉靖十四年更額。再北向西，與龍光門斜對者曰咸和左門，原名百福門。向南者曰景仁宫。夢餘録。明宫殿額名：景仁宫初名長寧宫，有惟和、從善二亭。夢餘録：嘉靖十四年五月，更名景仁宫。其東則東二長街，南首曰麟趾門，原名壽春門。北首曰千嬰門，原名慶安門。麟趾門之東曰延祺門，酌中志。明宫殿額名：延祺宫初名長壽宫，有集瑞亭。曰怡神殿，酌中志。夢餘録：怡神殿，萬曆三十九年四月十九日被燬，萬曆四十三年五月二日拆西城清虚殿，添蓋連房。再東曰嘉德左門，又東曰蒼震門，酌中志。大内規制記略：此門恒閉，遇掃雪、修造則開。咸和左門之北，向西與景和門相對者，曰廣和左門，向南者曰承乾宮。夢餘録。明宮史：承乾宮，東宮娘娘所居。明宮殿額名：永寗宮，崇禎五年八月更承乾宮東配殿曰貞順齋，西配殿曰明德堂，俱崇禎七年八月添額。東二長街之東曰永和宮，酌中志。明宮殿額名：永和殿初名永安宮，隆慶五年十一月，更前殿爲興龍殿，後殿爲聖哲殿。後有小院，名龍德齋，嘉靖十四年五月更名。廣和左門之北，向西與基北門相對者曰大成左門，酌中志。明宮殿額名：嘉靖十四年，長慶門更大成左門。向南者曰鍾粹宮。酌中志。夢餘録：咸陽宮更鍾粹宮。酌中志又云：鍾粹宮皇太子所居，更興龍宮。又東二長街之東曰景陽宮，酌中志。明宮殿額名：景陽宮更長陽宮。嘉靖十四年五月更名，孝靖皇后曾居此。千嬰門之北，並列者則乾東之房五所，夢餘録。明宮史：千嬰門之北並列者，則乾清宮東之五所房，其東後小門，每月初四、十四、二十四日打掃，凡有事則開。又宮正司六尚局酌中志。明蕪史：六尚局曰尚衣，曰尚食，曰尚功，曰尚服，曰尚寢，曰尚宮。皆在乾清宮以東。酌中志。乾清宮後，過月華門之西曰膳廚門，即遵義門，向南者曰養心殿。前東配殿曰履仁齋，西配殿曰一德軒，後殿曰涵春室，東曰隆禧館，西曰臻祥館，殿門南爲司禮監太監秉筆直房，其後有房數間，倚隆道閣後，爲宮中膳房。酌中志、蕪史：魏忠賢移膳房於怡神殿，將此房亦改爲秉筆直房。養心殿之西南曰祥寗宮，宮前向北者曰無梁殿。酌中志。蕪史：世廟烹煉丹藥之處。其制一木不有，皆甎石砌成者。月華門之西南，巍然者曰隆道閣，原名皇極閣，後更道心閣，至隆慶四年更此名，酌中志。明穆宗實録：隆慶四年二月，命工部於道心閣、精一堂、臨保室舊址重建閣，曰隆道堂，曰仁德室，曰忠義。左曰仁蕩門，右曰義平門，酌中志。夢餘録：嘉靖四十一年，以會極門更仁蕩門，歸極門更義平門。閣之下曰仁德堂，酌中志。明宮史：舊名精一堂，隆慶四年春更今名。前曰仁德門，酌中志。明宮史：萬曆二十四年，兩宮災後，開此門出入。至神廟晚年，移居乾清宮，始閉，不恒開。閣之東曰忠義室，酌中志。明宮史：馮太監保、李太監壽、魏太監坤，曾以室中小屋爲直房，至李永貞，則據忠義室而居之。室三間，黃琉璃瓦，龜背腰牆，其藻井梭葉，皆龍鳳文。閣之西南，過義平門則慈寗宮也。酌中志。明世宗紀：嘉靖十七年七月癸巳，慈寗宮成。慈寗宮花園有亭曰咸若亭，又有橋，橋南有亭曰臨溪亭。夢餘録。由月華門而北，爲西一長街，曰順德右門，再北向東，與鳳彩門斜對者曰咸和右門，原名廣安門，向南者曰毓德宮。酌中志。明宮殿額名：長樂宮更名毓德宮。萬曆四十四年十一月，又更永壽宮。明宮史：神廟自兩宮災後，先移居于毓德宮。其西則西二長街，南首曰螽斯門，北首曰百子門，西曰啟祥宮。酌中志。明宮史：原名未央宮，世廟入繼大統，至十四年夏，特更名曰啟祥。嘉隆聞見録：嘉靖十四年五月建啟祥宮，侍講學士廖道南作頌以獻，上優詔答之。宮爲獻皇帝誕降之地。明蕪史：啟祥宮，神廟自兩宮災後遂居於此。再西則嘉德右門，舊名景福門。南爲隆德殿，夢餘録。明宮史：其兩廡杆插雲，向南而建者，隆德殿也。舊名元極宮，隆慶元年夏，更曰隆德殿，供安元教三清上帝諸尊神。萬曆四十四年十一月初二日燬，天啟七年三月初二日重修。崇禎遺録：崇禎六年，乾清宮隆德殿所供神佛像，盡移於朝天宮大隆善寺。左曰有容軒，右曰無逸齋，東配殿曰春仁，西配殿曰秋義；再西北曰英華殿，供安西番佛菩薩像，殿前有菩提樹二株，婆娑可愛，結子可作念珠，又有古松翠竹，幽靜猶山林焉。酌中志。明宮殿額名：英華殿先名隆禧殿，隆慶元年更名，崇禎五年撤額。天啟宮詞注：英華前菩提樹兩株，爲李太后所植。太后上賓，神廟上尊號曰九蓮菩薩，祀慈容於樹北之別殿。自嘉德右門之西，向南曰二南門，門之北則八角井；夢餘録。按明宮史云：不堪汲。天啟六年亦曾修改，而味竟不堪，其廢井也。再北曰四德門，再西曰咸安宮；夢餘録。明宮史：天啟年間，客氏曾移住此。咸和門之北，向東與隆福門相對者曰廣和右門，向南者曰翊坤宮。酌中志。明宮殿額名：嘉靖十四年五月，更萬安宮曰翊坤宮。西二長街之西曰永甯宮，酌中志。明宮殿額名：嘉靖十四年五月，更長春宮曰永甯宮，萬曆四十三年六月復，更永甯宮曰長春宮。廣和右門之北，向東與端則門相對者曰大成殿，右門向南者曰儲秀宮。酌中志。明宮殿額名：嘉靖十四年，更壽昌宮曰儲秀宮。又西二長街之西曰咸福宮，酌中志。明宮殿額名：嘉靖十四年，更壽安宮曰咸福宮。百子門之東，並列者則乾西之房五所，夢餘録。明宮史：其西後小門，有事則開，如東後小門。總乾清門官經管啟閉，東西二小門之外，皆有惜薪司貯柴炭，備宮中進取。皆在乾清宮以西，坤甯宮之後，則宮後苑也，欽安殿在焉，供安元天上帝，夢餘録。明宮史：殿之東南有足跡二，傳云：世廟時兩宮回禄之變，元帝曾立此默爲救火。崇禎五年秋，隆德、英華殿諸像俱送朝天等宮、大隆善等寺安藏，惟此殿聖像獨存。有門曰天一之門，嘉靖十四年添額。又有門曰承光門，曰集福門，曰延和門。門以内爲御苑，苑内曰萬春亭，曰千秋亭，酌中志。按：二亭嘉靖十五年添額。曰對育軒，酌中志。按：嘉靖十四年更玉芳軒。曰清望閣，曰金香亭，曰玉翠亭，曰樂志齋，曰曲流館，皆萬曆十九年燬。曰四神祠，曰觀花殿。酌中志。明宮殿額名：四神祠有觀花殿，萬曆十一年毁之。殿毁，壘石爲山，山中作石門，扁曰堆秀，山上有亭，曰御景亭；東西魚池各一，池上有亭，東曰浮碧亭，西曰澄瑞亭，酌中志。按：俱萬曆十一年添建。東南曰瓊苑，東門西南曰瓊苑西門，即東一長街、西一長街之北首也，其南首則東西夾牆也。後曰順貞門，此外則元武門矣。酌中志。明蕪史：欽安殿後曰順貞門，其宮牆外則元武門，每夜更鼓在焉。乾清宮門圍牆之内，左右廊房之嚮南半間者曰東夾牆，曰西夾牆，自嘉德右門之西，曰太安門，其外向西曰長庚門，酌中志。志又云：凡放夫匠淘溝及修造，或年老有勞宮人病故，皆奏開此門，以便出入。自元武門迤西可九間，自北而南，過長橋、御酒房後牆曰長連，凡三十九間，再前層，曰短連，凡三間，並元武門東，通計之，凡五十四間，總曰廊下家，蕪史。明宮史：廊下家，俱答應、長隨所住，各有佛堂，以供香火。所栽棗樹，其實甜脆異常。衆長隨各以造麯作酒，賃賣爲生，都人所謂廊下内酒是也。凡文書房並司禮監、監官、典簿，各占過宿直房。皆在元武門以内。其坤甯門宮牆外，近元武門之東，更鼓房在焉，則紫禁城之艮隅也。景運門南，嚮西者曰都知監直房，隆宗門外嚮東者曰司禮監經廠直房，慈甯宮外向東小門之南曰北司房，酌中志。

文書房。志又云：即再南曰司禮監管賞處，酌中志。志又云：即兩班、四撥寫字所居。再南曰外膳房，再南曰南司房，即監宮典簿直房，隆宗門外嚮西者，亦監官之直房也，有井存焉；再南爲寶甯門，門外迤西有大殿曰仁智殿。酌中志。明大內規制紀略：仁智殿在武英殿後，俗所謂白虎殿是也。凡大行皇帝梓宮停於此。四友齋叢說：仁智殿以處畫士。明良記：孝宗嘗至仁智殿，觀鍾欽禮作畫。其西南曰御酒房，西北曰馬監，酌中志。志又云：馬監典簿奉旨問刑，拷打內犯之所，門外有二大椿，俗云裏馬房也。東南曰思善門，酌中志。門外宏文館，一名宏文閣。舊聞考。明史仁宗紀：洪熙元年正月，建宏文閣。橋西有殿曰武英殿。酌中志。夢餘録：武英殿在右順門之西，凡齋居及召見大臣於其中，後以文華殿近慈甯宮，故歷朝多居之，而武英殿遂不復御。明大內規制紀略：命婦朝賀中宮於此。再西曰太庖廚，曰尚膳監，酌中志。志又云：總管及管理僉書掌司所居。武英殿之西南曰御用裏監，酌中志。志又云：把總等官所居。再東曰南薰殿。蕪史。明宮史：凡遇徽號册封大典，閣臣率領中書官篆寫金寶、金册在此。其由殿徑直而東，則歸極門也，有逍遥城，在六科廊後。酌中志。志又云：此門西南礓䃰之下，漢王高煦置銅缸中，炙死於此。由歸極門裏向西南入，曰六科廊，酌中志。志又云：東南兩房掌司所居，精微科及章疏在焉。又由會極門裏向東南入，曰內閣。酌中志。志又云：輔臣票本清禁處。出會極門，循東階下有殿，曰佑國殿。酌中志。志又云：殿供元帝聖像，籤最靈。佑國殿之東，則內承運庫。蕪史。明宮史：銀兩、表裏等錢糧藏貯之所，兩庫之間，有槐一株，自徽音門南望，枝幹扶疏，茂翠可愛。有井，甘冽可用。又東過一小石橋，曰香庫，蕪史。明宮史：乃內府供用庫，答應錢糧之所。又稍北有石碑，曰古今通集庫。酌中志。蕪史：以貯古今君臣畫像、符卷、典籍，歲六月六日曝之。再北而南嚮，曰東華門，門內有橋，橋北有樹二，曰馬纓樹，再北曰馬神廟。蕪史。明宮史：御馬監該班官及良馬十餘匹在此。又會極門迤東，南嚮者曰文華殿。夢餘録。水南翰記：文華殿在奉天門之東，比諸殿制稍減而特精雅，用綠色琉璃瓦。左右爲兩春坊，上之便殿，所常御者也。今用爲經筵之所。殿之側有九五齋、臨保室、精一堂、恭默室，夢餘録。夏言恭默室頌：維皇作室，九五之側。皇錫之名，是曰恭默。恭默伊何？曰惟思道。無臭無聲，至德之妙。河有龍馬，洛有神龜。鳳凰鳴矣，雝雝喈喈。按茲三圖，聖王之瑞。以開人文，以來帝賚。大哉聖心，惟恭惟默。與天同遊，懋建皇極。殿之後曰玉食館，曰端敬殿，夢餘録。明神宗實録：萬曆二十七年四月，建端敬殿。曰理辦房，過小門，西北曰省愆居。蕪史。明宮史：省愆居，其制度用木爲通透之基，高三尺，館下不令牆壁至地，四圍亦不與別處接連。凡遇天變災眚，聖駕居此，以示修省之意。殿之東曰神廚，廚内有井，蕪史。明宮史：每祭司井之神，即於此井具儀祭之。殿之西曰崇本門，殿之後曰刻漏房。夢餘録。明宮史：銅壺滴漏在此。又殿之東，門向後者曰聖濟殿，夢餘録。大内規制紀略：聖濟殿，供三皇、歷代名醫，御服藥餌之處。其前爲徽音門，左、右爲關雎門；酌中志。愍書：以慈慶宮爲皇考舊居，其後勗勤宮即上舊居也，因以居東宮，奉遷懿安皇后於仁壽殿，前門徽音改前星門，關雎左、右門改爲麟祥、燕翼。再入一重，爲麟趾門；又一重，爲慈慶門；蕪史。愍書：第二門麟趾，改爲重暉，第三門慈慶，改爲端本。按夢餘録：徽音門亦曰麟趾門。據舊聞考所引愍書云：徽音改前星門，第二重門改麟趾爲重暉門。與蕪史合，今從之。左右爲純禧門，酌中志。愍書：純禧左、右門後改爲養正、體元。其内則慈慶宮，後改爲端本門。酌中志。愍書：端本宮在東華門内，即端敬殿之東，前庭甚曠，長數十丈，左爲東華門，右爲文華門，光宗皇帝青宮時所居也。天啟末，懿安張皇后移居於此，名慈慶宮。壬午八月，懿安移居仁壽殿，因改爲端本宮。宮中設皇太子座，畫屏金碧，座左、右二大鏡屏，高五尺餘。左、右各有連房七間，門上各堆紗，畫忠孝廉節故事。左七間即寢宮，内有二雕床；右七間有琱紅寶座及奥室。宮内有宏仁殿，規制曲折。蕪史。按宦游録云：宮制如常，但連房曲室多耳。又後爲穿殿，兩廡翼然，有清正二軒。又後則凝甯門，原名聚甯門。又後爲龍圃門，門内爲奉宸宮，又有迎禧宮，其後有承華門，左爲勗勤宮，右爲昭儉宮，又後爲麗園門。麟趾門之東爲掌印秉筆太監直房，蕪史。明大内規制紀略，所謂梨園者此也。麟趾門之西轉角，西嚮者曰元輝殿，再北曰御馬監直房，酌中志。明宮史：每日伺候御乘良馬十餘匹在此。神廟時，有進到大黑牛二隻，無角，亦餵養於此。再北曰御用等監庫。再北而嚮南者曰寶善門，蕪史。明宮史：門之西，舊有核桃、棗樹數株，乃二百餘年所培植者，魏忠賢因天啟二年風變，除去。門内迤東卽慈慶宮後門，門之外有井一，味極甘洌。酌中志。明宮史：北神廟末年鑿。曰奉先殿，卽内太廟也。街東曰隆祀門，其内則外東裕庫，街西再北卽蒼震門；又街東、西並列二門，嚮西者曰履順，曰蹈和，則一號殿仁壽宮之門。夢餘録。黄忠端說略：楊大洪首倡移宮，李選侍出居一號殿。又有噦鸞宮，喈鳳宮，夢餘録。明宮史：凡先朝有名封之妃嬪，無名封之宮眷，所居養老處。其居中之門，則蓮華門也，自寶善門至蓮華門，有巷皆可通元武門云。蕪史。俗名此巷爲狗兒灣。

紫禁城之外，自北安門裏街，東曰黄瓦東門，街南曰尚衣監，夢餘録。明宮史：掌造御用冠冕、袍服、履舄、韉靴之事，又名曰西直房。街北曰司設監，夢餘録。明宮史：所職掌者，鹵簿、儀仗、圍幙、褥墊，各宮冬夏簾、涼蓆、帳幔、雨袱子、雨頂子、大傘之類。再東曰酒醋麵局，曰内織染局，曰皮房、紙房，曰鍼工局，曰巾帽局，曰火藥局；夢餘録。明宮史：卽兵仗局之軍器庫。再東稍南曰供用庫，曰番經廠，曰司苑局，曰鐘鼓司；夢餘録。明宮史：掌管出朝鐘鼓。凡聖駕朝聖母回，及萬壽聖節、冬至、年節，升殿回宮，在駕前作樂，迎導宮中升座承應；凡每年九月登高，聖駕幸萬歲山；端午鬭龍舟，插柳；歲暮宮中驅儺，以及日、月蝕救護打鼓，皆本司職掌。再南曰新房，曰都知監，曰司禮監，夢餘録。明宮史：每日奏文書自御書親批數本外，皆衆太監分批，遵照閣中票來字樣。曰御馬監；再南曰杄子房，曰北膳房，曰南膳房，曰暖閣廠，曰明器廠，曰混堂司，夢餘録。明宮史：職司沐浴堂子。曰尚膳監，曰百花房，曰印綬監，曰中書房，曰蹴圓亭，曰内承運庫，夢餘録。舊聞考：内承運庫在東下馬門，其職掌庫藏，在宮内者謂之裏庫，其會極門、寶善門迤東一帶及南城甆器等庫，謂之外庫。總名之曰東河邊。過東上北門之東，曰彈子房，曰學醫讀書處，曰光禄寺，街南曰篦頭房，夢餘録。其東則東安門也。酌中志。自東上南門之東曰重華宮，制度如乾清宮，有中路，有兩長街：中路曰永昭門，曰昭祥門，曰端拱門，曰昭德門，曰重華門，曰廣愛門，曰咸熙門，曰肅雍門，曰康和門，曰麗春門；殿曰重華圓殿，曰清和閣，曰迎春館；東長街曰廣順門，曰中和門，曰景華門，曰宣明門，曰景明門，曰洪慶門；殿曰洪慶殿；夢餘録。明大内規制記略：供番佛之所。西長街曰興善門，曰麗京門，曰長春門，曰清華門，曰高明門，曰甯福宫，嘉福宫，明德宫，永春宫，永甯宫，延禧宫，延春宫，宜春宫，皇夢餘録。明宫史：凡妃、嬪、皇子、皇女之喪，皆於此停靈。旁有膳房，又有門曰景和門，又東則内承運庫。自東上南門迤南，街東曰永泰門，門之内，街北則重華宫之前門也；其東有一小臺，臺上有小亭一；再東南則崇質宫，俗云黑瓦殿是也。酌中志。舊聞考：明英宗北還，居崇質宫，謂之小南城。其南街之東，則皇史宬，酌中志。夢餘録：皇史宬在重華殿西，建於嘉靖十三年，門額以史爲[illegible]，以成爲宬。按：宬與盛同義。莊子：以匡宬矢。説文曰：宬，屋所容受也。明大内規制紀略云：史宬珍藏太祖以來御筆、實録、典籍、石室金匱。史書今考：史宬之制，四周上下俱用石甃，舊藏永樂大典於此。有左、右二門，曰[illegible]歷。夢餘録以龍爲[illegible]，皆世宗自製字而手書也。再東則追先閣，有明世宗紀祖德詩碑；又東爲欽天閣，有世宗御製欽天頌碑；再南則御前作也。夢餘録。舊聞考：去菖蒲河牛郎橋不遠，臨河有地名大院子，應即御作也。由皇史宬之西，過觀心殿射箭處，稍南有門曰蒼龍門，其南則昭明門，其西南則嘉樂館也。其北曰丹鳳門，門列金獅二，内有正殿曰龍德，酌中志。明英宗實録：初，上在南内，悦其幽静，既復位，因增置殿宇，其正殿曰龍德。吴伯與内南城紀略：自東華門進至麗春門，凡里許，經宏慶廠，歷皇史宬門，至龍德殿，隙地皆種瓜蔬，注水負甕，宛若村舍。左殿曰崇仁，右殿曰廣智。正殿後爲飛虹橋，夢餘録。明宫史：橋以白石爲之，鑿獅、龍、黿、鼉、魚、蝦、海獸，水波洶湧，活躍如生，云是三寶太監鄭和自西洋得之，非中國石工所能製者。橋之南，右邊一塊缺損，云是中國補造，屢易屢泐。橋之南、北有飛虹、戴鼇兩坊，東西有天光、雲影二亭；酌中志。燕都遊覽志：有洞嵌石壁，壁上刻秀巖二字，石磴數十級，有方邱焉，最上爲乾運殿，古松大柏覆之。又北壘石爲山，山下有洞，曰秀巖，山上有圓殿，曰乾運，其左、右二亭，曰凌虛，曰御風；山後有佳麗門，又後爲永明殿，最後爲圓殿，引流水繞之，曰環碧。夢餘録。眉公見聞録：嘉靖辛卯，上游幸南城演馬，召諸輔臣，環碧殿賜宴。即此。再東曰玉芝宮，夢餘録。明典彙：嘉靖四十四年六月，作玉芝宮。野獲編：初，世宗之建世廟也，先名世室，以奉皇考，獻皇之祀，既以世字，礙後世稱宗，改建獻皇帝廟。至嘉靖四十四年，舊廟柱產芝，上大悅，更名玉芝宮。後殿曰大德殿，又有殿曰景神殿，曰永孝殿，外圈門曰寶慶門，其前曰芝祥門，其東牆外則觀心殿也。夢餘録。按：明英宗實録所載，南城尚有靜芳門、瑞光門、昭融門，他書未見。自皇史宬東南有門通河，夢餘録。明宮史：是河從北安門外文昌宮迤東步糧橋入，徑皮房、內織染局、巾帽局、御馬監之東，東安門橋下，至長安左門外迤東之玉河橋出焉。河上有閣曰湧福閣，酌中志。夢餘録：澄輝閣，萬曆三十年四月二十九日更湧福閣。沿河稍北，則呂梁洪、東安橋，再北有亭居橋上曰涵碧，酌中志。舊聞考：東安橋北又有橋，橋上遺石礎二，相傳有樓騎河。又北，則回龍觀在焉，其殿曰崇德者是也，酌中志。夢餘録：崇德殿即回龍觀，萬曆二十八年六月拆去，蓋造觀心殿，修補乾運殿。燕都游覽志：回龍閣多海棠，旁有六角亭，每歲花開時，上臨幸焉。野獲編：南城宮殿，初制亦有首門、二門以及兩掖門，二門內亦有前、後兩殿，其他離宮，以及圓殿、石橋，皆復辟後所增飾。湧幢小品：其中翔鳳等石闌干，景帝方建隆福寺，內官悉取去，又伐四圍樹木，英皇甚不樂，既復辟，下內官陳謹等於獄。尋增置各殿爲離宮者五，大門西向，中門及殿南向，每宮殿後一小池，跨以橋，池之前後爲石壇者四，植以栝松，最後一殿供佛，甚奇古，左、右回廊與後殿相接，蓋仿大內式爲之。明英宗實録：天順三年十一月工成，雜植四方所貢奇花異木於中，每春暖花開，命中貴陪內閣儒臣宴賞。皆在河以東。河東又有玩芳亭，有桂香館，有翠玉館，有浮金館，有擷秀亭，有聚景亭，有含和殿，有秋香館，有左、右漾金亭，蓋皆爲南城離宮云。舊聞攷。北安門內街，東曰安樂堂，酌中志。夢餘録：內官有疾者移此。再南黃瓦西門之裏，則內官監也。夢餘録。明史職官志：掌木、石、瓦、土、塔材、東行、西行、油漆、婚禮、火藥十作，及米鹽庫、營造庫、皇壇庫；凡國家營造宮室、陵墓，并銅、錫妝奩器用，暨冰窨諸事。過北中門迤西，則白石橋，萬德寶殿，明世宗實録：嘉靖四十四年十二月，定新建萬德寶殿名，中曰壽憩，左曰福舍，右曰禄舍。明宮殿額名云：萬德寶殿，萬曆二十九年添蓋佛殿，三十年額曰祖師殿。按酌中志、夢餘録均作萬福殿。大高元殿，夢餘録。野獲編：西苑齋宮獨大高元殿以有三清像，至今崇奉尊嚴，內官、宮婢習道教者，俱於其中演唱科儀。炅音陽真閣，椆音陰靈軒，象一宮，皆供奉釋道處；又有始陽齋，無上閣。舊聞考。桂洲集：始陽齋在無上閣左，象一宮在無上閣右。殿門前有二亭，制極巧，中官呼爲九梁十八柱。舊聞攷。其殿之北，則裏冰窨也。過北中門之南曰壽皇殿，左曰毓秀館，右曰育芳亭，後曰萬福閣，其上曰臻福堂，明宮殿額名考作臻禄堂。曰永禧閣，明宮殿額名考作康永閣。其下曰聚仙室，曰延甯閣，曰集仙室，均萬曆十三年建。曰百果園，酌中志。西元集：萬歲山下有亭，林木陰翳，周回多植奇果，名百果園。殿之西門內有樹一株，挂鐵雲板，年久，樹長，銜雲板於樹幹中，露十之三。殿東曰永壽殿，酌中志。愍書：永壽殿在觀德東南，內多牡丹、芍藥，旁有石壁立，色甚古。曰觀花殿，酌中志。夢餘録：觀花殿，萬曆三十年閏二月添蓋，植牡丹、芍藥甚多。曰集芳亭，曰會景亭，曰玩春樓。酌中志。夢餘録：興慶閣，萬曆四十一年四月二十八日更玩春樓。其下曰壽安堂，曰觀德殿，觀德殿亦射箭處也，酌中志。夢餘録：觀德殿，萬曆二十八年五月添蓋。愍書：山左寬曠，爲射箭所，故名觀德。崇禎癸未九月，召對萬歲山觀德殿。出東華門，入東上北門，繞禁城行，夾道皆槐樹，十步一株，折而西，則萬歲山在望矣。復折而北，入山左裏門。上御觀德殿，皇太子侍立，諸臣趨過永壽殿，至觀德殿階下。上御坐，張金字屏，書一小賦，門外張黃幔。對畢，賜茶餅。有頃，駕興，入元武門，諸臣仍出山。與御馬監西門相對，皆在萬福閣東；萬福閣西曰永安亭，曰永安門；乾祐閣下曰嘉禾館，曰乾祐門；興慶閣下曰景明館，外爲山左裏門，山右裏門，酌中志。明宮殿額名：山左門、山右門於萬曆十八年八月添牌。正中而巍然聳峙者，爲萬歲山。酌中志。蕪史：土渣堆築而成，人或指爲有煤，誤矣。明宮殿額名：崇禎七年九月，量萬歲山，自山頂至山根，斜量二十一丈，折高一十四丈七尺。山上樹木鬱葱，鶴鹿成羣，有亭五：曰毓秀亭，夢餘録。明宮殿額名：玩芳亭，萬曆二十八年更玩景亭，二十九年再更毓秀亭。據此，則玩芳、玩景、毓秀，本爲一亭，夢餘録誤分爲二。合計此山有五亭。曰壽春亭，曰集芳亭，酌中志。夢餘録：壽春亭、集芳亭，萬曆三十一年二月添蓋。曰長春亭，曰會景亭。亭下有洞，曰壽明洞；山之前曰萬歲門。再南曰北上門，左曰北上東門，右曰北上西門，西可望乾明門，東可望御馬監也；再南，過北上門，則紫禁城之元武門矣。自西北上門過西上南門，向東曰御用監，夢餘録。明宮史：御用監有象房、掌房等官，有母象九隻，各居一房，缺則奏於外象房請補。又南，向西曰銀作局，再南，過橋曰靈臺。酌中志。郭守敬行狀：大德二年，起靈臺水渾運渾天漏，大小機輪，凡二十有五。明宮史亦有觀象臺，銅鑄渾天儀，以測星度，觀靈氣焉。沿河西岸而南曰寶鈔司。酌中志。蕪史：其署在臨河後，倚河有泡稻草池，池中石灰、瀘渣積成卧象形，因名曰象山。自西中門之西曰尚寶監，曰鷹坊司。再西，出西苑門，迤南東嚮曰灰池，曰樂成殿，有泉碓水磨。夢餘録。西元集：樂成殿，左右楹各設龍床，殿後小室亦設龍榻，皆宣皇游歷處。殿右有屋，設石磨二，石碓二，下激湍水自動，田穀成，於此春治，故曰樂成。明宮額名：樂成殿，萬曆三十一年七月添扁。河之西，土坡之上曰昭和殿，酌中志。西元集：從樂成殿渡橋，轉南一徑，過小紅亭二百餘步，林木深茂，内有殿曰昭和，皆黄屋，旁有水田村屋，先朝嘗於此閱稼。明李賢賜遊西苑記：南臺林木陰森，過橋而南，有殿面水，曰昭和，門外有亭臨岸，沙鷗水禽，如在鏡中。曰擁翠宮，酌中志。按：擁翠宮疑即擁翠亭。李賢遊西苑記：亭臨水曰擁翠，又一作湧翠。燕都游覽志：其北濱池一亭，額曰湧翠，則御駕登龍舟處。曰趯臺陂，酌中志。金鰲退食筆記：瀛臺舊爲南臺，一曰趯臺陂。燕都游覽志：南臺在太液池之南，踞地頗高，頫眺橋南一帶景物，其門外一亭，不止八角，柱栱攢合，極其精麗，北懸一扁，直書趯臺陂三字。降臺而下，左右廨宇各數十楹，不施窗牖。曰澄淵亭。酌中志。明典禮志：嘉靖十三年九月，西苑河東亭榭成，上親定額，昭和殿前曰澄淵亭。又北曰紫光閣。夢餘録。金鰲退食筆記：紫光閣由太液池西南隄，循池而北，舊有臺，高數丈，中作圓頂小殿，用黄瓦，左右各四楹，接棟稍下，瓦皆碧，南北垂接斜廊，懸級而升，面若城壁，下臨射苑，皆設門牖，有馳道可走馬，明武宗築以閱射者，名曰平臺。後廢臺，改爲紫光閣。向北門外即金鰲坊。明時，五日幸西苑，鬬龍舟於紫光閣前，看御馬監勇士，馳驟往來，走解躏柳。再西曰萬壽宮，曰壽源宮，夢餘録。野獲編：上既遷西苑，號永壽宮，不復視朝，惟日夕事齋醮。辛酉，永壽火，復暫徙玉熙殿，又徙元都殿，俱湫隘不能容萬乘。時分宜首揆請移駐南城，上以當時遜位受錮之所，意甚惡之。然是時方興三殿大工，縣官匱乏，無暇他營，華亭爲次揆，即對云：今徵到建殿餘材尚多，頃刻可辦，且薦司空雷禮材諝足任此役。上大悅，立命華亭子璠以尚寶司丞兼營繕主事，督其役，不三月工成。上大悅，即日徙居，賜名曰萬壽，後堂曰壽源宮。夢餘録：萬壽宮，嘉靖四十二年九月更恩壽宮。曰五福殿，曰承祐殿，祐祥殿，右祐甯殿，曰龍吉齋，酌中志。夢餘録：龍禧殿，嘉靖四十二年二月更龍煌齋，四十四年更龍吉齋。曰鳳祥館，酌中志。夢餘録，鳳祺館，嘉靖四十二年二月更鳳煇館，四十四年二月更鳳祥館。曰昭祥閣，酌中志。夢餘録：福祥閣，嘉靖四十二年二月更昭祥閣。曰朗瑞居，酌中志。夢餘録：禄康寓，更朗瑞居。曰曜曦門，酌中志。夢餘録：曦福門，嘉靖四十四年三月更曜曦門。曰耀朗門，酌中志。夢餘録：朗禄門，嘉靖四十四年三月更耀朗門。曰含祥門，曰成瑞門，曰永和門，曰永順門，曰永綏門，曰永祉門，曰納康門，曰長甯門，曰凝一殿。其東曰萬春宮，曰含春殿，酌中志。按吉和藁云：四十年已建萬春宮，至是三宮欽定萬和、萬華、萬甯，而不言含春殿。曰萬和宮，曰萬甯宮，曰萬華宮，曰御饌庖，曰體仁門，曰履康門，曰啟泰門，曰納福門，曰安泰門。其西曰仙禧宮，酌中志。夢餘録：仙禧宮更千秋宮。曰仙樂宮，酌中志。夢餘録：仙樂宮更千樂宮。曰仙安宮，酌中志。夢餘録：仙安宮更千景宮。曰仙明宮。酌中志。夢餘録：仙明宮更千安宮。以上四宮，嘉靖四十二年九月更名。其朝東南起有二十一，曰常一作長甯門，酌中志。夢餘録：衍慶門，嘉靖四十四年三月更長甯門。曰常和門，曰常善門，曰常耀門，曰金甯門，即授衣，酌中志。夢餘録：嘉靖三十七年二月，授衣門更金甯門。曰攸順門，曰攸利門，曰金靜門，曰金瑞門，曰宣惠門，曰靜安門，曰壽康門，即灌木，酌中志。夢餘録：嘉靖三十七年，灌木門更壽康門。曰常靜門，酌中志。夢餘録：嘉靖三十七年二月，螽斯門更常靜門。曰壽安門，酌中志。夢餘録：嘉靖三十三年正月添造。曰康成門，酌中志。夢餘録：嘉靖二十一年八月添造。曰東和門。其南曰陽德門，曰永光門，曰嘉安門。其東曰柏木殿，曰旋波臺，燕史作旋磨臺。即兔兒山顯揚殿也。酌中志。李默游西内記：緣隄稍南，樹益密，林端望見昭光殿，常侍曰：此兔兒山也。昭光殿，宫史作顯揚殿，微異。金鰲退食筆記：兔兒山在瀛臺之西，由大光明殿南行，叠石爲山，穴山爲洞，東西分徑，紆折至頂。殿曰清虚，俯瞰都城，歷歷可見。砌下暗設銅甕，灌水注池，池前玉盆内作盤龍，昂首而起，激水從盆底一竅轉出龍吻，分入小洞，復由殿側九曲注池中。喬松數株參立，古籐縈繞，懸蘿下垂，池邊多立奇石，一名小山子，又小蓬萊。其前爲曲流觀，甃石引水，作九曲流觴，皆雕琢奇異，布置神巧。明嘉靖時，復葺鑒戒亭，取殷鑒之義。又南爲瑶景、翠林二亭，古木延翳，奇石錯立，架石梁通東西兩池。南北二梁之間曰旋磨臺，螺盤而上，其巔有甃，皆陶埏雲龍之象，相傳世宗禮斗於此。臺下周以深塹，梁上玉石欄柱，御道鑿團龍，至今堅完如故。老監云：明時重九，或幸萬歲山，或幸兔兒山。清虚殿登高，宫眷、内臣皆著重陽景菊花補服，喫迎霜兔菊花酒。西河詩話：曾見山東徐登瀛一詩，其頷句云：結客暫同梁父轍，求仙不上堙兒山。人不識堙兒所出。後余入都，相傳舊西内有大光明殿，前有假山，巃嵸，名兔兒山，集良石堆垛成洞壑，偏插峰嶂，頂搆廠亭，而加以重屋，即世宗焚籙瞻斗之地，則意兔兒者，堙兒之誤。山前有旋磨臺，如鞶帶圍繞，由庳而登，逐步漸登，恍履平地，舊時高盡處猶蕉心中凸，聳以重臺，今亦亡矣。老宫監住此者云：客、魏時，宫人忤意者，安置此地，死相枕藉，洞中骨髮穢積。此又在酌中志之外者。第締構過整，洞必雙穿，峰不單峙，則宫殿規制與外稍殊耳。臺上七層，有牌額曰玉光，曰光華，曰華輝，曰輝真，曰真境，曰境仙，曰仙臺，曰迎仙亭。酌中志。夢餘録：旋坡臺，萬曆九年七月，内添四柱方亭一座。萬曆四十年九月，添迎仙亭牌。牌坊二：南曰福鑾，北曰禄渚。曰朝元館，酌中志。明宫殿額名：朝元館，嘉靖四十五年五月建。曰景德殿，酌中志。夢餘録：萬曆二十八年十月添造。曰大光明殿。酌中志。金鰲退食筆記：大光明殿在西安門内萬壽宫遺址之西，地極廠豁。門曰登豐。前爲圓殿，高數十尺，制如圓邱，題曰大光明殿。西河詩話：舊西内有大光明殿，亦名圓殿，是明世宗鍊真處。殿前門曰登豐，曰廣福，曰廣和，曰廣甯，二重門曰玉宫，曰昭祥，曰凝瑞。左曰太始殿，右曰太初殿，殿前有亭，曰宣恩亭，曰嚮社亭，曰一陽亭，曰萬仙亭。亭後有門，曰永吉門，曰左安門，曰右安門，曰太極殿，酌中志。野獲編：四十四年，謝天賜丸藥於太極殿。曰統宗殿，曰總道殿，曰天元閣。酌中志。金鰲退食筆記：大光明殿中爲太極殿，後有香閣九間，題曰天元閣。高深宏麗，半倍於圓殿。皆覆黄瓦，甃以青琉璃，下列文石花礎作龍尾道，丹楹金飾，龍繞其上。四面瑣窗，藻井以金繪之。白石陛三重，中設七寶雲龍神牌位，以祀上帝。相傳明世宗與陶真人講内丹於此。閣下曰闡元保祚，酌中志。明宫殿額名：其帝師堂、積德殿、壽聖居、福真憩、禄仙室五所，毁于萬曆三十年。

東嚮外有二門，曰天平，曰豐和，曰無逸殿，酌中志。野獲編：嘉靖時建無逸殿於西苑，翼以豳風亭，蓋取詩書義以重農務，而時率大臣游宴其中，又命閣臣李時、翟鑾輩坐講豳風七月之詩，賞賚加等，添設户部堂官專領稽事。其後日事元修，即於其地營永壽宫，雖設官如故，而主上所創春祈秋報大典，悉遣官代行，撰青詞諸臣，雖儤直於無逸殿之旁廬，而屬車則絶跡不復至，其殿惟内直工匠寓居，彩畫神像，並裝潢渲染諸猥事而已。至甲辰年，翟鑾坐二子中式被議，鑾辨疏以日直無逸爲辭，時上奉道已虔，惟稱上元、高元及元威、元功，而鑾椎樸，尚舉故事，上大怒，褫逐之。其後並殿亭舊名，無齒及者矣。世宗上賓未期月，西苑宫殿悉毁，惟無逸至今存。至尊於西成時間亦御幸，内臣各率其曹，作打稻之戲，凡播種、收穫以及野饁、農歌、徵糧諸事，無不入御覽，蓋較上耕耤田時尤詳云。今上甲申、乙酉間，無逸燼于火，輔臣申吴縣等奏：皇祖作此殿，欲後世知稼穡艱難，其慮甚遠，非他游觀比，宜以時修復。上深然之。今輪奐尚如新也。曰豳風亭，酌中志。御對録：豳風亭正面，用甎寫刻大字，題豳風詩一首，東西兩邊作沙壁，寫七月詩。肅皇外史：嘉靖二十一年上元，上御豳風亭，賜朱希忠等五臣宴，觀鐙。曰落成殿。酌中志。明世廟聖政紀要：嘉靖十年八月，帝御無逸殿之東室，曰：西苑舊宫，是朕文祖所御，近修葺告成，欲於殿中設皇祖位祭告之。祭畢，宜以宴落成之。落成之名，想取諸此。蓋是殿當即無逸殿之東室也。其在河之西岸，金石橋之北，向南曰玉熙宫，酌中志。金鰲退食筆記：玉熙宫在西安門裏街北，金鰲、玉蝀橋之西。明世宗嘉靖四十年十一月辛亥，萬壽宫災，暫御玉熙宫。神宗時選近侍三百餘名，于玉熙宫學習官戲，歲時陞座，則承應之。各有院本，如盛世新聲、雍熙樂府、詞林摘艶等詞。又有玉娥兒詞，京師人尚能歌之，名御製四景。他如過錦之戲，約有百回，每回十餘人不拘，濃淡相間，雅俗並陳。又如雜劇古事之類，各有引旗一對，鼓吹送上。所扮備極世間騙局俗態，并拙婦、騃男及市井商賈、刁賴詞訟、雜耍諸項。蓋欲深宫九重之中，廣識見，博聰明，順天時，恤民隱也。水嬉之製，用輕木雕成，海外諸國及先賢文武男女之像，約高二尺，彩畫如生，有臀無足而底平，下安卯栒，用竹板承之。設方木池，貯水令滿，取魚蝦萍藻實其中，隔以紗障，運機之人，皆在障内游移轉動。一人鳴金宣白題目，代爲問答。惟暑天白晝作之，以銷長夏。明愍帝每宴玉熙殿，作過錦、水嬉之戲。一日，宴次報至，汴梁失守，親藩被害。遂大慟而罷，自是不復幸玉熙宫矣。曰承華殿，即迎翠殿，酌中志。明英宗實録：天順四年九月，新作西苑殿宇軒館成，苑中舊有太液池，池上有蓬萊山，上命即太液池東西作行殿，二池西向，東對蓬萊山者曰迎翠。有亭三：曰澄波亭，酌中志。金鰲退食筆記：迎翠殿在池西，東向，臨水有亭，曰澄波。嘉靖時更建浮香、寶月二亭，東望萬歲山，倒蘸于太液波光之中，黛色嵐光，可掬可挹。今惟短垣而已。曰寶月亭，酌中志。夢餘録：寶月亭，嘉靖十一年三月建。曰芙蓉亭，酌中志。夢餘録：浮香亭，嘉靖十三年建，三十年六月更名芙蓉亭。曰清馥殿。酌中志。金鰲退食筆記：清馥殿，度金鰲、玉蝀橋轉北，明世宗所建，常奉興獻太后來游。前有翠芬、錦芳二亭，荷花盛開，紅衣翠蓋，澄漪倒水，恍如蓬壺。殿外有門曰仙芳門，曰丹馨門，酌中志。明宮史作丹馨殿。據野獲編：凝道雷軒，無跡可問，惟清馥殿則整麗如故。外門曰仙芳，曰丹馨，內亭曰錦芳，曰翠芬，流泉石梁，頗甚幽致。則丹馨乃門名，非殿名也。有亭二：曰錦芳，曰翠芬。酌中志。嘉隆聞見紀：嘉靖十二年四月，上幸西苑，召張孚敬等同游，御清馥殿、翠芬亭，賜茗、酒、錦囊、詩扇、紅藥花，製古樂府五七言絕句各一章，命和。又有門曰長春門，曰昭馨門，曰瑞芬門，曰馥景門，曰仙芳門，曰馥東門，曰馥西門；又有亭曰映輝亭，酌中志。明宮殿額名：映輝亭，嘉靖二十二年四月更騰波亭，三十五年五月更滋祥亭，萬曆三十年七月更香津亭。曰澄碧亭。酌中志。明宮殿額名：澄碧亭，嘉靖二十三年六月更飛靄亭，三十年五月更湧福亭。據此，澄碧、飛靄，本自一亭，明宮史作二亭，誤。又有殿曰騰禧殿，即黑老婆殿，酌中志。夢餘録：天鷺殿，嘉靖二十五年七月拆，蓋騰禧殿牌。金鰲退食筆記：騰禧殿在旃檀寺西。覆以黑琉璃瓦。明武宗西幸宣府，悅晉王樂妓劉良女，姿容婉麗，善謳，遂載以歸，居騰禧殿，俗呼爲黑老婆殿。旁有古井，曰王媽媽井。河之上游，有倒影入水，如城闕龍宮者，曰乾德殿，即俗稱北臺是也。高出雲表，下瞰衢陌，建自萬曆年間，天啟時毁之，即其處爲嘉樂殿。酌中志。明神宗實録：萬曆二十九年六月，新築大內乾德殿，御史林道楠董其工，至三十年四月，道楠上言：三殿兩宮，高不過一十二丈，今臺高八丈二尺，加以殿宇，又復數丈，其勢反出宮殿之上，禁中豈宜有此？閭史掇遺：乾祐閣，宮中謂之北臺，高八丈餘，廣一十七丈，磴道三分三合而上，俯臨閭井，繁猥畢見。欽天監言：風水不利，議毁之。天啟元年十一月十三日，工部疏請，得旨，時高工部道素初授虞衡司主事，於次日始督拆北臺。明宮殿額名：萬曆三十三年八月，更乾德殿爲乾德閣，天啟元年八月毁之，四年五月，添建嘉豫殿。按：嘉豫殿當即嘉樂殿也。其門爲延景門，牌坊二：南曰福渚，北曰壽岳。又有殿曰壽源，即太素殿。明宮史。明英宗實録：天順四年，上命即太液池作行殿三，池西南向者以草繕之，而飾以堊，曰太素。明宮殿額名：太素殿，嘉靖四十三年七月更殿名爲壽源。前有溥惠門，又有門二，曰素左門，曰素右門，明宮史。明宮殿額名：二門，天啟六年塞之。旁有正心齋，持敬齋，後有歲寒亭。明宮史。金鰲退食筆記：五龍亭舊爲太素殿，創於明天順年，在太液池西南向，後有草亭，畫松竹梅於上，曰歲寒門。門左有軒曰臨水軒，有亭曰會景亭，後改建亭五：中曰龍澤亭，左曰澄祥亭，曰滋香亭，右曰湧瑞亭，曰浮翠亭，即今河中之五龍亭也。酌中志。金鰲退食筆記：五龍亭，朱簾畫棟，照耀漣漪，從玉蝀行者，遙望水次，丹碧輝映，疑是仙山樓閣。又有洞三：上洞曰龍壽，中洞曰玉華，下洞曰遊仙。以上俱萬曆三十年秋添建。再西則內教場也，曰振武殿，酌中志。夢餘録：振武殿，萬曆二十九年四月添造。曰恒裕倉，曰省斂亭，稍南臨河有坊曰引祥橋，蕪史作粂祥橋。粂音引。其東則北閘口也。酌中志。金鰲退食筆記：禁城內西海子，古燕京積水潭也，源出西山、神山、一畝、馬眼諸泉，繞出甕山，滙爲七里濼，入都城，由北安門外藥王廟西橋下入皇城，自北閘口延亘大內，出大通河，轉漕亦賴其利。閘口有亭曰湧玉亭，酌中志。明宮殿額名：北閘口亭，嘉靖十三年更湧玉亭。有殿曰洪應殿，酌中志。明世宗實録：嘉靖二十二年四月，新作雷霆洪應殿成。曰壇城，曰轟雷軒，曰嘯風室，曰噓雪室，曰靈雨室，曰耀電室，曰清一齋，曰寶淵門，曰靈安堂，曰精馨堂，曰馭仙次，曰輔國堂，曰演妙堂，曰入聖居。自北閘口迤南東岸曰船屋，乃冬日藏龍舟之所，亦名藏舟浦，酌中志。金鰲退食筆記：藏舟浦，自瓊華島東麓過石橋，由陟山門折而北，循岸數百步，有水殿二，共十六間，一藏龍舟，一藏鳳舸，舟首尾刻龍形，上結樓臺，以金塗之，備極華麗。又浦繫五六小舟，岸際有叢竹蔭屋，浦外一亭，今皆荒廢。水部備考：方船制長十丈九尺，闊二丈九尺五寸，爲方形，嘉靖十七年於禁苑成造，以備御用，置塢居之。龍鳳船肖龍鳳形，飾以五彩，置塢二處居之。採蓮船係司苑局於采鮮所用者。有宏濟神祠，酌中志。明典彙：嘉靖十五年，建金海神祠於大內西苑湧泉亭，以祀宣靈宏濟之神、水府之神、司舟之神，二十二年改名宏濟神祠。橋之南亦有船屋焉。再南曰元熙殿，舊爲凝和殿，酌中志。明英宗實録：上命即太液池東西作行殿三，池東向西者曰凝和。夢餘録：凝和殿，嘉靖二十三年更惠熙殿；四十三年三月更元熙殿。有亭二：左曰擁翠亭，右曰飛香亭。酌中志。夢餘録：飛香亭，萬曆三十年更元潤亭。再南曰陟山門，通裏冰窨者也。又西馬頭曰龍淵亭，酌中志。明宮殿額名：嘉靖二十二年，更滙玉渚西龍淵亭。曰念善館，又有元雷居，舊爲遠趣軒，酌中志。夢餘録：遠趣軒更神應軒，又更元雷居。又有亭曰龍湫亭。又再南巋然若山者曰廣寒殿，即俗云蕭后梳妝臺也。酌中志。野獲編：大內北苑中有廣寒殿者，舊聞爲耶律后梳妝臺，今上己卯歲端陽前一日，遺材盡倒，梁上得金錢百二十文，蓋厭勝之物，其文曰至元通寶，此號爲元世祖紀元，可見非契丹所建，明甚。四隅各有亭，左曰玉虹，曰方壺，右曰金露，曰瀛洲。山半有三殿，中曰仁智，東曰介福，西曰延和，下臨太液池。夢餘録。韓雍賜遊西苑記：又北行至圓殿，歷階而登，殿之基與睥睨平，古松數株，其高參天，其西以舟作浮橋，橫亘池面，北則萬歲山在焉。北度石橋登山，山在池之中，磊石爲之。山之麓以石爲門，門內稍高，有小殿，琴臺、棋局、石床、翠屏，分布森列。峯有最奇者名翠雲，上刻御製詩。沿西坡北上，有虎洞、吕公洞、仙人菴。又上，有延和，有瀛洲，有金露，皆殿名。瀛洲之西，湯池之後，有萬丈井，深不可測。由金露折而東，上絶頂，則廣寒殿也。下至玉虹，又下而南，至方壺，至介福，皆與延和諸殿相對峙，而方壺、瀛洲則左右廣寒而奇特者也。池有橋曰太液橋，其牌坊曰堆雲，曰積翠。燕史。燕都游覽志：太液池在子城西，乾明門外，周遭凡數里，其源自玉泉山，合西北諸水，流入都城德勝門，滙爲積水潭，名海子，至北安門水關，流入西苑，人呼西海子。又再南曰圓殿，即承光殿也，甎砌如城牆，亦有雉堞，以磴道分上之，上有數閣、古松，松乃數百年物，霜蓋虬枝，式如偃蓋，凡枝之垂者，皆以杉木撑柱之，明宮史。金鼇退食筆記：承光殿在金鼇、玉蝀之東，圍以圓城，設以睥睨，自西掖洞門而升，中構金殿，穹窿如蓋，華榱綺牖，旋轉迴映，俗曰圓殿，外周以廊，向北金鼇垂出垣堞間甚麗，昔有古松三株，枝幹槎枒，形狀偃蹇，如龍奮爪拏空，突兀天表，金、元舊物也。此乾明門之西也。其石梁如虹，直跨金海，通東西之往來者曰玉河橋，有坊曰金鼇，曰玉蝀。酌中志。金鼇退食筆記：太液池周凡數里，上跨石梁，約廣二尋，修數百步，兩崖穿甃出水中，鯨獸楯欄，皆白石鐫鏤如玉，中流駕木貫鐵縴丹檻，掣之可通巨舟。東西峙華表，東曰玉蝀，西曰金鼇。其北別駕一梁，自承光殿達瓊華島，制差小，南北亦峙華表，曰積翠，曰堆雲。池西南又一山，與萬歲山差埒，最高處爲鏡殿，皆金、元時所造。

再南曰五雷殿，卽椒園也，亦名蕉園，酌中志。甫田集：芭蕉園在太液池東，崇臺複殿，古木珍石，參錯其中，又有小山曲水，實録成，於此焚稿。松檜交翳，中有一殿曰崇智殿，酌中志。金鰲退食筆記：芭蕉園，自太液池行半里許，蒲葦盈水，榆柳被岸，松檜蒼翠，果樹分羅，中崇闥廣砌，一殿穹窿，以黄金雙龍作頂，纓絡懸綴，雕櫳綺窗，朱楹玉檻，望而敞豁，舊曰崇智殿。殿後藥欄花圃，有牡丹數十株。左曰迎祥館，右曰集瑞館，又有太元亭，問法所，殿後迤西有亭面水，曰臨漪亭，酌中志。金鰲退食筆記：有亭八面，內外皆水，曰臨漪亭，曰釣魚臺，金魚作陣，遊戲其中。又一小石梁，出水中，向西一亭在水際，曰水雲榭，再南則至西苑門矣。由玉河橋循玉熙宮而西，曰櫺星門，迤北曰羊房夾道，曰牲口房，曰虎城，酌中志。燕都遊覽志：虎城西北隅有豹房。明武宗實録：正德二年八月，蓋造豹房公廨，上朝夕處此，不復入大內。內安樂堂在焉。酌中志。金鰲退食筆記：內安樂堂，凡宮人有病及年老，或有罪，先發此處，待年久再發外之浣衣局。又西苑東北隅有蠶壇，東南爲親蠶殿，又有具服殿、齋宮及蠶室、繭館，皆近仁壽宮，明世宗所始建者也。詳明壇廟。明宮史。櫺星門迤西曰西酒房，曰西花房，曰大藏經廠，夢餘録。金鰲退食筆記：大藏經廠卽司禮監之經廠也，貯經書典籍及釋藏諸經。曰大光明殿，曰太極殿，又西曰洗白廠，曰果園廠，夢餘録。金鰲退食筆記：果園廠在櫺星門之西。明永樂年製漆器，以金、銀、錫、木爲胎，有剔紅、填漆二種。剔紅合有蔗段、蒸餅、河西、三撞、兩撞等式。蔗段人物爲上，蒸餅草花爲次。盤有圓、方、八角、綠環、四角、牡丹瓣等式，匣有長、方、二撞、三撞四式。其法，朱漆三十六次，鏤以細錦，底漆黑光，針刻大明永樂年製。比元時張成、楊茂劍環、香草之式，似爲過之。填漆刻成花鳥，填彩稠漆，磨平如畫，久而愈新。其合製貴小，深者五色靈芝邊，淺者回文戧金邊。價數倍于剔紅二種，皆廠製也。曰十庫，曰司鑰庫，夢餘録。明史職官志：十庫：甲字掌貯銀、米、黄丹、烏梅、籐黄、水銀諸物，乙字掌貯奏本等紙，及各省所解胖襖，丙字掌貯絲綿、布疋，丁字掌貯生漆、桐油等物，戊字掌貯弓、箭、盔、甲等物，承運掌貯黄、白生絹，廣盈掌貯紗、羅諸帛匹，廣惠掌造貯巾帕、梳籠、刷抿、錢貫、鈔錠之類，贓罰掌沒入官物，已上各掌庫一員，貼庫簽書無定員。明會典：廣積庫收焰硝、硫黄等物。按：今西安門內街北十庫前，有天王殿，殿前有修庫題名碑，所記十庫，與蕪史合，而冠以司鑰庫之名。其修廟碑記則云：禁城西北隅有司鑰庫，而天財庫亦屬焉。是司鑰庫乃十庫總理，天財庫其附焉者也。再攷明職官志所記十庫，止詳九庫職事，獨闕廣積一庫，今依明會典增入。按：贓罰庫乃十庫之一。十庫周牆尚存，今旃檀寺西北衚衕，猶有贓罰庫之名，則贓罰庫之地在十庫極北。曰惜薪司，夢餘錄。明職官志：惜薪司掌印太監一員，總理僉書、掌道、掌司、寫字、監工及外廠、北廠、南廠、新南廠、新西廠各設僉書，監工俱無定員，掌所用薪炭之事。曰鴿子房，正西則西安門也。夢餘錄。明宮室紀載較多，惟呂毖宮史、劉若愚酌中志最詳，亦少有參差，蓋二人身處宮廷，皆所親歷，較外間傳聞者不同，今多據之。又宮史五卷，皆在酌中志之中，初疑毖竊若愚書，然取以相較，偶有異同，亦有毖是而若愚非者，疑此五卷爲明內臣紀載之書、若愚竊取之，所以除此五卷外，均紀萬曆、天啟時事，無關掌故矣。

武進屠寄　校

京師志四

侯官陳翥纂　江陰繆荃孫覆輯

苑囿 行宮坿

古帝王之設苑囿，蓋以茂對時物，節宣氣序，故雖聖主，不廢靈囿，靈沼詩所以頌周文也。國朝聖聖相承，恭儉維德，世祖本前明之舊，修南苑以備蒐狩。若暢春、圓明諸園，亦皆勤政敕幾，劭農觀稼之所也。昔潛君高志臨安苑囿，以爲非奉親歡，修國典，皆弗繕治，美其君無于逸于游之好。然而南宋蹐局偏隅，民貧地蹙，財力之匱，非盡主極之清明也。我國家巍然建中興之業，薄海内外，民物豐阜，終以顧念時艱，重于興作，輟而弗康，斯聖明之至已。今之所敍，皆咸豐以前之規制云。志苑囿。

南苑在永定門外二十里，元爲下馬飛放泊。南苑册。元混一方輿勝覽：下馬飛放泊在大興縣正南，廣四十頃。元兵志：元制，冬春之交，天子親幸近郊，縱鷹隼搏擊，以爲游豫之度，謂之飛放。明永樂中增廣其地，南苑册。春明夢餘録：明南海子在京城南二十里，舊爲下馬飛放泊，内有晾鷹臺。永樂十二年，增廣其地，周圍凡一萬八千六百六十丈。別名南海子。南苑册。明一統志：南海子四門繚以周垣，設海户千人守視，自永樂定都以來，歲歲蒐獮于此。

本朝設總尉、防禦等官守之。南苑册。會典：南苑總尉一人，正四品；防禦八人，正五品。周垣百二十里，爲門凡九：正南曰南紅門，東南曰迴城門，西南曰黄郝門，正北曰大紅門，稍東曰小紅門，正東曰東紅門，東北曰雙橋門，正西曰西紅門，西北曰鎮國寺門，蕃育禽獸其中，爲行圍講武之地。皇朝通志。凡田於近郊，設圍場於南苑，以奉宸苑領之，統圍大臣督八旗統領等各率所屬官兵，先涖圍場，布列鑲黄、正白、鑲白、正藍四旗，以次列于左；正黄、正紅、鑲紅、鑲藍四旗，以次列于右；兩翼各置旗以爲表，兩哨前隊用白，兩協用黄，中軍用鑲黄。駕至圍場，合圍較獵。大清會典。

大紅門内更衣殿，南向，門二層，大殿三間，乾隆三年建。南苑册。

舊衙門在小紅門西南，宫門三楹，前殿五楹，二層、三層殿宇各五楹，建自前明，本朝順治十五年重加修葺。蔭榆書屋三楹，在後殿，殿東轉西爲西書房，南爲書室平臺。樓之東另一所宫門三楹，内殿二層。南苑册。

南宫在南紅門内里許，宫門二重，前殿五楹，後殿五楹，再後西正室三楹，康熙五十二年建。南苑册。

新衙門在鎮國寺門内約五里許，宫門三楹，左右垂花門内，對面房十間，前殿三楹，後殿五楹，建自前明。宫門前鐵獅子二，上鐫延祐元年十月製，元時舊物也。後殿之東，裕性軒五楹，西爲澹思書屋，後爲陶春室。南苑册。

團河行宮一所，在黄邨門内，宮門三間，前殿五間，後殿五間，東所大宮門三楹，東、西配殿各三楹，九間房九楹，河中敞宇三楹，平臺三楹，石板房三楹，石亭一，水柱房二楹，六方亭一，河亭三楹，圓亭一，半山房五楹，西臨河房五楹。南苑册。按苑中如元靈宮、寧佑廟及永慕、永佑、德壽諸寺，殿宇規制均詳寺觀門。

暢春園在西直門外十二里，地名海淀，繚垣一千六十丈有奇。畿輔唐志。聖祖仁皇帝以萬幾之暇，駐蹕於此，酌泉而甘，因明武清侯李偉故園址改建，周方十餘里，築宮設籞，賜名暢春園，時奉孝莊文皇后、孝惠章皇后憩焉。政事幾務卽裁決其中。高宗純皇帝御極後，葺新園宇，每逢駐蹕圓明園，敬奉聖母皇太后安憩於此。宮門内中爲九經三事殿，皇朝通志都邑略。二宮門中爲春暉堂，東、西有配殿，後爲垂花門。内殿爲壽萱春永，有左、右配殿，東、西耳殿，後照殿。照殿後倒座殿爲嘉蔭，兩角門中爲積芳亭，正宇爲雲涯館，館後渡橋，循山而北，有河池，南、北立坊二：曰玉澗，金流。門内爲景瑞軒，軒後爲林香山翠，又後爲延春樓，樓後河上爲鳶飛魚躍亭，稍南爲觀蓮所，樓左爲式古齋，齋後爲倚榭。暢春園册。園内築東、西兩堤，長各數百步。東堤曰丁香堤，西堤曰蘭芝堤，皆通瑞景軒，西堤外别築一堤，曰桃花堤。東西兩堤之外，大小河數道，環流苑内，出西北門五空閘達垣外，東經水磨邨，趨清河，西流則由馬廠北注入圓明園。自宮門至此，爲暢春園中路。舊聞考七十二。雲涯館東南角門外，轉北過板橋爲劍山，山上爲蒼然亭，下爲清遠亭。由山東轉爲龍王廟。過清遠亭沿堤而南，河上築南北垣一道，中有門，西向，曰廣梁門。門内爲澹寧居，前殿爲聖祖御門聽政、選館引見之所，後殿爲高宗舊時讀書之處。大東門土山北，循河岸西上，爲淵鑑齋。齋後臨河，爲雲容水態。左廊後爲佩文齋，齋後西爲葆光亭，東爲蘭藻齋。淵鑑齋之前，水中有藏輝閣，閣後臨河爲清籟亭。佩文齋之東，北向爲養愚堂，對面爲藏拙齋。淵鑑齋東過小山口，北有府君廟、蘭藻齋。循東岸而北轉，山後爲疏峰，循岸而西，臨湖正軒爲太樸，太樸之東，有石徑接東垣，卽小東門。溪北爲清溪書屋，後爲導和堂。西穿堂門外爲昭回館，清溪書屋之西爲藻思樓，樓後爲竹軒。暢春園册。導和堂東穿堂門卽恩佑寺，佛殿後澹寧居，一路至此爲暢春園東路。舊聞考七十六。

春暉堂之西，出如意門，過小橋爲玩芳齋。山後爲韻松軒，舊名閑邪存誠，雍正二年，高宗曾讀書于此。乾隆四年燬于火，重建。二宮門外，出西穿堂門爲買賣街，南垣外爲船塢，門内別宇五楹，北向。暢春園册。舊聞考：買賣街建長河南岸，略仿市廛景物，船塢内停泊大小御舟，小船額曰月波，大者一名吉祥舟，一名載月舫。北向房額曰西墅，上接無逸齋之東門。由船塢西行數武，卽無逸齋，東垣花門内正宇跨河上，爲韻玉廊，廊西爲松篁深處，自右廊入，爲無逸齋門，門内有正殿，西廊内正宇爲對清陰，廊西爲蕙畹芝原。暢春園冊。

無逸齋，康熙年間賜理密親王居住，嗣移居西花園，遂爲年幼皇子、皇孫讀書之所。高宗御極，恭詣暢春園問安，于此傳膳辦事。齋内御書周書無逸篇，後有御題十韻。舊聞考七十六。

無逸齋北角門外，近西垣一帶。南爲菜園數十畝，北則稻田數頃，春暮時，深黄淺碧，宛然圖畫。東過板橋、方亭，爲蓮花巖，對河爲松柏閘，廟後有娘娘殿，殿臺方式，建于水中。暢春園冊。凝春堂在淵鑑齋之西，東室爲純約堂，舊時無額，因東室純約堂爲聖祖御題，卽稱爲純約堂，乾隆十二年重修，以奉聖母慈像，高宗御題是額。舊聞考七十六。其右河廳，爲迎旭堂。純約堂東爲招涼精舍。河廳之西爲宛轉橋，橋北圓門爲憩雲。迎旭堂後迴廊折而北，爲曉煙榭。河岸以西爲松柏室，其左爲樂善堂，有亭爲天光雲影。松柏室後出山口，臨河爲紅藥亭。自天光雲影後廊出北小門登山，東宇爲緑窗，山北爲回芳墅、紅藥亭，東爲秀野亭。自回芳墅北轉山口過河，水中傑閣爲藻珠院，院北埠上層室爲觀瀾榭，西河廳、東河廳爲坐煙槎臺，榭後正宇爲蔚秀涵清，後爲流文亭。藻珠院之西，過紅橋，北爲集鳳軒，軒前連房，中爲穿堂門，門北有正殿，殿後稍左爲月崖，其右有亭爲錦陂，度河，橋西爲俯鏡清流。暢春園冊。舊聞考：由俯鏡清流穿堂門西出，循河而南，卽大西門，延樓四十二楹，其外卽西花園之馬廠。集鳳軒後，河橋西爲閘口門，閘口北隨牆設小門，西北一帶搆延樓，自西至東北角，上下共八十有四楹，西樓爲天馥齋，内建崇基，中立坊，自東轉角樓，再至東面樓，共九十六楹，中樓爲雅玩齋。天馥齋東爲紫雲堂，暢春園册。堂之西過穿堂北，爲西北門，即苑牆外也。自玩芳齋至此，爲暢春園西路，再西則爲西花園矣。舊聞考七十六。

樂善園在西直門外，高粱橋之北。宫門内正宇爲倚虹堂，樂善園册。乾隆十六年，聖母皇太后六旬萬壽，自長河至高粱橋，易輦進宫，因建是堂。高宗臨幸御園，每于此傳膳視事。舊聞考七十七。堂西二里許爲樂善園，園門北向，樂善園册。舊爲康親王園亭，頽廢已久，乾隆十二年重加修葺，其上游與昆明湖相接，爲龍舸所必經云。舊聞考七十七。

樂善園宫門，内跨小溪，南爲穿室，東向，曰意外味。轉石徑而南爲於此賞心，内間北向爲含清齋，東爲瀟碧，北爲約花欄，南有軒爲雲隨波動。含清齋對河敞宇爲池月岩雲，中穿堂爲翠微深處，内爲藴真堂，南宇爲氣清心遠。别院有室曰鸞舉軒，樂善園册。垣外是爲園之南門。於此賞心之西南又有一邨，左有亭爲攬衆翠。意外味之西穿堂爲得佳賞，西爲蘭秘室，再西爲環青亭碧，蘭秘室之北有宇，爲賞心勝地。園門内有樓，爲冲情峻賞，東北爲紅半樓，其旁峙岩，上者爲踞秀亭。冲情峻賞之西南有室，爲畫所不到，東爲揖長虹，再東爲蔭林宅岫，内宇爲古歡精舍。園門以西，臨河敞宇爲自然妙有，西室爲風湍幽響，再西有軒，爲詩畫間，爲玉潭清謐，亭爲箇中趣，亭北敞宇爲坐觀衆妙。西出河口，折而南有室，爲致灑然，接宇爲光碧涵暉，稍東曰遠青無際，後爲雲林畫意，再東有軒，爲心平湛然，折而南爲綠雲間。樂善園冊。西三里許爲大正覺寺，正覺寺西五里爲萬壽寺。詳寺觀門。萬壽寺之西，路北設關門，内有長衢列肆，北達暢春園，爲萬壽街，居人稱爲蘇州街。舊聞考七十七。

西花園在暢春園西南，垣爲進水閘，水北流，注于馬廠諸渠。河北正殿爲討源書屋，左右室配宇，再後敞宇爲觀德處。園西南門爲承露軒，後廈爲就松室，東爲龍王廟，西花園冊。西北有門，卽西花園之大北門也。舊聞考七十八。門内正宇後室，舊稱爲東書房，其右爲永寧寺，詳寺觀。寺西爲虎城，稍西爲馬廠，再西爲閱武樓。園之前有荷花，沿池分四所，爲皇子所居。南所正門、二門内正殿，東廊門内正室，西廊門内正室。南所之東爲東所，正門内正殿，西廊門内正室二層，再西後有室。由東所而西爲中所，門内正殿，東廊門内有正室，東爲垂花門，正室二層，西廊門内正室二層。南所之西爲西所，門内正殿，西廊門内正室二層。西花園冊。

暢春園宮門之南有菱池，俗稱菱角泡子者，相傳卽丹稜沜水，其源自萬泉莊北流而來，詳水道。沿堤而南則達聖化寺。詳寺觀。

泉宗廟在聖化寺山門外，左右建橋，由東閘橋度河，迤西爲北所，宮門内正殿西院，正殿左爲虚静齋，臨河爲欣稼亭。自北所東橋轉西，重簷宮門内，正殿爲含淳堂。殿後重簷佛樓，其右臨池，正宇佛樓，正宇爲得真齋，其西爲帶岳亭，東爲羃翠軒，軒東爲仙楹。佛樓東宇爲湛凝齋，左爲敷嘉室。仙楹之東爲襟嵐書屋，稍南循廊而東爲矚岩樓，又南敞宇曰泉石且娱心。寺北門有行殿二所，東距行殿二里爲東門，門内爲永寧觀。詳寺觀。聖化寺册。

泉宗廟在萬泉莊，繚垣三百九十四丈。廟南爲池，左右立坊二。廟門榜曰泉宗廟，内爲涵澤門，門内正殿，左、右配殿，殿後爲樞光閣。泉宗廟册。廟東西亭苑兩所，門内碑亭二，西亭恭勒御製泉宗廟記，碑陰恭勒御製詩，東亭恭勒丁亥乙未御製詩。舊聞考七十九。東所内院中，南宇稍南爲曙觀樓。樓西山後有敞室，東北爲挹源書屋，右有六方亭，南爲觀瀾亭，亭北爲扇淳室，東爲向緑軒，北爲主善堂。堂西爲秀擧樓，右有正廳，堂北爲湛虚樓、樞光閣。右廊而西，正廳曰依緑軒，軒南爲輝淵榭，東接樂清館。榭之南建石坊二，駕以石橋，橋外稍東，方亭曰津逮亭。樂清館之南爲碑亭，西南敞廳曰愛景庭，後爲集遠堂。樂清館之西有正宇，西爲苑之西罩門。泉宗廟册。樂清館之南碑亭内，恭勒御製萬泉莊記，碑陰恭勒御製詩。舊聞考七十九。廟内外淙泉之處，高宗各錫嘉名，立石以志。其在廟門之外者凡三：南曰大沙泉、小沙泉，北曰沸泉。廟内東所廳宇對岸曰滮泉，曰屑金泉，曙觀樓後曰冰壺泉、錦瀾泉、規泉，山後度虹橋曰露華泉、鑑空泉、印月泉，觀瀾亭畔曰藕泉、躍魚泉、松風泉，扇淳室後爲晴碧泉、白榆泉，向緑軒後畔曰桃花泉，主善堂之西曰琴脈泉，秀舉樓之右曰杏泉、澹泉，再南曰瀏泉，樞光閣東配殿南爲洗缽泉，西所依緑軒右曰浣花泉，輝淵榭之南曰漱石泉，橋畔曰乳花泉、漪竹泉、柳泉、楓泉、雲津泉，樂清館之南方池曰月泉，西曰貫珠泉，凡二十有八，皆高宗御書。泉宗廟册。

譜：海淀清華園，戚畹李侯之别業也，去都門西北十里，湖水自西山流入御溝，人無得而遊焉。淀之水，濫觴一勺，都人米仲詔濬之，築爲勺園。李乃搆園於上流，而規制有加，米顔之曰清華。初至，見茅屋數間，入重門，境始大，池中金鱗長至五尺。别院二，邃麗各極其致。爲樓百尺，對山瞰湖。堤柳長二十里。亭曰花聚，芙蕖繞亭，五六月見花不見葉也。池東百步，置斷石，石紋五色，狹者尺許，修者百丈。西折爲閣，爲飛橋，爲山洞。西北爲水閣，疊石以激水，其形如簾，其聲如瀑，禽、魚、花、木之盛，南中無以過也。雪後聯木爲冰船，上施軒幕，圍鑪其中，引觴割炙，以一二十人挽船，走冰上若飛，視雪如銀浪，放乎中流，令人襟袂凌越，未知瑶池玉宇又何如爾。長安客話：北淀有園，一區水，曹郎米萬鍾仲詔新築也，曰勺園，又曰風煙里。中有曰色空天，曰太乙葉，曰松坨，曰翠葆榭，曰林於澨，都人稱曰米家園。燕都游覽志：勺園徑曰風煙里，入徑亂石磊砢，高柳蔭之。南有陂，陂上橋曰纓雲，集蘇子瞻書。下橋爲屏牆，牆上石曰雀浜，勒黄山谷書。折而北，爲文水陂，跨水有齋曰定舫，舫西高阜，題曰松風水月，阜斷爲橋曰逶迤梁，主人所自書也。踰梁而北爲勺海堂，吴文仲篆，堂前怪石蹲焉，枯子松倚之。其右爲曲廊，有屋如舫，曰太乙葉，週遭皆白蓮花也。東南皆竹，有碑曰林於澨，有高樓湧竹林中，曰翠葆樓，鄒迪光書。下樓北行，爲槎枒渡，亦主人自書。又北爲水榭。最後一堂，北窗一拓，則稻畦千頃，不復有繚垣焉。

圓明園在掛甲屯之北，距暢春園里許，圓明園册。爲世宗憲皇帝藩邸賜園，康熙四十八年所建。園内爲門十八，南曰大宮門，曰左、右門，曰東、西夾道門，曰東、西如意門，曰福園門，曰西南門，曰水閘門，曰藻園門。東曰東樓門，曰鐵門，曰明春門，曰隨牆門，曰蘂珠宮門。西曰隨牆門。正北曰北樓門。爲閘三，西南爲一空進水閘，東北爲五空出水閘，西北爲一空出水閘。大宮門前輦道東西皆有湖，是爲前湖。詳水道。門前左、右朝房，其後東爲宗人府、内閣、吏部、禮部、兵部、都察院、理藩院、翰林院、詹事府、國子監、鑾儀衛、東四旗各衙門直房，東夾道内爲銀庫，又東北爲南書房，東南爲檔案房；西爲户部、刑部、工部、欽天監、内務府、光禄寺、通政司、大理寺、鴻臚寺、太常寺、太僕寺、御書處、上駟院、武備院、西四旗各衙門直房，西夾道之西南爲造辦處，又南爲藥房。大宮門内爲出入賢良門，門左、右爲直房；前跨石橋，度橋，東、西朝房，西南爲茶膳房，再西爲繙書房，東南爲清書房，爲軍機處。圓明園册。舊聞考：出入賢良門是爲二宮門，凡武職侍衛引見，御此門較射。左、右直房爲各部院臣工入直之所，東、西設兩罩門，各衙門奏事，由東罩門遞進，茶膳房太監人等由西罩門出入。正大光明殿，東西有配殿，後爲壽山殿，東爲洞明堂。正大光明殿東爲勤政親賢正殿。圓明園册。舊聞考：勤政親賢，四十景之一。勤政親賢之東爲飛雲軒，東有閣爲静鑑，其北爲懷清芬。又北爲秀木佳蔭軒，後爲生秋庭。静鑑閣東爲芳碧叢，後爲保合太和正殿，後爲富春樓，樓東爲竹林清響。正大光明殿後有湖，亦稱前湖。湖正北爲圓明園殿，後爲奉三無私殿，又後爲九州清宴殿。圓明園册。舊聞考：九州清宴殿，四十景之一。東爲天地一家春，西爲樂安和，又西爲清暉閣。閣前爲露香齋，左爲茹古堂，爲松雲樓，右爲涵德書屋，圓明園冊。别爲清暉閣四景。皇朝通志都邑略。鏤月開雲在富春樓之後，圓明園冊。舊聞考：鏤月開雲，四十景之一。原名牡丹臺，卽紀恩堂，康熙壬寅，高宗覲聖祖于斯堂之内，承奉恩旨，養育宮中，乾隆三十一年，御題額爲紀恩堂，皇朝通志都邑略。後宇爲御蘭芬。

鏤月開雲後有池一區，池西北方樓爲天然圖畫。圓明園冊。舊聞考：天然圖畫，四十景之一也。樓北爲朗吟閣，又北爲竹薖樓，東爲五福堂，迤北爲竹深荷净，其東南爲静知春事佳，又東渡河爲蘇堤春曉。

五福堂渡河而北，山阜旋繞，内爲碧桐書院，圓明園冊。舊聞考：碧桐書院，四十景之一。其西巖石上爲雲岑亭。碧桐書院之西爲慈雲普護，圓明園冊。舊聞考：慈雲普護，四十景之一。前殿南臨後湖，爲歡喜佛場，其北樓宇有慈雲普護額，上奉觀音大士，下祀關聖帝君，東偏爲龍王殿，祀圓明園昭福龍王。慈雲普護之西，臨湖有樓，爲上下天光，圓明園冊。舊聞考：上下天光，四十景之一。左、右各有六方亭，後爲平安院。上下天光之西折而南，渡橋爲杏花春館，圓明園冊。舊聞考：杏花春館，四十景之一。西北爲春雨軒，軒西爲杏花邨，邨南爲磵壑餘清。春雨軒後東爲鏡水齋，西北室爲抑齋，又西爲翠微堂。

杏花春館之西，度碧瀾橋，爲坦坦蕩蕩，圓明園冊。舊聞考：坦坦蕩蕩，四十景之一。三楹，爲素心堂，後宇爲光風霽月。堂東北爲知魚亭，又東北爲萃景齋，西北爲雙佳齋。圓明園冊。坦坦蕩蕩之南爲茹古涵今，圓明園冊。舊聞考：茹古涵今，四十景之一。其後方殿爲韶景軒。韶景軒前，東爲茂育齋，西爲竹香齋，又北爲静通齋。茹古涵今之南爲長春仙館，爲高宗舊時賜居，其後恭值佳辰令節，迎奉安輿，駐居斯館焉。圓明園册。舊聞考：長春仙館，四十景之一。長春仙館之西爲含碧堂，五楹，堂後爲林虚桂静，左爲古香齋，其東楹有閣爲抑齋。林虚桂静東稍南爲墨池雲，後有殿爲隨安室。由長春仙館西南門迤西爲藻園，内爲曠然堂，堂後爲貯清書屋。曠然堂東池上爲夕佳書屋，稍北爲鏡瀾榭，東南樓爲凝眺，爲懷新館，西北爲湛碧軒，西南爲湛華。

萬方安和圓明園册。舊聞考：萬方安和，四十景之一。在杏花春館西北，建宇池中，形如卍字。

萬方安和後，度橋折而東，稍北，石洞之南，爲武陵春色。圓明園册。舊聞考：武陵春色，四十景之一。舊總名桃花塢，雍正四年高宗讀書於此，顔曰樂善堂，旋移居於長春仙館。池北軒爲壺中日月長，東爲天然佳妙，其南廈爲洞天日月多佳景。武陵春色之西爲全璧堂，東南亭爲小阮棲遲，堂後由山口入，東爲清秀亭，西爲清會亭，北爲桃花塢，塢之西室爲清水濯纓，又西稍北爲桃源深處，塢東爲綰春軒，軒東北爲品詩堂。

萬方安和西南爲山高水長樓，圓明園册。舊聞考：山高水長，四十景之一。其地爲外藩朝正錫宴及平時侍衛較射之所，每歲燈節，則陳火戲於此。西向九楹，後擁連岡，前帶河流，中央地勢平衍，凡數頃。山高水長之北，度橋，由山口入，梵刹一區，爲月地雲居殿，圓明園册。舊聞考：月地雲居，四十景之一。

前殿方式，四面各五楹，後樓上下各七楹。月地雲居之東爲法源樓，又東爲靜室，西度橋，折而北，爲劉猛將軍廟。

月地雲居之後，循山徑入，爲鴻慈永祜，圓明園册。舊聞考：鴻慈永祜，四十景之一。安佑宮前琉璃坊座南面額也。左右石華表各一，坊南及東、西復有三坊環列，其南爲月河橋，又東南爲致孚殿。宮門爲安佑門，門前白玉石橋三座，左右井亭各一，朝房門内重檐正殿爲安佑宮，配殿碑亭各一，燎亭各一，圓明園册。建自乾隆七年。高宗恭仿壽皇殿之製，敬奉聖祖、世宗聖容，歲時朔望瞻禮於兹。鴻慈永祜之前，三坊：南曰羹牆愾慕，曰雲日瞻依；東曰勳華式焕，曰謨烈重光；西曰德配清甯，曰功隆作述。

鴻慈永祜後垣西北爲紫碧山房，前宇爲横雲堂。山房東巖洞中爲石帆室，東南爲豐樂軒，北爲霽華樓，迤東爲景暉樓。横雲堂西池上爲澄素樓，西北爲引溪亭。

鴻慈永祜東垣外，逕連岡三重，度橋而東，則彙芳書院。圓明園册。舊聞考：彙芳書院，四十景之一。内宇爲抒藻軒，後爲涵遠齋。齋前西垣内爲翠照樓，東垣内爲倬雲樓，又東爲眉月軒。倬雲樓南稍東爲隨安室，又東敞宇三楹，爲問津，逾溪橋數武，有石坊，爲斷橋殘雪。彙芳書院之南爲日天琳宇，圓明園册。舊聞考：日天琳宇，四十景之一。西前樓下之正宇也。其制有中前樓、中後樓，上下各七楹，有西前樓、西後樓，上下各七楹，前、後樓間、穿堂各三楹。中前樓南，有天橋與樓相屬，天橋東南，重簷八方者爲燈亭，西前樓南爲東轉角樓，又西稍南爲西轉角樓，中前樓之東垣内，八方亭爲楞嚴壇，又東別院爲瑞應宫，前爲仁應殿，中爲和感殿，後爲晏安殿。

日天琳宇迤東，稍南，稻田彌望，河水周環，中有田字式殿，凡四門，其東北面皆有樓，北樓正宇爲澹泊甯静，圓明園册。舊聞考：澹泊甯静，四十景之一。東爲曙光樓。殿之東門外爲翠抉樓，西門外別垣内宇爲多稼軒。其東臨稻畦者，前爲觀稼軒，後爲怡情悦目，爲稻香亭，又東稍北，爲溪山不盡，爲蘭溪阮玉。多稼軒西，池南爲水精域，西偏爲静香書屋，爲招鶴磴，池後東北爲寸碧，西北爲引勝，正北爲互妙樓，別爲多稼軒十景。澹泊甯静渡河橋而西，爲映水蘭香，圓明園册。舊聞考：映水蘭香，四十景之一。東南爲釣魚磯，北爲印月池，池北爲知耕織，又北稍東爲濯鱗沼。映水蘭香西南爲貴織山堂，祀蠶神。映水蘭香東北爲水木明瑟。圓明園册。舊聞考：水木明瑟，四十景之一。

水木明瑟之北，稍西爲文源閣，乾隆二十九年建，以貯四庫全書。閣前石爲珍峰，刊御製文源閣詩，閣東亭内石碣，刊御製文源閣記，閣西爲柳浪聞鶯。

水木明瑟西北，環池帶河，爲濂溪樂處，圓明園册。舊聞考：濂溪樂處，四十景之一。正殿後爲雲香清勝，東垣爲芰荷深處。折而東者爲香雪廊，其東有樓，爲雲霞舒卷，樓北亭爲臨泉。

濂溪樂處之南，爲彙萬總春之廟，以祀花神，正殿爲蕃育羣芳。殿東北樓爲香遠益清，樓西爲樂天和，爲味真書屋，又西爲池水共心月同明。廟東沿山徑出，爲普濟橋。濂溪樂處迤北，對河外稻塍者爲多稼如雲，（圓明園册。舊聞考：多稼如雲，四十景之一。）前宇爲芰荷香，正宇東稍南有室爲湛緑。

多稼如雲東北爲魚躍鳶飛，（圓明園册。舊聞考：魚躍鳶飛，四十景之一。）四面爲門，東廂爲暢觀軒，西南爲鋪翠環流，樓南有室爲傳妙，又南出山口爲多子亭。魚躍鳶飛之東，禾疇彌望，河南北岸，彷農居邨市者爲北遠山邨，（圓明園册。舊聞考：北遠山邨，四十景之一。）北岸石垣，西偏爲蘭野，後爲繪雨精舍，其西南爲水邨圖。又西有樓，前後相屬，前爲皆春閣，後爲稻涼樓，又西爲涉趣樓，右爲湛虚書屋。

北遠山邨東北度石橋，折而西爲湛虚翠軒，又西爲耕雲堂，又西爲若帆之閣。湛虚翠軒東數十武，有關帝廟。

北遠山邨西南有室，臨河西向爲西峰秀色，（圓明園册。舊聞考：西峰秀色，四十景之一。）河西松巒峻峙，爲小匡廬，後有龍王廟。西峰秀色之東爲含韻齋，又東爲一堂和氣，又東南爲自得軒。後垣東爲嵐鏡舫，西爲花港觀魚。西峰秀色迤東，東西船塢各二所，北岸爲四宜書屋，即安瀾園之正宇，（圓明園册。舊聞考：四宜書屋，四十景之一。）高宗於其地略仿海寧陳氏安瀾園之意，因以命名。（舊聞考八十。）東南爲菲經館，又南爲采芳洲，其後爲飛睇亭，東西爲緑帷舫。四宜書屋西南爲無邊風月之閣，又西南爲涵秋堂，北爲煙月清真樓，樓西稍南爲遠秀山房，樓北度曲橋，爲染霞樓，大小共爲安瀾園十景。四宜書屋之東，臨池樓宇爲方壺勝境，圓明園册。舊聞考：方壺勝境，四十景之一。南建坊二，其北樓宇爲曦鸞殿，又北爲瓊華樓。曦鸞殿東爲蕊珠宫，宫南爲船塢，後有龍王廟。方壺勝境西北爲三潭印月，又西北，度橋爲天宇空明。其後爲澄景堂，堂東爲青曠樓，樓西爲華照樓。

澡身浴德在福海西南隅，即澄虚榭也。圓明園册。舊聞考：澡身浴德，四十景之一。福海亦稱東湖，周廣凡數頃，正宇向南爲含清暉，北爲涵妙識。折而西向，爲静香館，又西爲解慍書屋，西南爲曠然閣。

澡身浴德之北，度河橋爲望瀛洲。其北爲深柳讀書堂，堂北爲溪月松風。

平湖秋月，圓明園册。舊聞考：平湖秋月，四十景之一。在福海西北隅，正宇三楹，西爲流水音。東北出山口，臨河爲花嶼蘭皋。折而東南，度橋爲兩峰插雲，又東南爲山水樂。其北爲君子軒，爲藏密樓。

蓬島瑶臺，圓明園册。舊聞考：蓬島瑶臺，四十景之一。舊名蓬萊洲，在福海中央，門内正殿，殿前東爲暢襟樓，西爲神洲三島，東偏爲隨安室，西偏爲日日平安報好音。由蓬島瑶臺東南度橋，爲東島，有亭，爲瀛海仙山，西北度橋，爲北島，正宇曰接秀山房，（圓明園册。舊聞考：接秀山房，四十景之一。）在福海東隅，正宇三楹，西向。後稍東爲琴趣軒，其北方樓爲尋雲，東南爲澄練樓，樓後爲怡然書屋。尋雲樓稍東，佛室爲安隱幢。接秀山房之南，爲攬翠亭。

接秀山房之南有敞宇，北依山，南臨河，爲別有洞天。（圓明園册。舊聞考：別有洞天，四十景之一。）西爲納翠樓，西南爲水木清華之閣。閣西稍北爲時賞齋。

別有洞天迤西爲夾鏡鳴琴，（圓明園册。舊聞考：夾鏡鳴琴，四十景之一。）南爲聚遠樓，東爲廣育宫，中奉碧霞元君，前建坊座，後爲凝詳殿。宫東爲南屏晚鐘，又東度橋爲西山入畫，爲山容水態。夾鏡鳴琴之西爲湖山在望，爲佳山水，爲洞裏長春。

涵虚朗鑒（圓明園册。舊聞考：涵虚朗鑒，四十景之一。）在福海東，即雷峰夕照正宇，其北稍西爲惠和春，又東北爲尋雲榭，又北爲貽蘭庭，爲會心不遠，其南爲臨衆芳，爲雲錦墅，爲菊秀蘭蕤，爲萬景天全。（圓明園册。）福海西北隅，平湖秋月之西，爲廓然大公。（圓明園册。舊聞考：廓然大公，四十景之一。）前爲雙鶴齋，西北爲規月橋，東北爲綺吟堂，又北爲採芝徑，又北徑巖洞而西，爲峭蒨居。北垣門外有樓，爲天真可佳，峭蒨居西爲披雲徑，又西亭爲啟香，又西稍南爲韻石淙，西北平臺，臨池爲芰荷深處，垣外爲影山樓、雙鶴齋，西爲環秀山房，西北爲臨湖樓，（圓明園册。）別爲廓然大公八景。（通志都邑略。）坐石臨流（圓明園册。舊聞考：坐石臨流，四十景之一。）在水木明瑟東南，澹泊寧静之東，溪水周環，軒宇西向。

坐石臨流東南，當碧桐書院正東，爲麴院風荷，圓明園册。舊聞考：麴院風荷，四十景之一。五楹，南向。其西佛樓爲洛伽勝境。

麴院風荷之南，跨池東西，橋九空，坊楔二，西爲金鼇，東爲玉蝀。金鼇西南河外室爲四圍佳麗，玉蝀東有亭爲飲練長虹。又東南度橋，折而北，設城關，爲宥和鎮，其東爲東樓門。

麴院風荷之北爲同樂園，其前爲清音閣，東爲永日堂。中有南北長街，街西爲抱樸草堂。街北度雙橋爲舍衛城，前樹坊楔三，城南面爲多寶閣，内爲山門，正殿爲壽國壽民，後爲仁慈殿，又後爲普福宮，城北爲最勝閣。

洞天深處圓明園册。舊聞考：洞天深處，四十景之一。在如意館西，稍南前宇乃諸皇子所居，爲四所，東西二街，南北一街，前爲福園門。四所之西爲諸皇子肄業之所，前爲前天垂貺，中爲中天景物，東宇爲斯文在兹，中祀至聖先師，後爲後天不老。圓明園册。

長春園在圓明園東，本圓明園東垣外隙地，舊名水磨邨，就添殿宇數所，敬依長春仙館賜號，錫名曰長春園。宫門外東西朝房，正殿爲澹懷堂，後爲衆樂亭，亭後河北敞宇爲雲容水態，其西稍南爲長橋。長春園册。舊聞考：園内諸河之水，由圓明園東垣之一空閘、五空閘流出，環繞各所，又東出七空閘，灌溉稻田。雲容水態西北，循山徑入，建琉璃坊楔三。其北宮門内爲含經堂，後爲淳化軒，又後爲蘊真齋。含經堂東爲霞翥樓，又名味腴書屋，爲淵映齋，堂西爲梵香樓，爲涵光室。澹懷堂迤西，濱河水石之間，爲蒨園，門西向，（長春園冊。）門左碑亭一，刊重摹梅石碑，標勝亭西壁勒高宗御製蒨園八景詩。（舊聞考。）内爲朗潤齋，其東爲湛景樓，又東爲菱香沜。朗潤有石立於園門内，爲青蓮朵。齋東南山池間爲標勝亭，又東南爲别有天，西北爲韻天琴，南角門别院爲委宛藏。蒨園後河北岸爲思永齋，齋北樓宇，臨池爲山色湖光共一樓，齋東别院爲小有天園。

思永齋西稍南，河外爲得全閣，南爲寶雲樓，北爲遠風樓。齋北河池衆匯，中有圓式崇基，其上樓宇三層，爲海嶽開襟，四旁坊楔各一。海嶽開襟之西，河池外有亭爲流香渚亭，北爲罨畫溪流。香渚之西，循山徑行，卽達圓明園内之明春門。海嶽開襟東北爲諧奇趣，東爲法慧寺山門，寺東爲寶相寺。（詳寺觀。）由寶相寺度城關而東，迤南爲翠交軒，軒下石室爲熙春洞，北爲愛山樓，又北爲澤蘭堂。愛山樓東北爲平疇交遠風，南爲轉湘帆。平疇交遠風之東爲叢芳榭，後爲琴清齋。叢芳榭之東爲獅子林，爲虹橋，爲假山，爲納景堂，爲清閟閣，爲籐架，爲磴道，爲古峰亭，爲清淑齋，爲小香幢，爲探真書屋，爲延景樓，爲雲林石室，爲橫碧軒，爲水門。（長春園冊。皇朝通志：納景堂、清閟閣諸勝，爲獅子林八景，清淑齋、探真書屋諸勝，爲獅子林續八景。獅子林之南，爲玉玲瓏館，正宇爲正誼明道，北爲林光澹碧，東爲鶴安齋，西南爲蹈和堂。玉玲瓏館之南爲昭曠亭，亭東南爲映清齋，東爲鑑園，敞宇西向，北爲漱瓊齋，其東爲師善堂。長春園冊。鑑園之後有船塢。舊聞考。由鑑園北折而東，爲東宮門，亦稱大東門，南、北有朝房，其外爲護河，有石橋。鑑園西南爲如園門，門内爲敦素堂，堂北稍東爲冠霞閣，又東爲明漪樓。長春園冊。由如園山徑西行，卽澹懷堂之東垣門。舊聞考。

清漪園在萬壽山之麓，圓明園西二里許，前爲昆明湖。乾隆十五年，疏導玉泉諸派，匯於西湖，易名曰昆明湖。中設戰船，仿福建、廣東巡洋之制，香山健鋭營弁兵於湖内按期水操，就昆明湖隄岸爲園，賜名清漪園。皇朝通志都邑略。

宮門東向，門内南、北朝房，駕以石梁，下爲溪河，左、右罩門内有内朝房，亦南、北向，内爲勤政殿。殿後北達怡春堂，西爲玉瀾堂，北爲宜芸館，館西爲樂壽堂。堂後折而西爲方池，池北爲樂安和。樂安和西北爲養雲軒，軒後爲餐秀亭，亭西爲無盡意軒，又西稍北爲圓朗齋。無盡意軒之西爲慈福樓，樓後崇臺上，石幢勒萬壽山昆明湖六字，後刊御製昆明湖記。樓西爲大報恩延壽寺，寺西爲羅漢堂，堂後爲寶雲閣。詳寺觀。閣西爲邵窩，爲雲松巢，又西爲澄輝閣。閣東南有三層樓，樓西爲聽鸝館。館西爲石丈亭，爲石舫。石舫之北有樓，爲延清賞，西爲曠觀齋，又西爲水周堂。自此以北建城關，額曰宿雲，櫓曰貝闕，上有樓，祀關聖。循城關以北，折而西，是爲園之西門矣。清漪園册。

怡春堂後，城關迤北爲惠山園，規制仿寄暢園，建有高宗御製惠山八景詩，園門西向，門内池數畝。池東爲載時堂，其北爲墨妙軒。園池之西爲就雲樓，稍南爲澹碧齋。池南折而東爲水樂亭，爲知魚橋。就雲樓之東爲尋詩徑，徑側爲涵光洞，迤北爲霽清軒，軒後有石峽，即園之東北門。園西爲雲繪軒，軒東爲延緑軒，後廊有樓，爲隨安室。雲繪軒又西爲花承閣，閣後爲多寶琉璃塔。西北度橋爲城關樓，又西折而北爲園之北樓門。門在萬壽山之北門外，東西朝房内爲直房，其南爲長橋，後爲雲會寺。詳寺觀。寺北爲搆虛軒，又西爲繪芳堂。搆虛軒西南爲清可軒，又西爲味閒齋，齋北爲綺望軒。繪芳堂北，隔河爲嘉蔭軒。昆明湖東西爲長隄，東隄之北爲文昌閣，其南爲廓如亭，亭西爲長橋，又南爲繡漪橋。廓如亭西，度長橋爲廣潤祠，詳祠祀。祠西爲鑑遠堂，東北爲望蟾閣。繡漪橋北，湖中圓島山爲鳳凰墩。西隄之北爲柳橋，爲桑苧橋，中爲玉帶橋，稍南爲鏡橋，爲練橋，再南爲界湖橋，橋之北爲景明樓。景明樓西南湖中爲藻鑑堂，堂西湖岸爲暢觀堂。堂西北湖中圓城爲門四，其上爲治鏡閣，治鏡閣北湖岸爲延賞齋，北爲織染局。清漪園册。局内前爲織局，後爲絡絲局，西爲蠶户房，環植以桑。又西隔玉河皆稻田，河水自此西接玉泉，爲静明園界。舊聞考。

靜明園在玉泉山之陽，園西山勢窈深，靈源濬發，奇徵趵突，是爲玉泉。山麓舊傳有金章宗芙蓉殿址，無考，惟華嚴、呂公諸洞尚存。康熙十九年建，初名澄心，三十一年始易今名，高宗御製十六景詩。舊聞考。

宮門南向，門外東、西朝房，左右罩門二，前爲高水湖。宮門内爲廓然大公，靜明園册。舊聞考：廓然大公爲十六景之一。正殿東西有配殿。廓然大公之北臨後湖，湖中爲芙蓉晴照，靜明園册。舊聞考：芙蓉晴照爲十六景之一。西爲虛受堂。堂西山畔有泉，爲玉泉趵突，靜明園册。舊聞考：玉泉趵突爲十六景之一，亦爲燕山八景之一。舊稱玉泉垂虹。第垂虹以擬瀑泉則可，若玉泉則從山根仰出，噴薄如珠，實與趵突之義阬合。泉上碑二：左刊天下第一泉五字，右刊高宗御製玉泉山天下第一泉記，汪由敦敬書。石臺上復立碣二：左刊玉泉趵突四字，右勒上諭一道。舊聞考。其上爲龍王廟，廟南，循石徑而入，爲竹罏山房，仿惠山聽松庵製得名。通志都邑略。舊聞考：竹罏山房爲十六景之一。南爲開錦齋，後爲觀音洞，其上爲賞遇樓。觀音洞之南爲真武廟，後爲呂祖洞，旁爲雙關帝廟。迤南爲聖因綜繪，靜明園册。仿西湖行宮景得名。通志都邑略。舊聞考：聖因綜繪爲十六景之一。其西爲寫流軒，軒後爲層明宇，又西爲福地幽居，後爲冠峰亭。福地幽居之西，梵宇爲華藏海，又西爲繡壁詩態。靜明園册。舊聞考：繡壁詩態爲十六景之一。繡壁詩態之西，爲溪田課耕。靜明園册。舊聞考：溪田課耕爲十六景之一。繡壁詩態之北爲水月庵，又東爲城關，北爲仁育宮。詳寺觀。仁育宮之北爲清涼禪窟，靜明園册。舊聞考：清涼禪窟爲十六景之一。後爲嘉蔭堂，東爲霞起樓，西爲犁雲亭。仁育宫前迤西度橋，爲園之西宫門。門外左右朝房，中爲石橋，橋西卽達香山之蹕路也。

清涼禪窟之北爲涵漪齋，西爲飛淙閣，東爲練影堂，稍南爲掛瀑簷。涵漪齋之西，夾牆門外，爲妙喜寺。詳寺觀。自妙喜寺以西，爲静宜園界。舊聞考。

清涼禪窟之北爲采香雲徑，静明園册。舊聞考：采香雲徑爲十六景之一。其南有樓曰静怡書屋。采香雲徑稍北，折而東，爲招鶴亭，南爲峽雪琴音。静明園册。舊聞考：峽雪琴音爲十六景之一。

峽雪琴音迤南，山巔爲玉峰塔影，静明園册。舊聞考：玉峰塔影爲十六景之一。塔建峰巔，仿金山妙高峯之制。前爲清嚴寺，後爲妙高室。玉峰塔影之後，北峰上爲妙高寺，殿後爲妙高塔，又後爲該妙齋。崇霱軒在妙高峰之西，其東爲含醇室，後爲詠素堂。含經堂在妙高寺東山麓，其東北臨溪爲書畫舫。含經堂南有樓，爲風篁清聽，静明園册。舊聞考：風篁清聽爲十六景之一。東爲如如室，西爲迎青閣，又西稍南爲飛雲峎。

風篁清聽之西，度橋而南，爲池，池東爲延緑廳，池西爲漱遠緑，爲試墨泉，又西爲鏡影涵虚，静明園册。舊聞考：鏡影涵虚爲十六景之一。南爲分鑑曲，又南爲寫琴廊，爲觀音閣。寫琴廊迤南爲含暉堂，後有清音齋，齋前爲裂帛湖光，静明園册。舊聞考：裂帛湖光爲十六景之一。齋西山麓爲碧雲深處，東爲心遠閣。由閣折而北爲羅漢洞，又上爲水月洞，又西山麓爲古華嚴寺，寺後爲雲外鐘聲，靜明園册。舊聞考：雲外鐘聲爲十六景之一。東爲伏魔洞。碧雲深處迤南爲翠雲嘉蔭，靜明園册。舊聞考：翠雲嘉蔭爲十六景之一。卽華滋館門額也，後爲翠雲堂，東爲甄心齋。

翠雲嘉蔭之東，爲小南門，稍南爲東宮門，門外左右朝房，園南宮門西南爲影湖樓。

小東門外長隄石橋上建石坊二，迤東爲界湖樓。橋下水北注玉河，沿河皆稻田。又北爲石道，迤邐至青龍橋，卽達清漪園之輦道也。舊聞考八十五。

靜宜園在香山，名勝若來青軒、洪光寺諸處及婆羅寶樹，皆昔蒙聖祖仁皇帝臨幸，乾隆十年重修葺，御製二十八景詩。舊聞考八十五。園前爲城關二，由城關入，東、西各建坊楔，中架石橋，下爲月河。度橋，左右朝房，宮門内爲勤政殿，靜宜園册。舊聞考：勤政殿爲二十八景之一。南北配殿。殿前爲月湖，北爲致遠齋，齋西爲韻琴齋，爲聽雪軒，東有樓爲正直和平。

勤政殿後，西爲横秀館，東向，其南亭爲日夕佳，北爲清寄軒。横秀館後建坊座，内爲麗矚樓，靜宜園册。舊聞考：麗矚樓爲二十八景之一。樓後爲多雲亭，南爲綠雲舫。

麗矚樓迤南爲虚朗齋，靜宜園册。舊聞考：虚朗齋爲二十八景之一。相傳卽永安邨。齋前石渠爲流觴曲水，南爲畫禪室，後爲學古堂，東爲郁蘭堂，西爲貯芳樓，又後宇爲物外超然，其外東、西、南、北四面各設宮門。

東宮門外石路二，南達香山，東建城關，達於帶水屏山。帶水屏山，門宇南向，西爲對瀑，北爲懷風樓，其左爲琢情之閣，東南爲得一書屋，西爲山陽一曲精廬。靜宜園册。帶水屏山瀑泉，自雙井迤邐東注，至是匯爲池。舊聞考八十五。帶水屏山之西爲瓔珞巖，靜宜園册。舊聞考：瓔珞巖爲二十八景之一。其上廳宇爲綠雲深處。巖東稍南爲翠微亭，靜宜園册。舊聞考：翠微亭爲二十八景之一。亭東有亭，爲青未了，靜宜園册。舊聞考：青未了爲二十八景之一。迤西，巖際爲馴鹿坡。靜宜園册。舊聞考：馴鹿坡爲二十八景之一。迤西有龍王廟，下爲雙井，其上爲蟾蜍峰。靜宜園册。舊聞考：蟾蜍峰爲二十八景之一。峰北稍東爲松塢雲莊，又東有樓爲憑襟致爽，後爲棲雲樓。

香山寺前石橋下方池爲知樂濠。香山寺，靜宜園册。舊聞考：香山寺爲二十八景之一。寺爲金章宗會景樓故址，徐善泠然志。在瓔珞巖之西，詳寺觀。正殿門外有聽法松，靜宜園册。舊聞考：聽法松三字鐫石欄上，爲二十八景之一。山門内有婆羅樹。寺北爲觀音閣，後爲海棠院，東爲來青軒，靜宜園册。舊聞考：來青軒爲二十八景之一。西爲妙高堂。軒西南爲歡喜園，東西各有坊楔。香山寺北稍西，六方亭爲唳霜皋。靜宜園册。舊聞考：唳霜皋爲二十八景之一。香山寺西北，由盤道上，爲洪光寺，詳寺觀。殿左爲香嵒室。靜宜園册。舊聞考：香嵒室爲二十八景之一。寺前盤道間敞宇爲霞標磴，靜宜園册。舊聞考：霞標磴爲二十八景之一。磴北爲玉乳泉。靜宜園册。舊聞考：玉乳泉爲二十八景之一。泉西稍南爲絢秋林，靜宜園册。舊聞考：絢秋林爲二十八景之一。巖間巨石森列，鐫題曰蘿屏，曰翠雲堆，曰留青。又上爲觀音閣，額曰鷲集崖，崖旁勒仙掌二字，下有石臨泉，鐫題曰羅漢影。舊聞考八十五。

絢秋林北爲雨香館，靜宜園册。舊聞考：雨香館爲二十八景之一。後爲洒蘭書屋，其南林天石海。自勤政殿以迄

雨香館，是爲内垣，爲景凡二十。内垣凡六門，曰東南門，曰東北門，西曰約白門，西
南曰如意門，西北曰中亭子門，北曰進膳門。舊聞考八十五。
麗矚樓北度嶺爲晞陽阿，靜宜園册。舊聞考：晞陽阿爲二十八景之一。其北坊座一，東坊座一，西爲朝陽洞，深廣
可丈餘，内祀龍神，後爲觀音閣。晞陽阿北爲芙蓉坪，靜宜園册。舊聞考：芙蓉坪爲二十八景之一。鐫題於石壁
間。坪西南爲香霧窟，靜宜園册。舊聞考：香霧窟爲二十八景之一。後爲竹罏精舍，其北巖間有西山晴雪石幢，燕
山八景。又北爲潔素履。香霧窟南稍東爲栖月崖，靜宜園册。舊聞考：栖月崖爲二十八景之一。其西宇爲得趣書
屋。距崖半里許，設石樓門，鐫題曰雲闕。崖北爲重翠崦。靜宜園册。舊聞考：重翠崦爲二十八景之一。其下爲
龍王堂，堂下有泉。崦東南爲玉華寺，詳寺觀。廳宇爲玉華岫。靜宜園册。舊聞考：玉華岫爲二十八景之一。寺北門内
有石洞出泉，稱玉華泉。舊聞考。其東爲皋塗精舍。玉華岫西南，峰石屹立，上勒高宗御題
曰森玉笏。靜宜園册。舊聞考：森玉笏爲二十八景之一。東北爲超然堂，堂南爲曠覽臺，後爲碧峯館。
森玉笏東北峯上有亭，爲隔雲鐘。靜宜園册。舊聞考：隔雲鐘爲二十八景之一。自晞陽阿以迄隔雲鐘，是爲外垣，
爲景凡八。舊聞考。外垣之北，別垣内佛宇爲宗鏡大昭之廟。詳寺觀。
廟北度石橋爲正凝堂，堂北爲暢風樓。正凝堂迤北爲碧雲寺，詳寺觀。寺北爲涵碧齋，後爲
雲容水態，爲洗心亭，又後爲試泉、悦性山房。靜宜園册。

良鄉縣

行宫，在縣北五里黄新莊，乾隆十三年建，爲謁陵駐蹕之地。良鄉楊志。郊勞臺在縣南三里，乾隆二十五年建。楊志。舊聞考：乾隆二十五年，大將軍兆惠等平定準噶爾回部奏凱，於二月二十七日行郊勞禮。又乾隆四十一年，大將軍阿桂等平定兩金川奏凱，於四月二十七日行郊勞禮。

三河縣

行宫，一在縣西北□□里大新莊，乾隆十九年建。三河陳志。舊聞考：蟠龍山舊有行宫，乾隆十九年始移建於山迤北之大新莊。一在縣西五十里煙郊，今按：煙郊鎮在縣西偏，南與通州接界。乾隆二十年建。陳志。舊聞考：煙郊行宫，建自康熙年間，乾隆二十年移建於舊址迤南。

昌平州

行宫，在州東三十里湯山，康熙年間建。昌平宋志。一統志：湯山下有温泉，行宫在焉。

順義縣

行宫，一在縣西□□里三家店，順義黄志。采訪册：縣治西從東直門出京，往古北口驛路一道，境内計程四十八里，自大興縣界古柳樹一十二里至治西三家店，有行宫駐蹕。自三家店二十里至牛欄山鎮，又一十六里至懷柔縣界。一在縣西北□□里南石槽。黃志。采訪册：縣治西北。發圓明園往熱河驛路一道，境内計程二十五里，自昌平州界官莊横道一十二里至治西北南石槽，有行宮駐蹕。從南石槽岐路三里至北石槽，又十里至昌平州界。

懷柔縣

行宮，在縣南門外，康熙五十三年建，爲御駕往熱河避暑駐蹕之所。舊聞考。懷柔吴志：先於南門外三教堂左側，張設龍棚，康熙四十九年卽三教堂舊址改建祇園寺，遂建行宮於其地，康熙五十三年增建殿宇。按采訪册：御道於此自昌平州交界峯山口起，五里至南富樂，五里至花莊，五里至房家莊，五里至駙馬莊，五里至密雲縣交界之梨園莊，共二十五里，嗣奉部核定二十三里。先是，御駕往熱河避暑，出東直門，由孫侯河、山峽店、牛欄山經懷柔縣之羅山店入密雲界，康熙四十六年以東直門一帶道路，夏月雨水泥濘難行，改自西直門外暢春苑起，經藺溝、南石槽至峯山口入懷柔縣界，峯山口，向惟小徑通步，乃鑿石丈許，平坦以通車騎。

密雲縣

行宮，一在縣東門外一里劉家莊，康熙二十二年建；一在縣東北三十五里羅家橋，康熙五十一年建；一在縣東北七十里要亭莊，康熙三十二年建。密雲丁志。按舊聞攷，要亭一作遥亭，而密雲縣册則稱姚汀。今御製各詩集，題皆作要亭。按水經：出塞外東南流，逕要陽縣城東。考要陽卽今密雲境，則要亭之稱，自爲近古也。

涿州

行宮，在南城里許，乾隆十六年建。涿州吴志。續志：道光二十六年知州郭寶勳奉文，委員勘估變價。萬壽亭，同治五年重修。采訪冊。

霸州

行宮，在州南太堡邨淀神祠旁，乾隆三十五年建。霸州周志。

文安縣

行宮，一在縣東二十里蘇家橋，乾隆二十六年建，爲御駕閲視隄工駐蹕之所，文安楊志。皇恩亭在蘇橋北；楊志。志又云：康熙四十年，聖祖巡視子牙河壩，以御臨唐太宗所書漢文帝勸農詔，賜撫臣李光地，同知楊朝麟於祠旁勒石建亭。一在縣東北左家莊，乾隆三十四年建。楊志。舊聞考：左家莊亦稱左各邨。

大城縣

行宮，在縣北□□里臺頭邨，乾隆十四年建，巡閲隄工駐蹕之所。采訪冊。

薊州

行宮，一在城西四十里白澗莊，乾隆十□年建；薊州沈志。按州志作乾隆十八年建，而日下舊聞考載有乾隆九年御製白澗行宮詩，或州志衍十字歟？再攷白澗莊爲御駕展謁東陵入州境之首站，行宮東有香華庵，庵内有乾隆十五年御製重修碑記。謹繹碑文，已稱茲庵附近離宮，則行宮必非十八年建矣。一在州北二十五里盤山玉石莊，乾隆九年建；沈志。按日下舊聞考作十九年。謹繹御製靜寄山莊記文，當以九年爲是。且舊聞考載有乾隆十二年御製十六景詩，其第一篇卽靜寄山莊也。豈製詩在前，建宮在後乎？今從州志。臣工以盤山爲鑾輿上陵寢之道，宜創築殿宇，以爲歲時駐蹕之所，上從之。盤山志：盤山行宮，居山之午方，前岡如屏，後嶂如扆，自玉石莊迤邐東達於繚垣之南，垣壘以文石，周遭十餘里，隨山徑高下爲紆直，澗泉數道流垣内，山下設牐，以時啟閉。又按：盤山行宮，乾隆十九年建。御定内八景曰靜寄山莊、太古雲嵐、層巖飛翠、清虛玉宇、鏡圓常照、衆音松吹、四面芙蓉、貞觀遺蹤；外八景曰天成寺、萬松寺、舞劍臺、盤谷寺、雲罩寺、紫蓋峯、千相寺、浮石舫。按：盤山晾甲石，舊聞考云在行宮西偏，相傳爲太宗東征晾甲於此。凡盤山名石，今各見於所在之地，此石爲行宮内八景之一，特附識晾甲之名於此。一在州東十八里桃花山，乾隆□□年建；一在州東六十里葛山隆福寺右，乾隆□年建。沈志。按州志偁，在州西二十五里，殊誤。汪由敦寺碑略，隆福寺在薊州東，去孝陵一舍而近，則已與遵化州接壤矣。且隆福寺山名葛山，爲遵化昌瑞山之支山，焉得云在西也？舊聞考：隆福寺右行宮，御題六景，曰翠雲山房，曰翠微堂，曰碧巘丹楓，曰天半舫，曰挹霞叫月（州志作捉月），曰翼然亭。

京師志五

壇廟

侯官陳𦇓纂　江陰繆荃孫覆輯

聖王制禮，必先郊廟，重本也。漢用方士説，祀泰一五帝，宗廟之外，又有原廟、郡國廟，不經甚矣。唐、宋以下，意在修明，而分祭、合祭，聚訟盈庭。太祖東嚮之位，莫定一尊；昭穆遞遷之序，任情更易。非聖人復起，惡能窺夫制作之原者乎？我世祖章皇帝入關定鼎，首以卽位告祭天地，庶事草創，而郊廟諸大典次第釐定。高宗純皇帝恢而廣之，考經義，易制度，俎豆尊彝，親加審定，紹姬、孔之精心，纘豐、鎬之逸典，盛哉莫與京已！況遼、金、元、明，繼宅茲土，天地神祇，咸數百年歆享於此，禋祀之長久，亦古所無也。志壇廟。

天壇在正陽門外南郊，形圓，象天。南嚮，三成：上成徑九丈，高五尺七寸；二成徑十有五丈，高五尺二寸；三成徑二十一丈，高五尺。上成石面九重，自一九環甃，遞加至九九；二成自九十，遞加至百六十有二；三成自百七十有一，遞加至二百四十有三：合一三五七九陽數。每成四出陛，皆白石，九級。上成石闌七十有二，二成百有八，三成百八十，合三百六十周天之度；柱如之。内壝形圓，周百有六丈四尺，高五尺九寸。壝門四，皆六柱三門，柱及楣閾皆白石，扉皆朱櫺。壝外東南丙地燔柴爐一，高九尺，徑七尺，甃以緑琉璃。瘞坎一。東南燎爐五。西南燈桿三。外壝形方，周二百十丈一尺，高八尺六寸，門制與内壝同。燎爐四，分設於壝東西門之左右。壝北爲皇穹宇，正中南嚮，環轉八柱，圓檐，上安金頂，基高九尺，徑五丈九尺九寸，石闌四十有九，東西南三出陛，各十有四級。左右廡各五間，一出陛，殿廡覆瓦，均青色琉璃。圍垣形圓，周五十六丈六尺八寸，高丈有八寸，南設三門，崇基石闌，前後三出陛，各五級。外壝東門外東北隅，神庫、神廚各五間，井亭一，祭器庫、樂器庫、椶薦庫各三間。又東爲宰牲亭，井亭各一。壝外垣門四：東曰泰元，南曰昭亨，西曰廣利，北曰成貞，皆朱扉金釘，縱横各九。昭亨門外東西石坊各一。

祈年殿在成貞門北，壇圓，三成，南嚮。上成徑二十一丈五尺，二成徑二十三丈二尺六寸，三成徑二十五丈。面甃金磚，圍以石。石闌四百二十。南北三出陛，東西一出陛，上成、二成各九級，三成十級。壇上建祈年殿，制圓，内外柱各十有二，龍井柱四，檐三重，上金頂，左右廡各九間，均覆青琉璃。前爲祈年門，崇基石闌，前後三出陛，各有一級。門外東南燔柴鑪一，瘞坎一，燎鑪五，制如圜丘。（祈年殿祈年門，舊名大享殿大享門，乾隆十六年改今名。）內壝周百九十丈七尺二寸，門四。北門後爲皇乾殿，五間，上覆青琉璃，南嚮。正面三出陛，東西一出陛，各九級，石闌五十有九。內壝東門外長廊七十二間，二十七間至神厨井亭，又四十五間至宰牲亭，爲祭時進俎豆、避雨雪之用。壝外圍垣東西北三面各有門，南接成貞門。成貞門外西北爲齋宮，東嚮，正殿五間，崇基石闌，三出陛，陛前左設齋戒銅人石亭一，右設時辰牌石亭一，後殿五間，左右配殿各三間。內宮牆方百二十三丈九尺九寸，中三門，左右各一門，牆外環地，前跨石梁三，左右各一。東北隅鐘樓一。外宮牆方一百九十八丈二尺，環以迴廊一百六十三間，復繞以深池，宮門石梁均與內同。（大清會典七十一。）

神樂署東嚮，正中凝禧殿五間，崇基三出陛，各六級，左右步廊各二間。後顯佑殿七間，左右各三間。殿後袍服庫二十三間。典禮署奉祀堂南北各三間，左右門各三間，左門東通贊房、恪恭堂各三間，正倫堂、候公堂各五間，南轉穆佾所三間。右門東掌樂房、協律堂各三間，教師房、伶倫堂各五間，北轉昭佾所三間。前後均胼檐通脊。正門三間，三出陛，各四級。圍牆東西四十四丈四尺，南北二十丈七尺二寸。（神樂署舊名神樂觀，乾隆二十年改今名。凝禧殿舊名太和殿，康熙十二年改今名。犧牲所南嚮，大門三間，花門一座，正房十有一間，中三間奉司犧牲神，左右牧夫房各二間，牛房各二間。後屋十有六間，内滿、漢所牧房各三間，所軍房一間，貯草房五間，草夫房四間。東邊兩重四十八間，内貯料房二間，貯草房三間，牛房十有五間，羊房五間，鹿房二十間，兔房三間。西邊一重十有五間，内庫房一間，泡料房、磨房各二間，豕房五間，牛房五間，鹿檻、牛枋均分列屋之左右。西北隅官廳三間，東嚮。井一。北門一間。圍牆東西五十二丈，南北五十二丈五尺。壇外垣前方後圓，周千九百八十七丈五尺，高一丈一尺五寸，址厚八尺，頂厚六尺，西嚮門一，三間，角門一。會典事例六百六十三。明嘉靖九年定分祀天地之議，於大祀殿南建圜丘，本朝因之，重加繕治，其制益備。乾隆十四年，上以圜丘壇位張幄次，陳祭器處宜量加寬廣，命仍九五之數而展拓焉。十八年，復鼎新南郊壇宇，一切規模稟承指示，凡崇卑之制，象色之宜，無不斟酌盡善，仰見聖心昭格之虔，至周至悉云。日下舊聞考五十七。順治元年七月癸巳，世祖章皇帝以定鼎燕京，遣官告祭上帝。十月乙卯朔，親祀京師南郊，告祭天地，即皇帝位。祝曰：大清國皇帝臣口口，敢昭告於皇天后土：帝鑒無私，眷隆有德，我皇祖寵膺天命，肇造東土，建立丕基，及我皇考，開國承家，恢宏大業。臣以眇躬，纘承鴻緒，值明祚將終，姦雄蠭起，以致生靈塗炭，徯望東蘇。臣欽承祖宗功法，倚任親賢，爰整六師，救民水火，掃除暴虐，撫輯黎元，内外同心，大勳克集，因茲定鼎燕京，以綏中國。臣工衆庶僉云神助不可違，輿情不可負，宜登大位，表正萬邦。臣祗荷天眷，以順民情，於本年十月初一日告天卽位，仍用大清國號，順治紀元，率由初制。伏維天地佑助，早靖禍亂，載戢干戈，九州悉平，登進仁壽，俾我大清皇圖永固。爲此祈禱，伏惟歆饗。謹告。（會典事例五百三十六。）歲以冬至日大祀天於圜丘，奉列聖神位配饗；日、月、星辰、雲、雨、風、雷從祀，均設青幄。（禮部則例一百八。）每歲以正月立春後上辛行祈穀禮，祀皇天上帝於祈年殿，奉列聖神位配饗，不設從位。（禮部則例一百九。）凡歲以孟夏擇吉行常雩禮，祀皇天上帝於圜丘。（會典事例三百四十五。）

地壇在安定門外北郊，形方象地，方折四十九丈四尺四寸，深八尺六寸，闊六尺，澤中貯水。方丘北嚮，二成，上成方六丈，下成方十丈六尺，均高六尺。上成正中六六方甃，外八方均以八八積成，縱横各二十四路；二成倍上成，八方八八之數，半徑各八路，以合八六陰數，皆甃以黄色琉璃。每成四出陛，各八級，皆白石。二成上南左右設五嶽、五鎮、五陵山石座，鑿山形，北左、右設四海、四瀆石座，鑿水形，均東西嚮，水形座下鑿池貯水以祭。内壝方二十七丈二尺，高六尺，厚二尺。壝北三門、六柱，東西南各一門、二柱，柱及楣、閾皆白石，扉皆朱櫺。壝北門外，東北鐙桿一，西北瘞坎一，燎鑪五。外壝方四十二丈，高八尺，厚二尺四寸，門制與内壝位同。東西門内從壇瘞坎，南北各二壝。南門外皇祇室五間，北嚮，覆黄琉璃。壝垣正方，四十四丈八尺，高丈一尺，北嚮設一門。外壝西門外神庫、神厨、祭器庫、樂器庫各五間，井亭二，又西爲宰牲亭，亭前井亭，左右各一。西北爲齋宫，東嚮，正殿七間，崇基石闌，五出陛，左右配殿各七間，内宫門三間，左右門各一。外宫牆周百有十丈二尺，門三，東嚮，門東北鐘樓一。壇内垣周五百四十九丈四尺，西北各三門，東南各一門。外垣周七百六十五丈，西嚮，門三，角門一。會典七十一。方丘舊地爲明嘉靖九年定，本朝因之，屢加寛廣，規模制度，益昭隆備。舊聞考一百七。歲以夏至日大祀地於方澤，奉列聖神位，配饗五嶽、五鎮、四海、四瀆、五陵山，從祭均設黄幄。禮部則例一百十一。

堂子在長安左門外，玉河橋東，凡國家有征討大事，必親祭告。舊聞考四十八。每歲十二月二十六日，内務府官詣坤甯宫請神，送往堂子。元旦，皇帝親詣行禮。正月初二日，請神回宫。四月初八日浴佛，遣贊祀行禮，請神、送神，均内務府官司其事。禮部則例一百十一。歲以季春、季秋月朔，或二、四、八、十月，或上旬諏吉。立杆於圜殿南正中石座，由大内恭請神位，安奉於祭神殿内，皇帝親詣行禮致祭，或遣贊祀行禮，内務府請旨遵行。禮部册。

太廟在闕左，南嚮，圍垣一重，琉璃磚門三間，左右門各一，戟門五間，崇基石闌，中三間，前後均三出陛，中九級，左右七級，門内外列戟百有二十，左右門各三間，前後均一出陛，各五級。前殿十有一間，重檐，階三成，繞以石闌，五出陛，一成均四級，二成均五級，三成中十有一級，左右九級。東西廡各十有五間，燎鑪二。中殿九間，後殿九間，兩廡各十間，後殿東廡南燎鑪一。戟門外石橋五，橋北井亭二，六角，閑以朱欞。橋南神庫五間，西嚮；神厨五間，東嚮。廟門外之西南，奉祀署三間，東嚮；左右房各三間，垣一重，門一，北嚮；東南宰牲亭三間，前治牲房五間，均西嚮；垣一重，門一，西嚮；井亭一，六角，閑以朱欞。西南爲太廟街門五間，西北爲太廟右門三間，均西嚮。會典事例六百六十三。饗太廟之禮，後殿四室奉安列祖、列后神位；中殿七室，奉安列聖、列后神位；兩廡以功王、功臣配饗。每歲孟春上旬諏吉，夏、秋、冬孟月朔日，奉中殿列聖、列后神位於前殿寶座，行時饗禮；後殿遣官，同日將事。歲除前一日，奉後殿列祖、列后，中殿列聖、列后神位奉安前殿寶座，行大祫禮。祭前一日，遣官詣後殿、中殿，以大祫祇告，均如儀。禮部則例百十三。每歲元旦、皇太后聖節、萬壽聖節，皆致祭太廟後殿。同上。謹按：本朝陵寢在遵化州昌瑞山者：世祖章皇帝曰孝陵，孝康章皇后祔焉；孝惠章皇后曰孝東陵。聖祖仁皇帝曰景陵，孝誠仁皇后、孝昭仁皇后、孝懿仁皇后、孝恭仁皇后祔焉。高宗純皇帝曰裕陵，孝賢純皇后、孝儀純皇后祔焉。文宗顯皇帝曰定陵，孝德顯皇后祔焉；孝貞顯皇后曰定東陵。穆宗毅皇帝曰惠陵，孝哲毅皇后祔焉。統名曰東陵。在易州永甯山者：世宗憲皇帝曰泰陵，孝敬憲皇后祔焉；孝聖憲皇后曰泰東陵。仁宗睿皇帝曰昌陵，孝淑睿皇后祔焉。宣宗成皇帝曰慕陵，孝穆成皇后、孝慎成皇后、孝全成皇后祔焉；孝靜成皇后曰慕東陵。統名曰西陵。禮部冊。奉先殿在肅誠門內，南嚮。國朝宮史。順治十四年，世祖章皇帝以太廟時享，孝思未申，命稽往制，建立奉先殿，前殿七楹，後殿如之。舊聞考十八。祭奉先殿之禮：恭安列聖、列后神牌於後殿，恭遇皇太后萬壽聖節、萬壽聖節、元旦、冬至、月朔望及國有大慶，恭奉神牌於前殿，行大饗禮，薦熟，不以牲俎，不飲福受胙，王公百官不陪祀。如遇册立、册封、御經筵、耕耤、謁陵、巡狩、回鑾諸慶典，則詣後殿祇告。列聖聖誕，列聖、列后忌辰，元宵、清明、霜降、歲除等日，立春、端陽、重陽等節，暨孟夏八日，亦於後殿將事。每月薦新：正月薦鯉魚、青韭、鴨卵，二月薦蒿苣菜、小葱、芹菜、菠菜、花鱖魚，三月薦黄瓜、蔞蒿菜、蕓薹菜、茼蒿、水蘿蔔，四月薦櫻桃、茄子、雛雞，五月薦杏、李、蕨菜、香瓜、子鵞、桃、桑椹，六月薦杜梨、西瓜、葡萄、蘋果，七月薦梨、蓮子、菱、榛仁、藕、野雞，八月薦山藥、栗實、野鴨，九月薦柿、雁，十月薦松仁、軟棗、蘑菇、木耳，十一月薦銀魚、鹿肉，十二月薦蔘芽、緑豆芽、兔、鱏、鯉，其豌豆、大麥、文官果等一應鮮品，及奉旨特薦鮮品，皆隨時隨獻。禮部則例一百十四。

社稷壇在闕右，北嚮，壇制方，二成，高四尺，上成方五丈，二成方二丈三尺，四出陛，皆白石，各四級。上成築五色土：中黄，東青，南赤，西白，北黑。土由涿、霸二州，房山、東安二縣豫辦解部，同太常寺等驗用。内壝四面各一門，楔闑皆制以石，朱扉有檽，門外各石柱二，壝色亦各如其方。壝北門内西北瘞坎二，北爲拜殿，又北爲戟門，各五間，戟門内列戟七十有二，均覆黄琉璃，崇基三出陛。壝外西南神庫五間，神廚五間，井一，均東嚮。壇垣周百五十三丈四尺，内外丹雘，覆黄琉璃，北門三間，東西南門各一間，循垣東北隅，東嚮，正門一，左右門各一，相對闕右門，爲乘輿躬祭出入之門。壇西門外，宰牲亭三間，東嚮，井一，垣一重，門一，北嚮。西南奉祀署，東西各三間，垣一重，門一，東嚮。東遣官房一間，南嚮，東南爲社稷街門，五間，東北爲社稷左門，三間，均東嚮。會典事例六百六十三。順治元年，定每歲以春、秋仲月上戊日，祭太社、太稷，太社以后土句龍氏配，太稷以后稷氏配。壇中石社主半埋土中，仍設太社、太稷、句龍氏、后稷氏神牌，祭於壇上。每祭，壇上敷五色土，中黄，東青，南赤，西白，北黑，隨方築之。設樂舞於壝門内壇下，兩旁壇，壇官各二人，執長竿於壇東西，以禦飛禽，又備龕於壇下，如遇風雨，即以覆護神牌。又定社稷壇爲大祀。會典事例三百四十五。

日壇在朝陽門外東郊，制方，西嚮，一成方五丈，高五尺九寸，面甃金磚，四出陛，皆白石，各九級。圓壝周七十六丈五尺，高八尺一寸，厚二尺三寸，壝正西三門，六柱，東、南、北各一門，二柱，柱及楣、閾，皆白石，扉皆朱櫺。壝西門外燎鑪一，瘞坎一，西北鐘樓一。壝北門外東爲神庫、神厨各三間，宰牲亭、井亭各一；北爲祭器庫、樂器庫、樱薦庫，各三間；西北爲具服殿，正殿三間，南嚮，左、右配殿各三間，衛以宮牆，宮門三，南嚮。壇垣周二百九十丈五尺，西、北各一門，皆三間，北門、西角門一，覆瓦均緑色琉璃。會典七十一。東郊日壇之制，自乾隆七年奉諭移建具服殿，嗣於二十年復奉旨增葺壇宇，規模煥赫，斟酌咸宜，於大采祀儀爲尤稱云。會典事例三百五十。每歲春分卯時致祭，順治八年定。禮部則例一百九。凡遇甲、丙、戊、庚、壬年，親詣行禮，餘年遣官行禮。會典事例三百五十。

月壇在阜成門外西郊，制方，東嚮，一成方四丈，高四尺六寸，面甃金磚，四出陛，皆白石，各六級。方壝周九十四丈七尺，高八尺，厚二尺二寸。壝正東三門，六柱，西南北各一門，二柱，柱及楣、閾皆白石，扉皆朱櫺。壝東門、北門外燎鑪各一，瘞坎一，東北鐘樓一；壝南門外西爲神庫、神厨，各三間，宰牲亭、井亭各一，南爲祭器庫、樂器庫，各三間；東北爲具服殿，正殿三間，南嚮，左右配殿各三間，衛以宮牆，宮門三，南嚮。壇垣周二百三十五丈九尺五寸，東北各門一，皆三門，北門東角門一，覆瓦皆緑色琉璃。會典七十一。每歲秋分酉時，致祭北斗七星，木、火、土、金、水五星，二十八宿，周天星辰配，順治八年定。禮部則例百十七。凡遇丑、辰、未、戌年，親詣行禮，餘年遣官行禮。會典事例三百五十。

先農壇在正陽門外西南，制方，南嚮，一成，方四丈七尺，高四尺五寸，四出陛，各八級。東南爲瘞坎。壇北爲殿五間，以藏神牌，東神庫、西神厨各五間，左右井亭各一。東南爲觀耕臺，方廣五丈，高五尺，面甃金磚，四圍黄緑琉璃，南東西三出陛，各八級，繞以白石闌柱。前爲耕田，後爲具服殿，五間，南嚮，三出陛，南九級，東西各七級。東北爲神倉，中廩制圓，前爲收穀亭，左右倉十有二間，後爲祭器庫，繚以周垣，南門一。會典七十一。壇内垣東門外，北爲慶成宮，南嚮，正殿五間，崇基石闌，前左右三出陛，各九級。後殿五間，左右配殿各三間，正殿前辰牌石亭一。内宮牆南三門，東西掖門各一，外宮牆南、中三門，左右各一門。東南鐘樓一。壇外垣周千三百六十八丈，東嚮門二，南北並列，南入先農壇，北入太歲殿，皆三門，角門一。會典七十一。舊聞考：乾隆二十年，會典進呈，奉御筆：將先農壇齋宮改爲慶成宮。壇在太歲壇西南，明嘉靖年建，本朝因之，乾隆十九年重修。大清一統志。每歲春三月吉亥日祭先農壇，行耕耤禮。禮部則例百十八。

先蠶壇在西苑之東北，制方，南嚮，一成，徑四丈，高四尺，四出陛，各十級。西北爲瘞坎。壇東南先蠶神殿三間，西嚮，朱扉，覆以緑琉璃，崇基三出陛，左有宰牲亭一，井亭一，北爲神庫，南爲神厨，各三間。壇東爲采桑臺，方廣三丈二尺，高四尺，臺面甃以金磚，圍以白石，南東西三出陛，各十級，繞以朱闌。前爲桑園；後爲具服殿，五間，南嚮，三出陛，各五級，東西配殿各三間；後殿五間，東西配殿各三間，四周迴廊二十間，均覆以緑琉璃。宫牆自殿南東西轉，各北抵外垣，東南西各一門。浴蠶河在宫牆東，自外圍北垣流入，由南垣出，垣下各設牐啟閉。木橋二，橋東蠶署三間，蠶室二十七間，連檐通脊，均西嚮。壇垣周百六十丈，西南隅正門三，左右門各一，西北隅角門一，壇垣南室二重，各五間，均西嚮。會典七十一。壇建於乾隆七年，我朝自聖祖仁皇帝設蠶舍於豐澤園之左，世祖憲皇帝復建先蠶祠於北郊，嗣以北郊無浴蠶所，因議建於此。舊聞考二十八。每歲欽天監選擇季春吉日，祭西陵氏於先蠶壇。禮部則例百十九。

神祇壇在先農壇内垣外之東南，正南三門，繚以重垣。東爲天神壇，制方，南嚮，一成，方五丈，高四尺五寸五分，四出陛，各九級。壇北設青白石龕四，鏤以雲形，各高九尺二寸五分，祀雲、雨、風、雷之神，壝方二十四丈，高五尺五寸。壝正南三門，六柱，東、西、北各一門，二柱，柱及楣、閾皆白石，扉皆朱欞。西爲地祇壇，制方，北嚮，一成廣十丈，縱六丈，高四尺，四出陛，各六級。壇南設青白石龕五，内鏤山形者三，祭五嶽、五鎮、五山之祇。鏤水形者二，龕下四圍鑿池，祭則貯水，祭四海、四瀆之祇，各高八尺二寸。壇東從位石龕山水形各一，祭京畿名山大川之祇，西從位石龕山水形各一，祭天下名山大川之祇，各高七尺六寸。壝方二十四丈，高五尺五寸。壝正北三門，六柱，東西南各一門，二柱，柱及楣、閾皆白石，扉皆朱櫺。會典七十一。

天神、地祇、太歲壇位，俱在先農壇内，祈雨則遣官祭告，雨足則報祀。舊聞考五十五。

太歲壇在先農壇之東北，正殿七間，南嚮，三出陛，各六級，東西廡各十有一間。前爲拜殿七間，拜殿東南燎鑪一。壇内垣南、北、東、西各三間。會典七十一。正殿祀太歲，東廡爲春、秋月將，西廡爲夏、冬月將。會典事例三百五十七。嘉靖八年建，本朝因之，乾隆十九年重修。每年於正月上旬吉日，及十二月杪，恭祀太廟日，致祭太歲、月將之神。大清一統志。

前代壇廟考

金郊壇

南郊壇在豐宜門外，當闕之己地，圓壇，三成，成十二陛，各按辰位。壝牆三帀，四門，各三門，齋宮東北，厨庫在南，壇壝皆以赤土圬之。北郊方丘在通元門外，當闕之亥地，方壇三成，成爲子、午、卯、酉四正陛，方壝三周，四面亦三門。朝日壇曰大明，在施仁門外之東南，當闕之卯地，門壝之制皆同方丘。夕月壇曰夜明，在彰義門外之西北，當闕之酉地，掘地污之，爲壇其中。常以冬至日合祀昊天上帝、皇地祇於圜丘，夏至日祭皇地祇於方丘，春分朝日於東郊，秋分夕月於西郊。金史禮志。拜郊臺在府西南七里，金大定間拜天於此。明一統志。日下舊聞考云：拜郊臺今無考。朱彝尊於豐台按下以爲疑即拜郊臺，亦係約畧言之，初無確證也。

金太廟

貞元初，海陵遷燕，乃增廣舊廟，奉遷祖宗神主於新都，建巨闕於内城之南千步廊。三年十一月，奉安於太廟。大定十一年十一月郊祀，前一日享太廟。金禮志。

金社稷壇

貞元元年閏十二月，有司奏建社稷壇於燕京。大定七年七月，又奏建壇於中都。社爲制，其外四周爲垣，南鄕開一神門，門三間，内又四周爲垣，東西南北各開一神門，門三間，各列二十四戟，四隅連飾罘罳，無屋，於中稍南爲壇位，令三方廣闊，一級四陛。以五色土各飾其方，中央覆以黄土，其廣五丈，高五尺，其主用白石，下廣二尺，剡其上，形如鐘，埋其半，壇南栽栗以表之。近西爲稷壇，如社壇之制，而無石主，四壝門各五間，兩塾三間，門列十二戟，壝有角樓，樓之面皆隨方色飾之。饌幔四楹，在北壝門西，北嚮；神厨在西壝門外，南嚮；廨在南圍牆内，東西嚮。有望祭堂三楹在其北，雨則於是堂望拜。堂之南、北各爲屋二楹，三獻及司徒致齋幕次也。堂下南北相嚮，有齋舍二十楹，外門止一間，不施鴟尾。金禮志。

金風雨雷師壇

明昌五年，禮官言：風、雨、雷師其禮尚闕，宜詔有司講定儀注以聞。尚書省奏：天地日月或親祀，或令有司攝事，若風、雨，雷師乃中祀，合令有司攝之，且又州縣之所通祀者也，合先舉行。制可。乃爲壇於景豐門外東南闕之巽地，歲以立春後丑日以祀風師，牲幣進熟如中祀儀；又爲壇於端禮門外西南闕之坤地，以立夏後申日以祀雨師，其儀如中祀。金禮志。

元郊壇

至元三十一年，成宗卽位，四月壬寅，始爲壇於都城南七里。元祭祀志。按舊聞考云：其地當在今永定門外。大德九年七月辛亥，築郊壇於麗正、文明門之南丙位。元成宗本紀。壇壝地在麗正門外丙位，凡三百八畝有奇。壇三成，每成高八尺一寸，上成縱横五丈，中成十丈，下成十五丈。四陛午貫地，子、午、卯、酉四位，陛十有二級。外設二壝。内壝去壇二十五步，外壝去内壝五十四步。壇各四門，外垣南櫺星門三，東、西櫺星門各一。圜壇周圍上下俱護以甓，内外壝各高五尺，壝四面各有門三，俱塗以赤。至大三年冬至，以三成不足以容從祀版位，以青繩代一成。繩二百，各長二十五尺，以足四成之制。燎壇在外壝内丙巳之位，高一丈二尺，四方各一丈，周圍亦護以甓，東西南三出陛，開上南出陛，上方六尺，深可容柴。香殿三間，在外壝南門之外，少西，南嚮。饌幕殿五間，在外壝南門之外，少東，南嚮。省饌殿一間，在外壝東門之外，少北，南嚮。外壝之東南爲別院，内神厨五間，南嚮；祠祭局三間，北嚮；酒庫三間，西嚮。獻官齋房二十間，在神厨南垣之外，西嚮。外壝南門之外，爲中神門五間，執事齋房六十間以翼之，皆北嚮。兩翼端皆有垣，以抵東西周垣，各爲門，以便出入；齊班廳五間，在獻官齋房之前，西嚮；儀鸞局三間，法物庫三間，都監庫五間，在外垣内之西北隅，皆西嚮；雅樂庫六間，在外垣西門之内，少南，東嚮；演樂堂七間，在外垣内之西南隅，東嚮；獻厨三間，在外垣内之東南隅，西嚮；滌養犧牲所，在外垣南門之外，少東，西嚮；内犧牲所三間，南嚮。元祭祀志。

元太廟

世祖至元十四年，詔建太廟於大都。元祭祀志。元一統志：太廟在都城齊化門之北。舊聞考：元時太廟，門外馳道抵齊化門之通衢。十六年八月，以江南所獲玉爵及玷四十九事，納於太廟。元祭祀志。十七年十二月甲午，大都重建太廟成。元世祖紀。至大二年春正月，以受尊號謝太廟，爲親祀之始。元武宗本紀。廟制：前廟後寢。正殿東西七間，南北五間，内分七室。殿陛二成三階，中曰太階，西曰西階，東曰阼階。寢殿東西五間，南北三間。環以宮城，四隅重屋，號角樓。正南、正東、正西宮門三，門各五門，皆號神門。殿下道直東西神門曰横街，直南門曰通街，甓之。通街兩傍井二，皆覆以亭。宮城外，繚以崇垣。饌幕殿七間，在宮城南門之東，南嚮；齊班廳五間，在宮城之東南，西嚮；省饌殿一間，在東城東門少北，南嚮；初獻齋室，在宮城之東，東垣門内少北，西嚮；其南爲亞終獻、司徒、大禮使、助奠、七祀獻官等齋室，皆西嚮；雅樂庫在宮城西南，東嚮；法物庫、儀鸞庫在宮城之東北，皆南嚮；都監局在其東少南，西嚮。東垣之内，環築牆垣爲別院；内神廚局五間，在北，南嚮；井在神廚之東北，有亭；酒庫三間，在井亭南，西嚮；祠祭局三間，對神廚局，北嚮；

院門西嚮；百官廚五間，在神廚院南，西嚮。宫城之南，復爲門，與中神門相值，左右連屋六十餘間，東掩齊班廳，西值雅樂庫，爲諸執事齋房。築崇垣以環其外，東西南開櫺星門三，南門外馳道，抵齊化門之通衢。至治元年，詔議增廣廟制。三年，别建大殿一十五間於今廟前，用今廟爲寢殿，中三間通爲一室，餘十間各爲一室，東西兩旁際牆各留一間，以爲夾室。室皆東西横闊二丈，南北入深六間，每間二丈。宫城南展後，鑿新井二於殿南，作亭。東南隅、西南隅角樓，南神門、東西神門，饌幕殿、省饌殿、獻官百執事齋室，中南門、齊班廳、雅樂庫、神廚、祠祭等局，皆南徙。建大次殿三間於宫城之西北，東西櫺星門亦南徙。東西櫺星門之内，鹵簿房四所，通五十間。元祭祀志。

元社稷壇

至元七年十二月有詔，歲祀太社、太稷。三十年正月，始用御史中丞崔彧言，於義和門内少南，得地四十畝，爲壝垣，近南爲二壇，壇高五尺，方廣十之。社東稷西，相去約五丈。社稷土用青、赤、白、黑四色，依方位築之，中間實以常土，上以黄土覆之。築必堅實，依方面以五色泥飾之。四面當中，各設一陛道，其廣一丈，亦各依方色。稷壇一如社壇之制，惟土不用五色，其上四周純用一色黃土。壇皆北嚮，立北墉於社壇之北，以磚爲之，飾以黃泥。瘞坎二於稷壇之北，少西，深足容物。二壇周圍壝垣，以磚爲之，高五尺，廣三十丈，四隅連飾。内壝垣櫺星門四所，外垣櫺星門二所，每所門二，列戟二十有四。外壝内北垣下，屋七間，南望二壇，以備風雨，曰望祀堂。堂東屋五間，連厦三間，曰齊班廳。廳之南，西嚮屋八間，曰獻官幕。又南，西嚮屋三間，曰院官齋所。又其南，屋十間，自北而南，曰祠祭局，曰儀鑾庫，曰法物庫，曰都監庫，曰雅樂庫。又其南，北嚮屋三間，曰百官廚。外垣南門西，壝垣西南，北嚮屋三間，曰大樂署。其西，東嚮屋三間，曰樂工房。又其北，北嚮屋一間，曰饌幕殿。又北，南嚮屋三間，曰饌幕。又北稍東，南嚮門一間，院内南嚮屋三間，曰神廚。東西屋三間，曰酒庫。近北少卻，東嚮屋三間，曰犧牲房。井有亭。望祀堂後自西而東，南嚮屋九間，曰監祭執事房，此壇壝次舍之所也。社主用白石，長五尺，廣二尺，剡其上如鐘。於社壇近南，北嚮，埋其半於土中；稷不用主。后土氏配社，后稷氏配稷。神位版二，用栗，素質黑書。社樹以松，於社、稷二壇之南各一株，此作主樹木之法也。元祭祀志。

元先農壇

先農之祀，始自至元九年二月，命祭先農如祭社之儀。十四年二月戊辰，祀先農東郊。十五年二月戊午，祀先農，以蒙古冑子代耕耤田。二十一年二月丁亥，又命翰林學士承旨色埒默祀先農於耤田。武宗至大三年夏四月，從大司農請，建農、蠶二壇。博士議：二壇之式與社、稷同，縱廣一十步，高五尺，四出陛，外壝相去二十五步，每方有欞星門；令先農、先蠶壇壝在耤田之内，若立外壝，恐妨千畝，其外壝勿築。是歲祀先農如社、稷。元禮志。

明郊壇

天壇在正陽門之左，永樂十八年建，繚以垣牆，周迴九里十三步。初，遵洪武合祀天地之制，稱爲天地壇，後既分祀，乃專稱天壇。春明夢餘録。圜丘第壇濶七丈，高八尺一寸，四出陛，正南陛濶九尺五寸，九級；東、西、北面陛俱濶八尺一寸，九級。壇面及壇腳用琉璃闌干。第二層壇面周圍俱濶二丈五尺，高八尺一寸，正南陛一丈二尺五寸，九級，東西北面陛俱一丈一尺九寸五分，九級。壇面及壇腳用琉璃磚砌，四面用琉璃闌干。壝去壇一十五丈，高八尺一寸，用磚砌。正南櫺星門三座，中門濶一丈二尺五寸，左門濶一丈一尺五寸五分，右門東邊櫺星門濶九尺五寸，北面、西面尺寸同。燎鑪一座，在壝外東南丙地，高九尺，濶七尺，上開南出户。壇腳東、西、南三面設陛。周圍外牆去壝一十五丈，正南櫺星門三座，中門濶一丈九尺五寸，門外正甬道濶丈尺同，左門濶一丈二尺五寸，門外左甬道丈尺同，右門濶一丈一尺九寸五分，門外右甬道丈尺同，東西北櫺星門濶一丈一尺九寸五分，甬道丈尺同。存心録。圜丘外壝方牆門四：南曰昭亨，東曰泰元，西曰廣利，北曰成貞。内櫺星門南門外，東南砌緑磁燎鑪，旁毛血池，西南望鐙臺，長竿懸大鐙。外櫺星門南門外左設具服臺，東門外建神庫、神廚、祭器庫、宰牲亭。北門外正北建泰神殿，後改爲皇穹宇，藏上帝太祖之神版，翼以兩廡，藏從祀之神版。又西爲鑾駕庫，又西爲犧牲所，北爲神樂觀。成貞門外爲齋宫，迤西爲壇門。春明夢餘録。嘉靖十三年二月奉旨：圜丘、方澤，今後稱天壇、地壇。明嘉靖祀典。

明地壇

嘉靖九年五月作方丘於北郊。明典彙。方澤壇在安定門之北，繚以垣牆，爲制二成，一成面方六丈，高六尺；二成面方十丈六尺，高六尺；甎用六八陰數，黄色琉璃，青白色石砌，四出陛各八級。周圍水渠一道，長四十九丈四尺四寸，深八尺六寸，濶六尺。内壝方牆二十七尺，高六尺，厚二尺，内櫺星門四。北門外西爲瘞位，瘞祝帛，配位帛則燎之，東爲鐙臺。南門爲皇祇室，藏神版，而太祖版則以祭之前一日請諸廟外。櫺星門四，西門外迤西爲神庫、神廚、宰牲亭、祭器庫，北門外西北爲齋宫。又建四天門，西門外爲鑾駕庫、遣官房，南爲陪祀官房。又外爲壇門，又外爲泰折街牌坊。護壇地一千四百七十六畝。春明夢餘録。

明太廟

太廟在闕之左，永樂十八年建。前正殿翼以兩廡，後寢殿九間，間一室，主皆南面，几席諸器備。嘉靖十一年，中允廖道南請建九廟，上從其議，撤故廟，祖宗各建專廟，合爲都宫，因舊廟新之。太祖居中，文皇世廟在太祖東北，居六廟上，昭穆六廟列太廟左、右。廟各有殿，殿後有寢，藏主。太廟寢後别有祧寢，藏祧主。太廟門殿皆南嚮，羣廟門東西嚮，内寢殿皆南嚮。十五年十二月，九廟成。二十年四月，雷火，八廟災，惟睿廟存，因重建太廟，復同堂異室之制。二十四年七月，新廟成，正殿九間，内貯諸帝后冕旒、冠帶，櫃而藏之，祭則陳設。東、西側間設功臣、親王位，前爲兩廡。東西二燎鑪，東燎列聖親王祝帛，西燎功臣帛。南爲戟門，門之左爲神庫，右爲神府，又南爲廟門。門外東南爲宰牲亭，南爲神宫鑒，西爲廟街門。正殿後爲寢殿九間，奉安列聖神主，皆南嚮。又爲祧廟五間，藏祧主，皆南嚮。時享於四孟，祫於歲餘。春明夢餘録。

明奉先殿

奉先殿在神霄門之東，殿九室，如廟寢制。國有太廟，以象外朝，有奉先殿，以象内朝。每室一帝、一后，如太廟寢殿，其祔祧迭遷之禮亦如之。凡祀方丘，朝日、夕月，册封，告祭及忌辰在焉，餘皆太廟行之。永樂三十五年始作。春明夢餘録。

明社稷壇

社稷壇在闕之右，與太廟對。壇制二成，四面石階，各三級，上成用五色土，隨方築之，壇西砌瘞位，四面開欞星門，西門外西南建神庫，庫南爲神廚，北門外爲拜殿，外天門四座，西門外爲宰牲亭。春明夢餘録。

明日壇

朝日壇在朝陽門外，繚以垣牆，嘉靖九年建。春明夢餘録。嘉靖典彙云：嘉靖九年，禮臣率欽天監正夏祚等會看，得朝陽門外三里迤北，錦衣衛指揮蕭謨地，東西闊八十一丈，南北進深八十一丈，堪建朝日壇。從之。西嚮，爲制一成。以春分之日，祭大明之神。壇方廣五丈，高五尺九寸，壇面用紅琉璃，階九級，俱白石。櫺星門西門外爲燎爐、瘞池，西南爲具服殿，東北爲神庫、神廚、宰牲亭、鐙庫、鐘樓，北爲遣官房，外爲天門二座，北天門外爲禮神坊，西天門外迤南爲陪祀齋宿房五十四間。護壇地一百畝。春明夢餘録。

明月壇

夕月壇在阜成門外，繚以垣牆，嘉靖九年建。東嚮，爲制一成。祭用牲、玉，獻舞如朝日儀，惟樂六奏，從祀二十八宿、木、火、土、金、水五星、周天星辰。壇方廣四丈，高四尺六寸，面白琉璃，階六級，俱白石。内櫺星門四，東門外爲瘞池，東北爲具服殿，南門外爲神庫，西南爲宰牲亭、神廚、祭器庫，北門外爲鐘樓、遣官房，外天門二座，東天門外北爲禮神坊。護壇地三十六畝。祭之日以寅，祭之時以酉。春明夢餘録。

明先農壇

先農壇在山川壇内，太歲壇旁之西南，永樂中建。爲制一成，石包磚砌，方廣四丈七尺，高四尺五寸，四出陛。西爲瘞位，東爲齋宫、鑾駕庫，東北爲神倉，東南爲具服殿。殿前爲觀耕臺，臺用木，方五丈，高五尺，南、東、西三出陛，臺南爲耕田。護壇地六百畝，供黍稷及薦新品物。又地九十四畝有奇，每年額税，太常寺會同禮部收貯神倉，以備旱潦。嘉靖中，建圜廩方倉以貯粢盛。上耕耤田親祭，餘年順天府尹祭。春明夢餘録。明禮志：嘉靖中建先農壇，高五尺，廣五丈。與春明夢餘録互異。

明先蠶壇

親蠶殿在萬壽宫西南，有齋宫、具服殿、蠶室、繭館，皆如古制。金鰲退食筆記。嘉靖九年，勅禮部曰：耕桑重事，古者帝親耕，后親桑，以勸天下，自今歲始，朕親耕，皇后親蠶，其具儀以聞。於是大學士張璁等請於安定門外建先蠶，準先農壇制，旁設採桑壇，倣耤田制，其别殿如南郊齋制，少減其數。卽齋旁起蠶房，爲浴蠶所，皇后採桑三條，後三宫夫人採五條，列侯、九卿夫人採九條，仍擇民婦受桑、浴蠶於内以終事。詔：如議行。詹事府詹事霍韜言：皇后出，難越宿，且郊外别建蠶室，則宫嬪、命婦未見蠶事，勢難久行，乞擇近地便。户部亦言：安定門外水源不通，無浴蠶所。初，禮部議於皇城内西苑，中有太液瓊島之水，且唐制在苑中，宋亦於宫中，從禮部議便。上命築親蠶壇於安定門外。十年三月，改築壇於西苑仁壽宫側，壇高二尺六寸，四出陛，廣六尺四寸，東爲採桑壇，方一丈四尺，高二尺四寸，三出陛，鋪甃如壇制。臺之左右，樹以桑。東爲具服殿，殿北爲蠶室，又爲從室，以居蠶婦。設蠶官署於宫左，置蠶官令一員、丞二員，擇内臣謹恪者爲之。十四年，皇后親蠶於内苑。明典禮志。按舊聞考三十六云：明時先蠶壇在西苑仁壽宫側，已廢。

明神祇壇

嘉靖十一年，卽山川壇爲天神、地祇二壇，以仲秋中旬致祭；别建太歲壇，專祀太歲，東廡爲春秋月將，西廡爲夏冬月將，各二壇。前爲拜殿、宰牲亭，南爲川井，卽山川壇舊井，有龍蟄其中。壇西南有先農壇，東旗纛廟，壇南耤田在焉。十年，定太歲月將祭期，歲於孟春享廟，歲暮祫祭之日，遣官行禮。隆慶元年，禮官議：天神、地祇，既從祀南北郊，仲秋不宜復有神祇壇之祭。罷之，而太歲之祭如故。春明夢餘録。天神壇方廣五丈，高四尺五寸五分，四出陛各九級。壝牆方二十四丈，高五尺五寸，厚二尺五寸。櫺星門六，正南三，東西北各一。内設雲形青白石龕四於壇北，各高九尺二寸五分。地祇壇面濶十丈，進深六丈，高四尺，四出陛各六級；壝牆方二十四丈，高五尺五寸，厚二尺四寸。櫺星門亦如神壇，内設青白石龕山形三、水形二於壇北，各高八尺二寸，左從位山水形各一於壇東，右從位山水形各一於壇西，各高七尺六寸。同上。

明太歲壇

太歲壇在山川壇内，中爲太歲壇，東、西兩廡，南爲拜殿。殿之東南砌燎鑪，殿之西爲神庫、神廚、宰牲亭，亭南爲川井。外四天門，東門外爲齋宫、鑾駕庫，外爲東天門。春明夢餘録。明嘉靖祀典：禮臣上言：太歲之神自唐、宋以來，祀典不載，惟元有大興作，祭於太史院，亦無常祭，國朝始有定祀，是以壇宇之制，於古無稽。按説文：太歲，木星也。一歲行一次，應十二辰，而一周天。其爲天神明矣，亦宜設壇露祭。但壇制無考，應照社稷壇築造，高廣尺寸差爲減殺，庶於壇適宜。詔：可。

華陽吴祖椿校

京師志六

侯官陳蕭纂　江陰繆荃孫覆輯

祠祀

傳曰：事神以爲民也。清受天命，撫有方夏，凡夫郊丘、宗廟、社稷諸大祀，既有常所矣。用推其典，以懷柔百神，諸有功德於民及捍災禦患以死勤事者，咸崇飾廟貌，以揭虔妥靈，而一切神君、竈鬼，諸布嚴逐之倫不得與焉。非古者爲民之義，與星羅雲屬，翊衛皇居，嶽鬼瀆祇，趨走帝室，儼如也，翼如也，祀於洛邑，咸秩無文，周之盛也，我國家其邁之哉。志祠祀。

歷代帝王廟在阜成門内大街，南向。廟門三間，左右門各一，前石梁三。内景德門五間，崇基石闌，前後三出陛，中十有一級，左右各九級，左右各一門。景德崇聖殿九間，重檐，崇基石闌，南三出陛，中十有三級，左右各十有一級，東、西一出陛，各十有二級。兩廡各七間，燎、鑪各一。殿東御碑亭一。後祭器庫五間，均南向。景德門外東爲神庫、神廚，各三間，宰牲亭、井亭各一；西爲承祭官致齋所。東南鐘樓一。圍垣周百八十六丈三尺八寸。廟門外東、西下馬牌各一。凡正殿、門廡，均覆緑琉璃，門楹塗丹，梁棟五采。（大清會典七十一。事例三百五十一：乾隆十八年，奏准帝王廟正門額書景德門，請增崇聖二字。）廟建於明嘉靖十年。（日下舊聞考五十一。明典彙：嘉靖十年三月，歷代帝王廟成。先是，中允廖道南請撤靈濟宫神，改設帝王廟。禮部以所在窄隘，宜擇地別建。於是工部相度阜成門内保安寺故址，舊爲官地，改置神武後衛，地勢整潔，且通西壇，可鼎新之。詔：可。遣工部侍郎錢如京督工，工完，上親詣廟。蕭端蒙京師新建帝王廟碑：皇帝御㝢，二紀於兹，明禮飭樂，以化天下，損益舊章，適於中道，既正二郊，造九廟，作明堂，舉大禘，立社稷，敦先師，懷柔百神，咸秩其祀。屬以古先帝王之廟，遠在南京，其於崇享之意，闕而未備，乃詔於京師立廟，歲時報祀如常儀。竊惟三恪之禮，肇於先王，八君之祀，列之祭法，所以欽崇先烈，永其祀事者至矣。自秦而下，廢而不講者千年；隋始制爲常祀，各廟所都；唐天寶間，乃以羣臣議，置三皇、五帝廟各一於京師。皇祖定鼎金陵，緣先王之意，采隋、唐之制，立廟雞鳴山陽，以三皇、五帝、三王、漢、唐、宋及勝國創業諸主祀焉。其歷代名臣，自風后、力牧而下，凡三十七人，各以其序配食於廟廷，有司歲祀，有隆無替。車駕北徙，坎壇祠廟更造並置，悉如南都之故，獨帝王之廟未有所立。頃歲乃命司空度基，詹尹諏日，經之營之，以成兹室，蒐百年之遺典，成一朝之偉觀。臣竊以爲兹舉也，四善具焉：崇德報功，不闕不濫，宏教也；備物盡文，以褒先世，廣仁也；同堂而食，選勞而享，茂制也；援墜補廢，弼成鉅憲，至明也。有是四者，不有所述，其奚以示來世？乃再拜爲之辭曰：明明天子，冠德履仁。粹道沕潏，元化流淳。創物垂範，登三邁五。制法興王，進退今古。惟其有之，是以似之。奕奕寢廟，聿崇祀之。有庭其殖，有室其翼。神其戾止，以享以懌。介我景福，佑我其延。子子孫孫，勿替歷年。）本朝順治二年及康熙六十一年，疊奉欽定增祀。雍正二年，世宗憲皇帝親詣行禮，七年重修。（舊聞考。）

御製碑文　歷代帝王崇祀之制，肇於唐天寶七載，始置廟京城，止及三代以前而已。明洪武六年，始於金陵立廟。嘉靖十年，乃建於京師阜成門内。當明初定制時，議禮之臣不能通知大體，崇祀祇創業之君，從祀惟開國之臣。自兹以後闕焉。我皇考聖祖仁皇帝秉大公之道，折衷百代，深惟祀典之宜修康熙六十一年特頒諭旨，命廷臣詳悉，從容確議具奏。逮朕紹緒之初，廷議始上，舊崇祀帝王二十一位，今增一百四十三位，舊從祀功臣三十九人，今增四十人。朕遵奉先志，重書牌位，諏吉入廟，行祭告之禮。仰惟聖祖仁皇帝用意之厚，立論之正，夐乎不可及也。夫三代以上，若夏啟之能敬承，殷之太甲、太戊、武丁，周之成王、康王、宣王，頌美詩書，光耀史牒。三代以下，英君哲后，或繼世而生，則德教累洽，或間世而出，則謨烈重光，胥能致海宇之乂安，躋斯民於康阜，嘉言傳於信史，善政式爲良規。至凡蒙業守成之主，即或運會各殊，屯亨不一，苟無聞於失德，咸帝命所寵綏。爰及歷代名臣，亦皆川嶽鍾靈，爲時輔佐，功在社稷，德協股肱，比諸從龍之彦，何多讓焉！而尚論未詳，明禋久曠，其爲缺略也大矣。夫欽崇往哲，景企前徽，明德可懷，羹牆興慕，睠流風之所被，洵歷世而勿諼。若乃擴追遠之鴻規，破拘墟之臆見，自非忠厚立心，寬仁爲量，卓識超於千古，盛德冠於百王，未有能論及此者，典禮修明，有待今日。然則聖祖皇帝之重加釐定，公當周詳，誠千萬世莫及之仁心，而千萬世不易之定論也。廟貌既新，敍述本末，鐫於青珉，用昭示久遠焉。

乾隆二十九年又修，易蓋正殿黄瓦，高宗純皇帝親詣行禮。舊聞考。

御製碑文　歷代帝王之祀，其準古遷廟觀德遺意，而推而放之者歟？書曰：七世之廟，可以觀德。疏家以爲世祧者迭遷，德盛者弗毀。蓋就一朝爲言。而周禮鄭氏四類注稱：三王、五帝、九皇、六十四氏咸祀之，繁露引爲自近遡遠之明證。斯正合食所權輿。然漢、魏以來，有司具儀，率求之肇迹建都，而不聞立廟。洎唐迄明，廟立而代以專祀開創爲常，其制又缺焉未備。我皇祖聖祖仁皇帝康熙六十一年，敕諭禮官增祀，苟非失德失器，即蒙業守成者皆得與饗。我皇考世宗憲皇帝，丕纘先型，詳定位次，臨御伊始，親詣視成，著於奎文者綦悉。間考舊史所記，創守難易之辨，尠有折衷定論，以是對揚曩昔所爲法施於民者，不克兼既其實，獨斤斤於門於坊，具顔之曰景德景德焉爾，德故若是其偏而不舉耶？惟祖宗懋敬厥德，咸秩孔修，觀法之所存，即知戒之所寓，義至深遠。大雅不云乎：天難忱斯，不易維王。召公奭迪王祈天永命，一則曰監于有夏，再則曰監于有殷。寢假入廟而徵統系，由百世之後等百世之王，以自昭代概之，皆名之爲勝國，有不深廑夫屋與墟之儆，而怵惕動容者哉！顧於其間歷選列辟，若稽古之化浹烝人，治光往牒者，罔不穆穆棣棣，式在几筵。崇異代同堂之報，故於世數之遷，而得其示戒於無形，抑於世數之屢遷而不遷，而得其垂法。於有永稔乎此者，觀德之意愈以犂然而興矣。廟自雍正癸丑繕葺，距今且三十載。爰以乾隆壬午，出内帑金，庀而飭之。故事瓴甋甃以純緑，兹特易蓋正殿黄瓦，用昭舄奕。工告訖功，適屆甲申季春吉祀，祗承家法，躬薦新宫。已爲長律述事，揭言其大指，會所司請製文並鍥諸碑，復詳闡之如此。

景德崇聖殿，中一龕，供太昊伏羲氏、炎帝神農氏、黄帝軒轅氏位。左一龕，供少昊金天氏、顓頊高陽氏、帝嚳高辛氏、帝堯陶唐氏、帝舜有虞氏位。右一龕，供夏王禹、啟、仲康、少康、杼、槐、芒、泄、不降、扃、廑、孔甲、皋、發；商王湯、太甲、沃丁、太庚、小甲、雍己、太戊、仲丁、外壬、河亶甲、祖乙、祖辛、沃甲、祖丁、南庚、陽甲、盤庚、小辛、小乙、武丁、祖庚、祖甲、廩辛、庚丁、太丁、帝乙位。左二龕，供周武王、成王、康王、昭王、穆王、共王、懿王、孝王、夷王、宣王、平王、桓王、莊王、僖王、惠王、襄王、頃王、匡王、定王、簡王、靈王、景王、悼王、敬王、元王、貞定王、考王、威烈王、安王、烈王、顯王、慎靚王位。右二龕，供漢高祖、惠帝、文帝、景帝、武帝、昭帝、宣帝、元帝、成帝、哀帝、光武帝、明帝、章帝、和帝、殤帝、安帝、順帝、沖帝、昭烈帝、晉元帝、明帝、成帝、康帝、穆帝、哀帝、簡文帝、魏道武帝、明元帝、太武帝、文成帝、獻文帝、孝文帝、宣武帝、孝明帝、宋文帝、孝武帝、明帝、齊武帝、陳文帝、宣帝位。左三龕，供唐高祖、太宗、高宗、睿宗、元宗、肅宗、代宗、德宗、順宗、憲宗、穆宗、文宗、武宗、宣宗、懿宗、僖宗，後唐明宗，後周世宗，遼太祖、太宗、景宗、聖宗、興宗、道宗、宋太祖、太宗、真宗、仁宗、英宗、神宗、哲宗、高宗、孝宗、光宗、甯宗、理宗、度宗、端宗位。右三龕，供金太祖、太宗、世宗、章宗、宣宗、哀宗，元太祖、太宗、定宗、憲宗、世宗、成宗、武宗、仁宗、泰定帝、文宗、甯宗、明太祖、惠帝、成祖、仁宗、宣宗、英宗、景帝、憲宗、孝宗、武宗、世宗、穆宗、愍帝位，均南向。歷代配饗名臣，東廡：風后、蒼頡、夔、伯夷、伊尹、傅說、召公奭、畢公高、召穆公虎、仲山甫、張良、曹參、周勃、魏相、鄧禹、耿弇、諸葛亮、房元齡、李靖、宋璟、郭子儀、許遠、李晟、裴度、曹彬、李沆、王曾、富弼、文彥博、李綱、韓世忠、文天祥、宗翰、穆呼哩布呼密、徐達、常遇春、楊士奇、于謙、劉大夏位；西廡：力牧、皋陶、龍、伯益、仲虺、周公旦、太公望、吕侯、方叔、尹吉甫、蕭何、陳平、劉章、丙吉、馮異、馬援、趙雲、杜如晦、狄仁傑、姚崇、張巡、李泌、陸贄、耶律赫嚕、吕蒙正、寇準、范仲淹、韓琦、司馬光、趙鼎、岳飛、宗望、斡魯巴延、托克托、劉基、李文忠、楊榮、李賢位。禮部則例一百二十。乾隆四十九年諭：朕因覽四庫全書内大清通禮一書所列廟祀，歷代帝王位號乃依舊會典所定，有所弗愜於心。敬憶皇祖實録，有敕議增祀之諭。今查取禮部原議紅本，則係康熙六十一年十一月内具題，爾時諸臣不能仰體聖懷，詳細討論，未免因陋就簡。我皇祖諭旨，以凡帝王曾在位者，除無道、被弒、亡國之主，此外盡應入廟，卽一、二年者亦應崇祀。煌煌聖訓，至大至公，上自羲軒，下至勝國，其間聖作明述之君，守文繼體之主，無不馨香妥侑，不特書生臆論無能仰喻高深，卽歷代以來升禋議禮，未有正大光明若此者也。乃會議疏内聲明，偏安、亡弒不入祀典，而仍入遼、金二朝，不入東西晉、元魏、前後五代，未免意有偏向，視若仰承聖意，而實顯與聖諭相背。朕意若謂南北朝偏安，不入正統，則遼、金得國，亦未奄有中原，何以一登一黜？適足啟後人之訾議。卽因東西晉、前後五代，有因篡得國，擯而不列，如操、丕不得爲正統之例，殊不知三國時正統在昭烈，故雖以陳壽三國志之尊魏抑蜀，而卒不能奪萬世之公評。至司馬氏篡竊以還，南朝神器數易，如宋武帝崛起丹徒，手移晉祚，自不能掩其篡奪之罪。其他雖祖宗得國不正，而子孫能繼體承休，卽爲守文中主，亦不可概從闕略。況自漢昭烈以至唐高祖，統一區夏，時之相去三百餘年，其間英毅之辟，節儉之主，史不絕書，又安可置而不論？至於後五代，如朱温以及郭威，或起自寇竊，或身爲叛臣，五十餘年，更易數姓，中華統緒，不絕如縷，然周世宗承藉郭氏餘業，憑有疆域，尚不失爲令主，此而概不列入，則東西晉、前後五代數百年間創守各主，祀典缺如，何以協春秋公論？他如元魏，雄據河北，地廣勢强，太武、道武，勤思政理，講學興農，亦可爲偏安英主，並當量入祀典，以示表章。朕前命館臣録存楊維禎正統辨，諭詳晰宣論，以維禎所辨正統在宋，不在遼、金之説爲是，所以存春秋綱目之義，見人心天命之攸歸。且檢閲孫承澤春明夢餘録所載明代崇祀古帝王位號，原本列遼、金二朝，今通禮内崇祀遼、金，而不入東西晉、前後五代，似此互相入主出奴，伊于何底？是皆議禮諸臣有懷偏見，明使後世臆説之徒，謂本朝於歷代帝王未免區分南北，意存軒輊，甚失皇祖降諭之本意也。至明之亡國，由於神、僖二宗紀綱隳而法度弛，愍帝嗣統時，國事已不可爲，雖十七年身歷勤苦，不能補救傾危，卒且身殉社稷，未可與荒淫失國者一例而論。是以皇祖睿裁，將神、僖二宗撤出，而愍帝則特令廟祀，褒貶予奪，毫釐不爽，實千古大公定論。乃諸臣於定議時轉復將漢之桓、靈增入，豈未思炎漢之亡，亡於桓、靈而不亡於獻帝乎？從前定議，未將東漢全局詳審論斷，轉使昏闇之君濫叨廟食，所議未爲允協。夫自古帝王統緒相傳，易代以後，饗祀廟廷，原以報功崇德，至於嚴篡竊之防，戒守成之主，或予或奪，要必衷於至當，而無所容心於其間，方協彰癉之義。所有歷代帝王廟祀典，著大學士、九卿更行悉心詳議具奏，並著於定議後交四庫館，恭録皇祖諭旨並朕此旨於通禮廟饗卷首，以昭殷鑒歷朝、垂示萬年之至意。隨遵旨，議增祀晉元帝、明帝、成帝、康帝、穆帝、哀帝、簡文帝、宋文帝、孝武帝、明帝，齊武帝、陳文帝、宣帝，元魏道武帝、明元帝、太武帝、文成帝、獻文帝、孝文帝、宣武帝、孝明帝，唐明宗，周世宗，共二十三帝。又另單議請增祀唐憲宗、金哀宗共二帝。奉諭旨：大學士、九卿等會議，增祀兩晉、元魏、前後五代各帝王一摺，並聲請唐憲宗、金哀宗應否一體增祀等語，憲宗處唐中葉，各鎮節度憑陵跋扈，僭叛不臣，憲宗命將專征，削平淮西，厥功頗偉，在有唐一代中尚屬英主，其末年被弑，係禍變猝乘，與荒亂失德召變致衅者不同。至金哀宗處衰弱之時，國勢已不可問，推其致敗之由，實因海陵淫虐階厲，哀宗自縊殉國，與明之愍帝事同一例，自應一體增祀。餘俱著照所議行。禮部冊。每歲春、秋仲月，擇日致祭。禮部則例。

先師廟在安定門内太學左，南嚮，街門西爲持敬門，西嚮。大成門崇基石闌，前後三出陛，門左右列戟二十有四，石鼓十，右石鼓音訓碣一，左右各一門，門内東西列舍，北嚮。大成殿崇基石闌，三出陛，兩廡東西嚮，殿東西列舍，南嚮。西廡南燎鑪一，西北瘞坎一，甬道左右御碑亭。大成門外，東爲神廚，宰牲亭、井亭各一，西爲神庫、致齋所、更衣亭。每科進士題名碑，分列左右。會典七十一。元初，廟燬於兵，王檝請以金樞密院地創之，於是置學南城，並立廟。世祖至元二十四年，遷都北城，以南城國子監爲大都路廟學，廷議另建，久而未成。國子監志二。大德六年初建，十年廟成。元成宗紀。明永樂九年，依舊地重建。嘉靖九年，改大成殿爲先師廟，大成門爲廟門。明禮志。萬曆二十八年，易琉璃瓦。春明夢餘録。國朝順治八年重修。乾隆二年改用黃瓦，三十二年重修，有高宗純皇帝御製碑文。舊聞考六十七。

御製重修文廟碑記　舉江淮河濟以贊海，吾知其不知海；舉嵩岱恆華以贊地，吾知其不知地。然則舉道德仁義以贊孔子者，其亦類於是乎？夫江淮河濟豈不爲海所納？而不足以形海之大，然海固不拒江淮河濟以爲水也；嵩岱恆華豈不爲地所載？而不足以究地之厚，然地固不讓嵩岱恆華以爲土也；道德仁義豈不爲孔子所垂？而不足以盡孔子之量，然孔子固不外道德仁義以爲教也。教之義始見於虞書，而未有定所，夏校、殷序、周庠，學則三代共之，是國學所昉乎？夫三代既有學，亦必有教，而吾以爲孔子立道德仁義之教者何？蓋三代以前之教，非孔子不明，三代以後之教，非孔子不立，亦猶江淮河濟非海不納，嵩岱恒華非地不載，道德仁義非孔子不垂也。國學始於元太祖置宣聖廟於燕京，由元及明，代有損益修葺，至本朝而崇奉規模爲大備。列聖右文，臨雍必事輪奐。乾隆戊午，朕詣學展儀，先詔易蓋黄瓦，聿昭茂典，然丹艧雖致飾壯觀，而上棟下宇，風雨燥溼，歷年既久，浸敝是虞。爰以歲丁亥，發帑二十餘萬，特簡重臣司其事。越己丑，仲春告蕆工，朕親釋奠，以落成焉。先是，言臣有以宜乘此時修復辟雍圜水之制爲請者，禮官以爲三代之制弗相沿襲，實政不必泥古。朕以其言良是，遂從之。門殿諸額，一凖會典，皆親書，各懸於其所。舉大工者必泐碑以誌，故敍其事書之。若夫述孔子之言，仍以頌孔子，是猶繪日月星辰以象天，朕有所不能。三十三年，改先師廟爲大成殿，門爲大成門。國子監志二。每歲春、秋仲月，擇日致祭。禮部則例。

聖祖仁皇帝御書額曰萬世師表。世宗憲皇帝御書額曰生民未有。高宗純皇帝御書額曰與天地參。仁宗睿皇帝御書額曰聖集大成。宣宗成皇帝御書額曰聖協時中。文宗顯皇帝御書額曰德齊幬載。穆宗毅皇帝御書額曰聖神天縱。今上御書額曰斯文在兹。殿中南嚮，安設至聖先師孔子神位。東旁西嚮，復聖顔子、述聖子思子位。西旁東嚮，宗聖曾子、亞聖孟子位。次東西嚮，先賢閔子損、冉子雍、端木子賜、仲子由、卜子商、有子若位；次西東嚮，先賢冉子耕、宰子予、冉子求、言子偃、顓孫子師、朱子熹位。

東廡祀先賢公孫僑、林放、原憲、南宫适、商瞿、漆雕開、司馬耕、梁鱣、冉孺、伯虔、冉季、漆雕徒父、漆雕哆、公西赤、任不齊、公良孺、公肩定、鄡單、罕父、黑榮旂、左人郢、鄭國、原亢、廉潔叔、仲會、公西輿如、邽巽、陳亢、琴張、步叔乘、秦非、顔噲、顔何縣、亶牧皮、樂正克、萬章、周敦頤、程顥、邵雍，先儒公羊高、伏勝、毛亨、孔安國、后蒼、許慎、鄭康成、范甯、陸贄、范仲淹、歐陽修、司馬光、謝良佐、羅從彦、李綱、張栻、陸九淵、陳淳、真德秀、何基、文天祥、趙復、金履祥、陳澔、方孝孺、薛瑄、胡居仁、羅欽順、吕柟、劉宗周、孫奇逢、張履祥、陸隴其、張伯行。

西廡祀先賢蘧瑗、澹臺滅明、宓不齊、公冶長、公皙哀、高柴、樊須、商澤、巫馬施、顔辛、曹卹、公孫龍、秦商顔、高壤駟、赤石作、蜀公、夏首、后處、奚容蒧、顔祖、句井、疆秦、祖縣成、公孫句、兹燕伋、樂欬、狄黑、孔忠、公西蒧、顔之僕、施之常、申棖、左邱明、秦冉、公明儀、公都子、公孫丑、張載、程頤，先儒穀梁赤、高堂生、董仲舒、劉德、毛萇、杜子春、諸葛亮、王通、韓愈、胡瑗、韓琦、楊時、尹焞、胡安國、李侗、吕祖謙、袁燮、黄榦、輔廣、蔡沈、魏了翁、王柏、陸秀夫、許衡、吴澄、許謙、曹端、陳獻章、蔡清、王守仁、吕坤、黄道周、陸世儀、湯斌。國子監志七。

崇聖祠在大成殿後，本名啟聖祠，明嘉靖九年建，國朝雍正元年，加封先師五代，並爲王爵，奉敕易名。正中南嚮，肇聖王木金父公，裕聖王祈父公，詒聖王防叔公，昌聖王伯夏公，啟聖王叔梁公位。東旁西嚮，先賢孔氏孟皮、顏氏無繇、孔氏鯉位。西旁東嚮，先賢曾子晳、孟孫氏激位。東廡祀先儒周氏輔成、程氏珦、蔡氏元定。西廡祀先儒張氏迪、朱氏松。乾隆三年，易蓋琉璃瓦，三十二年重修。國子監志二。土地祠在崇聖祠後。禮部則例百二十五。

關帝廟在地安門外，南向，繚以周垣。廟門一間，左右門各一，正門三間。前殿三間，三出陛，各五級。東、西廡各三間。殿西御碑亭一。東廡燎鑪一，廡北齋室各三間。殿後界牆重門三，内後殿五間，東、西廡及燎鑪與前殿同。殿後東爲祭器庫，西爲治牲所，各三間。石梁一，在廟門外。凡正殿門廡，均覆緑琉璃，餘均甋瓦，門楹丹雘，梁棟五采。會典七十一。廟建於洪武年間，至成化十三年重修。舊聞考四十四。商輅關帝廟碑：漢壽亭侯廟在都城西北隅，蓋洪武中建。太宗文皇帝嘉侯功烈，特頒龍鳳黄紵絲旂一面，揭竿竪之，以彰威靈。每歲正旦、冬至及朔望祭祀，香燭等儀具有恒品。列聖相承，崇奉益嚴。第歲月滋久，殿堂門廡浸以頽圮。成化丁酉春二月初吉，皇上申命内官監太監宿政董衆工，發羣材，重加修葺，朽者更之，腐者易之，圮者正之，缺者補之，漫漶者增飾之，塗以丹漆，傳兹藻繪。於是正殿、兩廊、重門，皆焕然一新。掄木植竿，内製暗花、柳黄紵絲旂揭之，並製紵絲大紅織金等袍服，青織金雲幡，被之、懸之，添設神桌、神龕、黄綾帷幔、朱紅竹簾、黄銅香鑪、花瓶燭臺，凡供用之器，罔有不備。後嫌於窄隘，復命太監金輔賫内帑白金若干，偕宿政市民居房地展之，并付本廟，永奉香火。内植松柏，外列垣墉，規模廣大，觀者起敬。政等以竣事聞，上深嘉悦，命臣輅撰文，勒之穹碑，垂示永久。臣輅頓首受命。謹按：侯姓關氏，諱羽，字雲長，本河東解人。聞涿郡先主聚徒鄉里，匡扶漢室，遂往歸之。時與張飛翼德齊名。先主及二人寢則同牀，恩若兄弟，遂累建奇勳，三分天下，使炎鼎獲存，漢統復續，侯之功居多。侯精忠大義，炳若日星，千載之下，凛然猶有生氣，祠廟之設，徧於天下。然涿郡發迹之地，順天爲涿之會府，都城有廟，揆理尤宜。祭法曰：聖王之制祭祀也，以勞定國者祀之，以死勤事者祀之，侯蓋兼之矣。歷代累封王爵，備極褒崇。我皇明重定典禮，忠臣烈士一依當時秩號，此漢壽亭侯之稱，所謂有合於先王之制也與？當天子懷柔百神之日，聿新祠宇，祇薦祀事，所以報大功於異代，祈景貺於方來，無非爲國家，爲生民計也。自是以往，陰陽調而風雨時，五穀熟而民人育，國有禎祥，物無疵癘，永濟斯世於雍熙太和之盛，則侯之所以翊贊乎佑我聖明者，其功不亦偉乎！臣略謹敍述其事，而系之以詞曰：

桓桓虎臣，生丁漢季。資兼文武，至誠忠義。修髯如戟，雄才卓異。傾心先主，力扶宗社。釁魏踣吴，所向風靡。漢祚復延，厥功爲最。侯之勳業，著於當代。侯之英靈，昭於永世。洪惟天朝，奄有四海。護國庇民，神功甚大。立廟都城，用伸報祀。肆惟皇上，述事繼志。聿新祠宇，度越前制。惟侯陟降，洋洋如在。佑我皇明，永錫帝系。聖壽萬年，鴻圖億載。福禄自天，有降無替。成化十三年六月十三日。

每歲春、秋仲月諏吉及五月十三日致祭，雍正三年定。禮部則例百二十五。雍正三年，封神曾祖爲光昭公，祖裕昌公，父成忠公，崇配後殿。舊聞考四十四。

御製重修關帝廟碑記　人之道，非聖無以臻其極，至聖不可知而謂之神。如書所頌乃聖乃神，與夫炎帝之稱神農，夏禹之稱神禹者，希焉。若神之道，旼旼穆穆，自日星河嶽，爰逮坊庸門霤之各顓其職，靡不緣司契以定主名，則純乎神而非人之所得預者。生爲英，歿爲靈，其功德勿沫於世，世亦相與俎豆尸祝以神之，然未有不推乎正直聰明，足立萬禩人倫之表，故丵然尊而宗之以爲神聖焉。蓋聖而神之，所以著聖道之精，神而聖之，所以明神道之正，若是者嘗求諸先聖、先師而外，厥惟關聖大帝克以當之。考神生值炎漢之季，炳大節，鋤姦回，本末具載志傳。要之，超倫軼羣，其志在春秋，其氣浩然常塞乎天地，以故前代屢致褒崇，至我朝而愈顯。且神蹟不可殫記，而於行師命討爲益彰，自順治九年敕封忠義神武，迨康熙、雍正間，詔晉三代公爵，增置五經博士。及朕臨御，以神原謚因襲陳壽舊史，名義未孚，每廑於懷。我國家久仰靈威，近於西師之役，復昭蒙佑順，因特加封曰忠義神武靈佑，並允太常議於地安門外神廟，恭書新號神牌，門殿易蓋黄瓦，其歲渝舊葺，陊剥者垔之髹之，俾稱茂典，以今年仲冬月訖工。宋臣蘇軾言，神在天下如水之在地中，無所往而不在。顧由斷港絶潢達乎河濟江淮，不能不以溟澥觀其匯；由墟落廛市赴乎赤畿望緊，不能不以都會統其歸。於焉求神之所憑依，詎惟是褒大其封，鼎新其宇，用備昭報之靡文云爾哉！將闡夫神與聖之所從來，所以爲人道扶植綱常，助宣風教，即制祀之原胥不外是。其他稗野所載，怪偉荒忽，事蹟不見正史者，闕而不書，懼褻神並誣聖也。五年修廟，御書忠貫天人額懸廟中。畿輔唐志。順治九年，封忠義神武。乾隆三十三年，加封靈佑。嘉慶十八年，加封仁勇。道光八年，加封威顯。禮部則例百二五。咸豐二年，加封護國；三年，加封保民；六年，加封精誠；七年，加封綏靖。同治九年，加封翊贊。光緒五年，加封宣德。咸豐七年，進帝三代王爵。禮部冊。廟以白馬得名，元混一方輿勝覽以慕容氏都燕，羅城有白馬前導，因以爲祠，而廟碑載明英宗夢見帝乘白馬，故名，所説不同，然神之昭布顯赫，益可想見矣。舊聞考四十四。一在正陽門月城之右。廟内一焦竑撰記，董其昌書。一萬曆癸丑張橋撰記，耿志煒書。一萬曆丁丑趙端庭撰記，白紹經書。其義聖忠王四大字碑，則天啟元年建也。禮部題定祀典碑，天啟七年建也。今並存。九門月城，俱有關帝廟，而士民香火之盛，以正陽門爲首。舊聞考四十三。本朝道光八年修。采訪冊。一在西四牌樓宣武街西，額曰雙關帝廟，蓋兩像並祀也。不知何時所建，元泰定間修。五城寺院冊。廟內有元李用、吴律二碣；又明碑三：一爲正統十年侍讀學士苗衷撰，一爲宏治十五年光禄卿張天駿撰，一爲嘉靖十九年通政司右參議蔡文魁撰。本朝乾隆三十六年重修。舊聞考五十二。一在慈源寺東，曰姚彬關王廟。俗傳吴將姚彬盜關公馬被獲，强不屈。廟塑縛彬像，公戎服作色左顧彬，彬反面，色不屈。侍將七人怒視彬，縛彬者仰公顏色而受命，馬回望公，其色噴沫。人曰隋時像也。帝京景物略。一在西紅廟東，舊稱團營關帝廟。考明景泰間，于謙選三大營兵，分十營團練，英宗復辟，廢之。成化間復立，增爲十二。此廟乃明代團營所祀之神，俗稱東紅廟，與西廟對峙者也。本朝順治十二年奉敕重建，賜名忠義。殿前恭立世祖章皇帝御碑文。舊聞考一百七。

世祖章皇帝御製重建忠義廟碑記　朕聞國家靈長之運，必憑藉高穹元貺而乃永於無疆者，其明禋崇報當何如耶！兹都城北德勝門外土城前，舊有關聖廟一座，創自明朝，已歷多年。其間污漫傾頽，瞻禮不雅。朕念神威赫奕，忠義昭然，有感必應，有禱卽靈，隨發誠意，遣官重飾廟宇，莊嚴聖像。復建東、西兩廊，山門圍牆，皆焕然一新，是豈無緣而致之也哉！今已功成，噫嘻盛歟！作廟翼翼，億萬斯年。左、右明碑二：一爲吏部尚書李東陽撰，正德四年立；一爲禮部尚書費寀撰，嘉靖丁未重修記。舊聞考一百七。一在恩濟莊路東，雍正十二年，世宗憲皇帝賜内監等塋地一區，名恩濟莊，並於其地敕建，於乾隆三年二月落成。户部尚書海望撰碑記，乾隆五年七月立。舊聞考九十七。一在顯應寺西，廟創於康熙五十二年，前供馬王像，後爲關帝殿。乾隆十八年重修，工部侍郎德保撰記立石。舊聞考九十七。一在長春園大東門外大石橋，一在二河閘，皆係本朝建立。舊聞考九十九。

文昌帝君廟，在地安門外之東。禮部則例百二十五。大門三間，左、右門各一，正殿三間，東、西配殿各三間，魁光閣三間，御書碑亭一，鐘、鼓樓各一，後殿五間，具服殿三間，配殿三間，會典事例六百六十三。明成化年建，國朝嘉慶六年重修。每歲以二月初三日及仲秋月諏吉致祭。嘉慶六年，定後殿奉文昌帝君先代神位。禮部則例百二十五。按：嘉慶六年太常寺奏准，文昌帝君三代姓名，查無確據，未便請加封號，謹擬增製神牌一分，牌面書文昌帝君先代神位字樣。嘉慶六年諭：京師地安門外，舊有明成化年間所建文昌帝君廟宇，久經傾圮，碑記尚存，特命敬謹重修，現已落成，規模聿焕。朕本日虔申展謁，行九叩禮。敬思文昌帝君主持文運，福國佑民，崇正教，闢邪説，靈迹最著，海内崇奉，與關聖大帝相同，宜列入祀典，用光文治。著交禮部、太常寺，將每歲春、秋致祭之典，及一切儀文，仿照關帝定制，詳查妥議具奏。

先醫廟，在太醫院署内之左，圍垣一重，廟門一間，咸濟門三間，左、右更衣室各三間，景惠殿三間，南向，左、右步廊六間，東、西廡各五間，廟門南燎鑪一。凡正殿門廡，覆甋瓦，門楹丹雘，梁棟五采。會典七十一。明嘉靖年間建，春明夢餘録。湧幢小品：太醫署中有三皇小像，世廟從侍醫之請，作景惠殿，令大臣春、秋主祀。本朝同治十一年重修。采訪冊。正中奉太昊伏羲氏，左炎帝神農氏，右黃帝軒轅氏，均南向。東配句芒、風后，西向；西配祝融、力牧，東向。東廡僦貸季、天師、岐伯、伯高、少師、太乙、雷公、伊尹、淳于意、華陀、皇甫謐、巢元方、藥王、韋慈藏、錢乙、劉完素、李杲；西廡鬼臾區、俞跗、少俞、桐君、馬師皇、神應王、扁鵲、張機、王叔和、抱樸子、葛洪真人、孫思邈、啟元子、王冰、朱肱、張元素、朱彥修：均東、西向。禮部則例一百二十五。每歲以春、冬仲上甲日致祭，順治元年定。禮部冊。

都城隍廟，在宣武門內，西單牌樓西鬧市口城隍廟街。采訪冊。繚以周垣，廟門順德門，闈威門，凡三重，均三間，左右門各一。前殿五間，東、西兩廡各三間，迴廊各二十二間，連檐通脊。前爲甬道，東御碑亭一，西燎鑪一。後殿五間。闈威門外東爲治牲所三間，井亭一，門南。東、西鐘鼓樓各一。凡殿宇門廡，覆甋瓦，門楹丹雘，梁棟五采。會典七十一。廟建於元至元四年。采訪冊。天曆二年加封大都城隍神爲護國保寧王，夫人爲護國保寧王妃。元史。虞集大都城隍廟碑：世祖聖德神功文武皇帝至元四年歲在丁卯，以正月丁未之吉，始城大都，立朝廷、宗廟、社稷、官府、庫庾，以居兆民，辨方正位，井井有序，以爲子孫萬世帝王之業。七年，太保臣劉秉忠、大都留守臣段貞、侍儀奉御臣和坦伊蘇、禮部侍郎臣趙秉温言：大都城既成，宜有明神主之，請立城隍神廟。上然之，命擇地建廟。如其言。得吉兆於城西南隅，建城隍之廟，設像而祠之，封曰佑聖王，以道士段志祥築宮其旁，世守護之。自內廷至於百官庶人，水旱疾疫之禱，莫不宗禮之。邇來六十有餘年，國家治平，民物繁阜，日盛一日，而神之所依亦厚矣。祀典之載，所謂有其舉之而莫之敢廢者歟？迺天曆二年二月庚子，皇后遣內侍傳旨中政院臣，使言於上曰：城隍神廟，世祖皇帝時所建，有禱必應，烜赫彰著，而廟久敝弗葺，無以答神明之貺，以繼世祖之意。請出內帑寶鈔五萬緡以修。制曰：可。命京尹臣賈某董之。太史以諏日弗協，請俟其吉。九月，參知政事臣趙世安等奉敕封神曰護國保甯佑聖王，其配曰護國保甯佑聖王妃。至順二年二月癸亥，以前所賜爲未足用，增賜寶鈔十萬緡，大修治之。平章政事臣阿爾哈雅、工部尚書臣永和爾實奉詔領其事，且命之曰：庀工而有餘資，賜諸廟中，給恆用。於是工部率其屬以卽役，土木瓦石，金碧丹堊，既善既足，百工並作，無敢不虔，未幾而告功。於是有敕史臣集製文，刻石以垂示無窮。臣集拜手稽首而言曰：聖上受命自天，纂承大統，武臣著功在盟府，百靈相協，固其宜哉。聖后輔佐聖明之成功，而一神之報亦不敢忘，可以觀德，可以致福，可以示勸於臣矣。於戲盛哉！請系以詩曰：惟皇建國，宅中圖大。臨制萬方，式表無外。列雉四周，壯於天垣。爰立明神，以保固完。司空奉詔，慎擇吉土。作廟坤維，以祝休嘏。相維典則，有社有方。羣黎萬姓，罔敢禬禳。惟神孔邇，有堂有寢。曰豫則康，威怒斯凜。歲時牲牢，旨酒明粢。無有小大，士女畢來。列聖清明，歲行六十。風氣宣通，民物豐殖。相爾檐桷，丹堊弗新。何以妥之？俾佑我人。皇上至仁，思保赤子。聖后念之，命禱靈時。天高日明，風塵不驚。大開明堂，治功告成。有祈有報，伊古三道。出財宮府，撤弊改撓。山藻孔久，既閒且安。度其王封，載加彌尊。神來燕喜，百和萃止。導天之貺，爲帝之祉。室家祚永，福祿萬年。貽及於民，生養弗愆。崇墉巖巖，泰山之固。神永有伊，斯皇多祐。

明永樂中重建，中爲大威靈祠，後爲寢祠，左、右爲齋，兩廡爲十八司，前爲闡威門，門外左、右爲鐘鼓樓。春明夢餘錄。宣德五年六月，命行在工部修。明宣宗實錄。正統十二年十一月重建。明英宗實錄。明英宗碑：城隍廟在都城西南隅，城完之日，令更造焉。中作正堂爲神寢，堂之前爲正門。自堂左、右至門，翼以周廊，如官司之職掌以案名者十二，廊東、西中特起如堂者二，名左、右司，正堂以祀城隍之神，而旁以居其輔相者，各以序置。門之外爲重門，東、西對置鐘、鼓樓。其後各有舍，以棲其守護之人。蓋總爲屋以間計者一百九十。其地以丈計者深七十一，廣四十一有奇。材出於官之素具，工役於力之常供，一無所預於告成。不浹旬，而功倍於累月，孟子所謂不日成之，或庶幾焉。嘉靖二十七年正月，廟災，詔工部重建。嘉隆聞見紀。本朝雍正四年，乾隆二十八年，屢發帑興修，恢宏鉅麗，視昔有加。庭中有碑亭二：一爲世宗憲皇帝御製碑文。舊聞考五十。

世宗御製都城隍廟碑文　國家受天眷命，懷柔百神，祀典所陳，罔不虔肅。況畿甸之內，輦轂之間，陰陽之所和，風雨之所會，人民稠集，庶物蕃滋，以熙以遊，以長以遂，佐予茂育，厥惟神庥。都城舊有廟，祀城隍之神，禮臣以時享薦其內。朕慮廟貌不肅，展敬無由，雍正四年正月，特發帑金命官修飭。是年五月告成，土木之工，丹雘之飾，恢宏鉅麗，視昔有加焉，足以妥侑神明，壯觀都邑。禮臣構亭礱石，請賜文以爲記。朕惟禮有六祈之祭，書有咸秩之文，皆以報賽神功，爲民求福也。方今海内乂安，萬物得所，豐亨豫大，富壽康甯，酒醴牲牷，豐潔咸備，惟神實歆格焉。而感格之道惟在一誠，蓋誠則通，通則格，陟降上下，錫福在人。以致年穀順成，閭閻樂業，繁禧日集，罄無不宜，將朕與百姓咸嘉賴之。今廟貌聿新，用誌歲月。且令祠官之有事於庭者，讀其文皆知設誠於中，致恭於外，齋明蠲潔，克薦馨香，副朕敬事神祇之意云。乾隆二十八年重修，有高宗御製碑文。舊聞考五十。高宗重修都城隍廟碑記　城隍之文，始著周易，其麗於秩，蓋緣伊耆八蜡之水庸。至春秋傳，鄭祈四鄘，宋用馬四墉，而其説差備。自時厥後，歷代正史未有明文。歐陽修集古録采李陽冰城隍神記，亦云祀典無之。間考王應麟困學紀聞引北齊慕容儼鎮郢城祀城隍祠，則唐以前廟食，故有援據。今天下自縣而州、而府、而省，莫不立廟，而都城隍廟尤天下所會歸，不與他等，往往以統隸殊制，即封號品數視之。然神之所爲禦災捍患，與國之所以崇德報功，其義等爾。乃聞里閈之甿，禬禳趾錯，詹詹然求神於人，尸祝告語曰：前攝者忠肅于氏，後代者忠愍楊氏也。彼言之近鑒，政與鮑至南雍州記以蕭相國廟爲城隍神略同。抑不思于、楊故明藎臣，茲廟創自金、元時，果誰氏之司？且幽冀肇域以來，有城卽當有神，更誰氏之司耶？比歲嘗敕工官繕堞濬濠，俾崇者芘安居，深者衍潤澤，庶幾先成民而後致力於神。惟斯有以既其實，而不徒爲捧土揭木之故例，矧朕敬承上蒼鴻貺，胥宇迄乎荒外，西陲城郭諸國咸就戎索。其稱爲行國，嚮無金湯保障者，亦已列堡開屯，埤堄連延，塞河環絡，不翅城金牙而隍蒲類矣。夫欲舉曶爽逖聽之衆，無一夫不宥，以都人士之懷，又何一城一隍之區，不可綏以都城隍之神之福哉！而況省、府、州、縣之密邇户闥者哉？神廟自雍正丙午興修，年久陊剥。以今癸未正月集將作，支内府金，撤而新之。由寢堂廡序庖湢，以逮繚垣綽楔，式奂式堅，悉協程度。維儀門左右植笏夾立者，兼備外省城隍肖像，雖詢無典實，尚不詧乎令、牧、郡守、方伯會朝邦畿之指，遂仍而弗改。又以落成嘉平之吉，於古索饗時適符，爰親詣瞻禮，卽事製長律紀之，命並鍥於碑，使祠官被以神絃，祇薦時事。每歲秋月，諏吉遣官致祭，行常祀禮；萬壽聖節，遣官告祭。順治八年議准。禮部則例一百二十七。

東嶽廟，在朝陽門外，南向，内外圍垣二重，廟門三間，牌坊門三間，瞻岱門五間。正殿七間，兩廡各三間，迴廊各三十六間，連檐通脊。前爲甬道，左、右御碑亭各一，燎鑪二，左右牆門各一。後殿五間，左右廡各三間，迴廊各七間，三面環樓三十三間。廟門内鐘、鼓樓各一，廟門外石梁三，左右鐵獅各一，前建琉璃坊，東西牌坊各一。凡殿宇門廡坊，緑琉璃邊，門楹丹雘，梁棟五采，御碑亭覆黄琉璃，鐘、鼓樓覆緑琉璃。會典七十一。元延祐中，張留孫創始，至治壬戌、泰定乙丑，迭加修建，天曆元年始行落成。采訪冊。

虞集東嶽仁聖宮碑：延祐中，故開府儀同三司上卿元教大宗師張留孫，買地於大都齊化門外，規以爲宮，奉祀東嶽天齊仁聖帝。仁宗皇帝聞之，給以大農之財，辭不拜，第降詔書護作。方鳩工而留孫歿。後彌年，今特進上卿元教大宗師吴全節大發累朝賜金，以成其先師之志。至治壬戌作大殿，作大門。殿以祀大生帝，前作靈臺以設樂，門有衛神。明年作東、西廡。東、西廡之間特起如殿者四，以奉其佐神之尊貴者。列廡如官舍，各有職掌，皆有人而位之。築館於東，以居奉祀之士。總名之曰東嶽仁聖宮。泰定乙丑，魯國大長公主自京師歸其食邑之全甯，道出東門，有禱於大生帝，出私錢鉅萬，俾作神寢，像帝與其妃夫人婢使之容。天曆建元，今皇帝既即大位，遣使迎大長公主於全甯，還及國門，皇后迎母於郊，主禮神拜貺而後即其邸，天子乃賜神寢名曰昭德云。宮廣深若干畝，爲屋若干楹，高大宏麗，足以久遠。歲時内廷出香幣致祭。都人有祈禱，咸得至焉。有敕，命臣集撰文，勒諸麗牲之碑。其詞曰：

帝奠九土，辨方秩祀。封嶽爲五，咸在天子。有巖岱宗，望之東郊。雨雲來敷，曾不崇朝。有壇有宮，神師攸作。蒼龍青旂，百神祗若。天子神聖，惠於民人。睠言度思，昭德維新。丹楹朱户，納陛登陟。青青五組，兼幣加璧。禮有舉之，祗益以因。即祠不違，天子之仁。徂徠有原，新甫有隰。樂具在廷，遠者來輯。庖盈大享，寢陳燕詩。神具樂康，以惠我私。春日載陽，帝耤於耜。以先農人，祈我穡事。我觀我稼，視邇知遠。爾煦爾澤，自我畿甸。相彼柔桑，被于沃饒。相彼元鳥，亦集其條。濊濊流水，駕言來祓。受弓載韣，思皇朱芾。出其闉闍，士女車徒。來尸來宗，壽夭在予。祐我民庶，克修孝弟。以養以賦，以受多祉。兵祲弗驚，災癘弗嬰。熙熙有生，以樂治平。天子萬年，成功則告。刻文登封，則有貞玉。

趙世延昭德殿碑：古者天子祭天地山川歲徧，稽之虞舜，二月東巡狩，至於岱宗，柴望秩於山川，肆覲東后，歷羣嶽如岱禮，至冬乃畢。秦漢以來，時巡之禮或講或輟，鮮紹乎古矣，禮五嶽視三公。至唐始封以王爵，司馬承禎又請旁立真君祠。宋因加帝號，岱曰仁聖，自是祠徧羣國。皇元有天下，世祖皇帝歲遣使賫香帛詣祠致祭。至元辛卯，加封大生。於以祈純嘏以永皇圖，迺百嘉川，厚民生也。國初，東嶽廟未建，元教大宗師張開府留孫，於延祐末買地城東，擬建東嶽廟。事既聞，仁宗命政府庀役。開府辭曰：臣願以私錢爲之，儻費國財，勞民力，非臣之所以報效也。上益嘉賞，遂敕有司護持，毋得阻撓。方得涓吉鳩工，而開府遽厭世。嗣宗師吴特進念師志未畢，竭心經營，不惜勞費，於至治壬戌春，成大殿，成大門；癸亥春，成四子殿，成東西廡，諸神之像各如其序，而後殿則未皇也。泰定乙丑，徽文懿福貞壽大長公主東歸，過祠有禱，捐緡錢若干緡，成竟其所未竟者。天曆改元，皇上入纂正緒，主來朝，適後殿落成，事徹宸聽，賜名昭德。命大司徒臣香沙奉宣玉音，諭臣世延文諸貞珉，用昭悠久。臣惟五氣流行，木位東方，四時順布，春居歲首。仁者木之德，生者春之用。然則天地發育萬物之功，皆本於東方。故羣嶽祀之方域，而岱宗祠徧海宇。雖與禮經稍殊，然推原所以致人心嚮往之深者，其在茲乎！詩曰：泰山巖巖，魯邦所瞻。泰山蓋魯之望也，今主食邑於魯，則諸侯得祭其山川在境内者，以邦君之母有事於望祀，宜乎神之聽之，異於季氏之旅矣。況際聖天子膺天景命，百靈莫不受職，其於默佑顯相宗社億萬年無疆之休者，宜何如哉！是宜爲銘。銘曰：兩儀肇分，元氣流行。方嶽奠位，于赫厥靈。巖巖岱宗，維魯之望。

時巡首途，秩祀攸尚。帝出乎震，春育無窮。仁聖大生，代有褒崇。相我國家，熙治民物。昭明在上，有禱弗咈。貞壽之東，歷祠捐金。五禩來歸，靈宇靖深。帝曰休徵，維天允棐。悃愊全受，若合符軌。含齒戴髮，罔不懽心。天子萬年，式詔來今。曰雨曰暘，毋愆毋忒。有年屢書，報祀無斁。明洪武三年，詔定嶽鎮神號，略曰：爲治之道，必本於禮。嶽鎮之封，起自唐宋。夫英靈之氣，萃而爲神，必受命於上帝，瀆禮不經，莫此爲甚。今依古定制，並去前代所封名號，五嶽稱東嶽泰山之神。明史禮志。正統十二年八月，京師重建東嶽廟成。明英宗實録。明英宗碑略：天下之嶽有五，而泰山居其東。民之所欲，莫大於生，而東則生之所從始。故書稱泰山曰岱宗，以其生萬物爲德，爲五嶽之尊也。廟而祀神，於都城之東，示欲厚民生也。乃詔有司治故地於朝陽門外，規以爲廟。中作二殿，前名岱嶽，以奉東嶽泰山之神；後名育德，俾作神寢。其前爲門，環以廊廡，分置如官司者八十有一，各有職掌。其間東、西、左、右特起如殿者四，以居其輔神之貴者，皆有像如其生。又前爲門者二，旁各有祠，以享其翊廟之神，有館以舍其奉神之士。廟之廣深，凡若干畝，爲屋總若干楹。蓋始於正統十二年五月，落成於八月。歲時致以香幣，冀神運生生之機於無窮，亦順民所欲之一也。本朝康熙三十九年災，賜帑重建，有聖祖御製碑文。舊聞考八十八。香祖筆記：康熙庚辰三月，朝陽門外東嶽廟災，殿廡皆燼，獨左、右道院無恙。廟中仁聖帝、炳靈公、司命君、四丞相，皆元時劉元所塑。元最善摶換之法，天下無與比，至是皆燬於火。

聖祖御製東嶽廟碑文　京師朝陽門外向有東嶽廟，自元明迄今，歷有年所。康熙三十七年，居民不戒而燬於火。其明年，朕發廣善庫金，鳩工庀材，命和碩裕親王董其事，不勞一民，不興一役。經始於三十九年三月，訖工於四十一年六月，不三歲而落成殿閣廊廡，視舊加飾焉。夫五嶽爲名山之長，而泰山尤羣嶽之宗，於時爲春，於德爲仁。而其神之靈又能膚寸成雲，霖雨天下，故諸嶽止祀於其方，而泰山之祠徧宇内，崇德報功，所從來久矣。朕卽位以來，殫心治理，訪求民隱，閲視河工，屢經魯地，皆命專官致祭。凡以爲蒼生祈福祉也。茲朝陽既都城之巽位，而東嶽廟又適在其地，則因其方位之宜，以隆望秩之典，亦禮之可以義起者。然則斯廟之成也，神既得所憑依，而民亦遂其瞻仰。自茲以往，風雨以節，寒暑以時，俾海宇得休養生息，以共樂於豐穰之世，庶於朕四十餘年惠愛黎元之意其稍有慰乎！爰書重建之歲月，以昭示來茲云爾。康熙歲次甲申冬十一月上旬書。乾隆二十六年重修，有高宗御製碑文。舊聞考八十八。

御製東嶽廟重修落成碑記　乾隆辛巳嘉平之望，重葺朝陽門外東嶽廟蕆工，既親莅落成，會獻歲時巡南服，道經岱宗，念往牒用事得失所由，兹於有司請記而闡其義曰：古祀嶽之文，壝而弗屋，神而弗像，升柴必以其方，故舉典稱望焉。今四嶽各望乎境，而泰山之祠徧天下，豈不以大生之德，揚詡萬彙，食則思報國，與民共之，匪猶夫肆覲告功間時特行者比耶？訟禮者謂廟之肇興，博綜輿志，未有在宋大中祥符前者，其視委巷尸祝，晉公而王，晉王而帝，踵事非制等爾。夫末俗位號崇奉，爲道流襲，故不足論，論天下立廟，則彼侐然嶽麓者，已自唐而具五矣，亦豈有虞氏之舊哉？獨怪云云亭亭，蒲輪葅席以來，不七十二代之訾議，而惟一廟爲齦齦乎！蓋神人之交非其道，雖登山記封碱，而不得謂之稟經；如其道，卽祠饗逮方陬，而不得謂之戾古。宋臣蘇軾有言：神在天下，如水之在地中，掘井得泉，不得謂水專在是。矧東嶽長羣望，而兹廟直朝陽，以準易之，出震齊巽，又誰曰不宜！斯役也，距皇祖四十一年命將作庀事，垂六十載。於今斤㪷其剝陊，而黍堊其黕昧，三塗重廡，式塏式完，支費壹出内帑，鳩工周一歲以成，皆得備書。且爲迎神送神歌，麗諸樂石，俾展時事：榑桑兮升暉，碧霞縵兮承幃。穆將兮天齊，叶富媼兮諶春祺。神膚寸兮導雲旂，迎肸蠁兮如幾。謂茅脊其非芬兮，木禺詎肥，羌奚奓兮封泥。右迎神。翃天門兮四啟，睠奉高兮東阯。昭文像設兮新宮云歸，送將歸兮神歆只。華幰褷褷兮百靈纚纚，勇一元兮翊三始。青畿延喜兮黃圖薦祉，蓀何爲兮縣庡！右送神。每年萬歲聖節，遣官致祭。會典事例二百六十。一在靜明園仁育宮，門外建三面坊楔，中曰瞻喬門，二層曰嶽宗門，宮内奉東嶽天齊大生仁聖帝像。左曰佑宸殿，右曰翊元殿，又左爲昭聖殿，右爲孚仁殿。正殿後爲玉宸寶殿，奉昊天至尊玉皇大天尊玄穹高上帝像。又後爲泰鈞樓，左爲景靈殿，右爲衞真殿。乾隆二十一年建。舊聞考八十三。

御製玉泉山東嶽廟碑文　東嶽爲五嶽宗，德發揚，詡萬物，出雲雨，以蕃殖嘉穀，阜成兆民，伊古以來，秩視三公，載在祀典，尚已。顧天門日觀，去京師千里而遠，歲時莅事，職在有司，方望之祀，非遇國家大慶及巡狩所至，未嘗輒舉，是以郡邑都會，往往崇廟貌以奉苾馨。夫亦以東方春生之氣貫於四時，明靈肸蠁，無往勿格，祝釐祈禱，誠應響捷，如生氣之於物，肖翹跂喙，洪纖孅惡，無不畢達，固非特巖巖具瞻表，望齊魯而已。京師之西玉泉山，峯巒窈深，林木清瑟，爲玉泉所自出，滋液滲漉，澤潤神皋，與太山之出雲雨，功用廣大正同，爰即其地建東嶽廟，凡殿宇若干楹，規制崇麗，以乾隆二十有一年工竣，有司以立碑請。稽古制，四望無廟祀，然周官小宗伯所職，四望有兆，典祀掌外祀之兆皆有域，又山虞祭山林則爲主，曰兆，曰域，曰主，皆欲神有所憑依，而致其昭格也。近代既有象設，則立廟以祀，尤洋洋顯赫，其致精誠以交於神明，不益著歟！夫七十二君封禪之説，荒邈無稽，而金泥玉檢，登封岱宗，漢、唐令辟，同不免侈爲盛儀，動色矜耀，謂合於經所云，因名山以升中於天。夫名山所在多有，均爲造化靈粹所鍾，英爽若接。東嶽之爲泰岱，人皆知之，而不知山嶽之靈，不崇朝而雨天下，其精神布濩，固無不之。譬夫山下出泉，隨地歕湧，導之卽達，固不可謂水專在是，則東嶽之祀於兹山也固宜。是爲記。

靈明顯佑宮，在地安門外日中坊橋之東北，南向，繚以周垣，廟門三間，顯佑門三間。正殿五間，崇基石闌，三出陛，中九級，東、西各七級，兩廡各五間。殿前左、右碑亭各一，東南燎鑪一。後殿五間。廟門内東、西鐘鼓樓各一，廟門外牌坊一。凡正殿門樓，均黑緑琉璃，餘均甋瓦，門楹丹艧，梁棟飾以五采。會典七十一。顯佑宮，中奉真武，明永樂十三年創建，成化十五年修，俱有碑。本朝雍正九年重修，乾隆二十八年又修，有高宗純皇帝御碑。舊聞考五十四。

御製重修顯佑宮碑記　議禮家稟承經訓，斥道流傅會神奇之事，以爲説莫吾勝，顧不揆夫天人幽明所究極。道者之説之本出乎經，故道晦而經益荒，卽禮亦因之以缺。圖誌載真武之神爲靖樂王太子，受道秘於紫虚元君，入山修鍊飛昇，從而著寶號，傳真籙，疑於精英惚怳，是以聳動一世之耳目，而不能塞扶翊風教者之心。然禮不云乎！前朱雀而後元武。釋者謂元武卽龜蛇，爲旐有四旒，其星虚危七星，其次元枵娵訾，凡注天官職方者莫不徵引。蓋先王取象以節軍旅疾徐進退之度，爲能應天而順人。卽由此推之，命討告功，若禡禨伯禱，庸得謂非其所有事，而竟齒於無文之秩乎？今道家奉神，左右有將，曰龜，曰蛇，正數典不忘其祖。至改元武爲真武，則自宋時避廟諱，以真代元。始而羽士尊之曰北極元天，又取漢時五帝義疏沿而襲之，其訓後爲北方，原出經解，匪彼氏哆譚尤信。京師顯佑宫，建自明永樂十三年，以祀佑聖真君，正德中更署額爲靈明顯佑宫，成化碑記備詳洪武及靖難間行陣呵護之應，雖語涉響像，尚不謬經文飾恕遺意。其後濫觴罔制，致内官陳善憑兹援納左道，猥瀆明禋，宫猶巍然，神豈顧饗？惟是神宫地當坎位，稟元冥之令，符天一之行，佑國佑人，昭格融顯，有其舉之，亦莫可廢。乃以癸未孟春，出内帑之羡，鳩工庀材，匪增曰葺，其年十有二月訖事，整贍恢閎，足以揭虔展事。所司礱石請記，爲推明闡道正經之大者，以示前民用而祛民惑，其他世俗昭報如雞鳴之祠，武當之幣，皆略而不書。歲恭遇萬壽日，遣官致祭。一統志。

火神廟，在地安門外日中坊橋之西，繚以周垣，廟門一間，東向，左、右門各一，内爲牌坊門。正殿三間，南向，西廡三間，東向。南殿三間，左、右各三間，東、西廡各一間。燎鑪一。正殿後閣三間，東、西各三間。後羣樓十有五間。廟門内鐘、鼓樓各一，廟門外牌坊一。門樓覆黄緑琉璃，殿覆緑琉璃，門楹丹艧，梁棟五采。會典七十一。廟卽火德真君廟，唐貞觀中所建舊址，元至正六年修。萬曆三十三年改增碧瓦重閣焉。前殿曰隆恩，後閣曰萬歲景靈閣，左、右輔聖、弼靈等六殿，殿後水亭，望北湖。殿墀二碑：一右春坊朱之蕃撰，一禮部侍郎翁正春撰。帝京景物略。乾隆二十四年重修。舊聞考五十四。每歲以夏季月下旬三日致祭。禮部則例一百二十六。一在琉璃廠東，五城寺院册。乾隆乙未年，步軍統領衙門奏請發所存備賞銀以兩計者五千八百有奇，委員監修。得旨俞允，以丙申年正月經始，九月工竣。凡重修正殿、前殿各三楹，東配殿十五楹，又增建西配殿及東、西廡各三楹。舊聞考六十一。

黑龍潭龍神廟，在京西北三十里金山之西。正殿三間，東向，崇臺朱闌，殿左燎鑪一，前爲廟門，繚以朱垣。門外御碑亭二，又前爲牌坊，左、右碑亭各一。東北爲龍潭，水從山峽流出。繞潭囘廊三十三間。潭南小潭二，其外爲大門。自殿至大門，凡五層，磴道百級。御碑亭、正殿廟門、牌坊，均覆以黄琉璃，餘均甋瓦，門楹丹臒，梁棟五采。神廚治牲所皆在廟外之右。會典七十一。廟前爲潭，幹四丈，水二尺，土人云，有黑龍潛其中。帝京景物略。乾隆三年，敕封爲昭靈沛澤之神。廟建於明成化二十二年，萬曆十四年重修。舊聞考一百六。明神宗御製龍王廟碑　畫眉山龍王廟在都城西一舍，其地故有泉潭，相傳以爲龍之所居，卽其旁爲廟，祀龍王焉。成化壬辰，憲宗純皇帝禱雨有應，新其廟而勒詞於豐碑。萬曆十有三年，春夏不雨，麥稼焦枯，以五月往禱於廟，浹旬之間，嘉澍屢沛，郊野霑足，三農忭舞。爰出内帑金錢，重增葺之，爲之記而系以銘曰：於赫龍王，不顯其光。上下帝旁，噓翕無方。爲雷爲霆，爲雲爲雨。有開必先，靡求不與。我求伊何？黍稷稻粱。爾與伊何？

千倉萬箱。眉山之下，龍王之宇。迄今康年，穀我士女。國朝康熙二十年修，有聖祖御製碑。會典事例三百六十一。

聖祖御製黑龍潭重修龍王廟碑記　傳曰：神有功德於民則祀之，能捍大患禦大災則祀之。非此族也，不載祀典。朕自御極以來，夙興夜寐，惟思稼穡爲小民之依，所期時和歲豐，嘉生繁育。然年穀順成，雨澤是資。詩曰：琴瑟擊鼓，以祈甘雨。信乎天心仁愛，亭毒萬物，而協靈效順，優渥霑足之應，皆有神焉以司之，亦如分猷布澤之無敢曠厥職焉。距京師西三十餘里，金山之麓有潭，泓然以深，不泛不涸，前代時以亢旱禱望其地，輒能興致靈雨，因名黑龍潭焉。潭之側，倚山瞰壑，舊有祠宇，以祀其神，朕數以祈雨駐蹕於兹，爰謀式廓其廟貌，以昭靈貺而敬民事。今者四郊之內，雨暘時若，歲登大稔，工適告成。惟神之功德，實能膏澤田疇，以福庇生民，揆諸捍患禦災之義，莫大於此。用是勒諸貞石，垂示無窮，甯不偉歟！雍正三年再修，易以黃琉璃瓦，有世宗憲皇帝御製碑。舊聞考一百六。

世宗御製黑龍潭碑文　京師之西有黑龍潭焉，地靈所鍾，實能興致雲雨。我聖祖仁皇帝撫臨萬邦，治臻上理，軫念羣生，每禱於斯，輒有靈應，百穀用成。康熙二十年，乃重建祠廟，御製碑文，勒之珉石，以昭神庥。朕嗣位以來，仰體聖祖之心以爲心，夙夜孜孜，惟冀雨暘時若，盈甯康阜，用誠和萬民。甲辰春，雨澤微愆，爰詣兹潭，特申祈祝，回鑾之後，澍雨應時。三月初，甘霖疊沛，遠近霑足，二麥豐登，朝野同聲，罔不歡慶，蓋感應若斯之捷也。朕惟天人合一之理，莫大於誠，而幽明昭格之幾，莫先於敬。傳曰：先成民而後致力於神。又曰：民和而神降之福。

朕愛養元元，惟恐一物失所，致陰陽之沴而干天地之和。故浹歲之中，屢下蠲租之詔。偶值愆陽見告，不憚躬親祝帛以薦馨香，而冥漠之中亦若有肸蠁答之靈爽憑之者。朕因民而祈福於神，神惠民而效靈於朕，皆默通於誠敬之中，而不疾而速，不行而至，理有固然，無足疑者。顧歲月滋久，不更加修葺，恐非所以宅神明，答靈貺，乃命官庀材，經始於二年之三月，告成於三年之五月，殿廡門寢，煥然一新。訖工之日，有司磨治豐碑以記請。夫禮有大雩之文，詩載同雲之什，故祭則受福，而有舉必書。且誠敬之念，所以交神明，格上下，用紹我聖祖仁皇帝軫念蒼生，懷保萬民之至意者，尤朕所時廑於中而不能釋也。是爲記。每歲春、秋諏吉致祭。禮部則例百二十七。一在祈穀壇西，亦爲祈禱雨澤之地。國朝以來屢加修葺，乾隆三十六年，高宗純皇帝復命鳩工庀治，益昭整潔焉。舊聞考六十一。

白龍潭龍神祠，在密雲縣東。詳密雲祠祀。

昆明湖廣潤靈雨祠，在玉帶橋之西，每歲春、秋，諏吉致祭。禮部則例百二十七。嘉慶十七年諭：昆明湖廣潤靈雨祠龍神，靈應夙著。本年三月二十九日，朕因農田望澤，前往拈香，甫回御園，甘霖立沛。旬日以來，大田微覺乾燥，朕昨早復親詣拈香默禱，旋卽油雲密布，午後甘膏滲灑，四野優霑。本日又得陣雨滂沛。神佑感孚，如響斯應，允宜崇加稱號，於原封安佑普濟神號下，敬增沛澤廣生四字。並著禮部查照黑龍潭、玉泉山兩處龍神祠祀典，一體春秋致祭，以昭靈貺。欽此。一在新街口，雍正七年奉世宗憲皇帝發帑創建，乾隆十八年奉旨易蓋琉璃瓦，三十八年奉敕重修。舊聞考五十二。

玉泉山龍神祠，在京西玉泉山之麓，正殿三間，東向，覆以黄琉璃，門楹丹艧，梁棟飾以金碧。其下玉泉趵突，蕩漾成湖。殿階上下，左右御書碑二，燎罏一。會典七十一。乾隆九年，奉旨封京都玉泉山龍王之神爲惠濟慈佑龍神。嘉慶六年諭，稱爲惠濟慈佑靈護龍王廟，以昭崇奉。會典事例三百六一。每歲春、秋，遣官致祭。禮部則例百二十七。

惠濟祠，在綺春園内，祀護國庇民妙靈昭應宏仁普濟福佑羣生誠感咸孚顯神贊順垂慈篤祜安瀾利運澤覃海宇天后之神。禮部則例百二十七。道光二十八年加恬波宣惠，咸豐二年加道流衍慶，三年加靖洋錫祉，五年加恩周德溥，又加衞漕保泰，七年加振武綏疆。嘉慶六年，議准封天后父爲積慶公，母爲積慶公夫人。道光二十三年加衍澤，同治十一年加嘉佑。禮部册。每歲春、秋，擇吉致祭。禮部則例。

河神廟，在綺春園内，祀長源佑順淮瀆之神，顯佑通濟昭靈效順金龍四大王之神，靈佑襄濟黄大王之神。每歲春、秋，擇吉致祭。禮部則例百二十七。

南惠濟廟，在盧溝橋之南，拱極城東半里許，五城寺院册。金大定中建，封安平侯。元至元中，封顯應惠濟公。明正統中，建龍神廟於隄上。本朝康熙三十七年，聖祖仁皇帝發帑重建，敕封永定河神，有聖祖御製碑文。舊聞考九十三。

聖祖御製碑文　朕勞心萬民，於農田水利諸務常切講求。大要仿古之決河浚川，而因勢利導。度有可行，期於必濟，惟勤丕應，樂觀厥成。念茲永定河，其初也無定。蓋緣河所從來，遠發太原之天池，經朔州馬邑，會雁雲諸水，過懷來夾山而下，至都城南，土疏衝激，數徙善潰，頗壞田廬，爲吾民患苦。朕甚愍之。蠲賑雖頻，告災如故。永圖捍禦之策，咨度疏濬之方。特命撫臣于成龍董司厥事。庀役量材，發帑諏日，具告禱於神。乃率作方興，庶民子來，畚鍤雲集，湯湯之水，湍波有歸，橫流遂偃。嘉此新河，既瀦既平。計地自宛平之盧溝橋，至永清之朱家莊，匯郎城河，注西沽以入於海，計里延袤二百有餘，廣十有五丈。計工始於康熙三十七年三月辛丑，卽工於五月己亥。自今蓄洩交資，高卑並序，民居安集，亦克有秋。夫豈惟人力是爲，抑亦神庥是賴，宜永有秩於茲土，以福吾民。用是錫河名曰永定，封爲河神。新廟奕奕，丹雘崇飾，更頒翰墨，大書扁額，以答靈貺。豈特於祈報之禮有加，尚俾知水利有必可興，水患有必當去，而勤於民事，神必相之，以勸我長吏。凡浚渠築堰，咸所當盡心。爰揭諸碑，紀茲實事，監於後人，視永定河所自始。乾隆十六年，高宗純皇帝發帑重修，敕加封安流廣惠永定河神，有高宗御製碑文。舊聞考九十三。

高宗御製安流廣惠永定河神廟碑文　國家懷柔百神，嶽瀆海鎮而外，名山大川之祭，視歷代爲加隆。矧郊圻近甸，洪流巨浸，經行迄於千里，利賴存於萬姓，昭德報功，曷敢弗欽崇厥祀？永定河，古桑乾河也，發源天池，狀流馬邑，匯雲中、雁門諸水，穿西山而注盧溝，亦曰盧溝河。西山而上，岡巒夾峙，無衝激之患。盧溝下地平土疏，波激湍悍，或分或合，遷徙弗常，而固安、霸州之間，輒至潰溢。我皇祖聖祖仁皇帝親臨指示，大修隄堰，肇錫佳名。我皇考世宗憲皇帝興舉水利，疏濬兼施。蓋自康熙三十七年至今，水慶安瀾，民資作乂，平成底定之績，邁越前古，而神庥協應，靈貺屢彰，已五十年於兹矣。康熙、雍正年間，盧溝、石景均建有龍王之廟，而神宇之嘉稱未定。朕纘膺鴻緒，躬閱河防，仰惟謨烈之顯承，敬念明神之孚佑，深籌捍禦之宜，備舉尊崇之典。爰敕督臣，式輪式奐，新定斯名。平野臨其前，長河繞其側，堂基爽塏，棟宇閎深。禮臣請勒文貞珉，以紀歲月。朕惟詩曰：允猶翕河。又曰：世德作求，永言配命。惟永定河之順軌，經兩朝之方略，翕猶之功既著，世德之盛彌昭。今兹廟貌維新，以妥以侑。朕既薦明德之馨，彌深紹庭之念。神其益懋豐功，降康兆庶，俾三輔之内，盧井恬熙，咸安作息，以慰朕懷保萬民之意，以宏我國家無疆之慶，將億萬斯年實嘉賴焉。乾隆十六年歲次辛未十一月十一日。三十九年又修，額曰南惠濟者，以河之上流石景山有北惠濟廟也。舊聞考九十三。

北惠濟廟，在石景山西南，雍正七年，世宗憲皇帝命建廟以答神庥，賜名北惠濟廟，有世宗御製碑文。舊聞考一百四。

世宗御製北惠濟廟碑文　永定河，古所稱桑乾河，出太原，經馬邑，合雁雲諸水，奔注畿南。發源既高，匯流甚衆，厥性激湍，數徙善潰。康熙三十七年，我皇考聖祖仁皇帝親臨指授疏導之方。

新河既瀦，遂慶安瀾，爰錫嘉名，永昭底定，立廟盧溝橋北，題額建碑，奎文炳燿，河神之封，實自此始。朕纘紹鴻基，加意河務，設官發帑，深籌疏築之宜。比年以來，永定河安流順軌，無衝蕩之虞，民居樂業，歲獲有秋，豈惟人事之克修，實賴神功之贊佑。念石景山據河上游，捍禦宜亟，爰命相擇善地，作新廟以妥神。朕弟和碩怡賢親王躬往營度，得地龐村之西，鼎建斯廟。長河西繞而南縈，峯嶺北紆而左鶩，控制形勝，負山臨流。殿宇崇嚴，規制宏敞，護以佛閣，界以繚垣。經始於雍正七年冬，逾一年役竣。復以盧溝神廟，皇考聖蹟所在，加意崇飾，丹雘維新，並增建傑閣，翼如煥如，稱朕敬神惠民之意。爰賜廟名曰惠濟，勒文貞珉，以紀其事。詩稱懷柔百神，及河喬嶽，河之有神，備載祀典。況永定爲畿輔之名川，靈應夙著，田疇廬舍，繡錯郊圻。其得安耕鑿而樂盈甯者，胥仰荷皇考方略之昭垂。而明神顯靈，默相孚佑，蒸黎邀福孔多，宜加崇敬。今兹數十里內廟貌相望，虔修秩祀，尚其妥侑歆饗，俾斯民康阜乂安，以宏我國家無疆之慶，豈惟朕承兹惠貺，我皇考平成之駿烈，實嘉賴焉。

河神祠，在趙村西二里許，北岸二工。五城寺院册。祠內東廂設御座，額曰怵哉樹。舊聞考九十三。

時應宮，在西安門內金鼇坊南，雍正二年敕建，以祀龍神。畿輔通志。

宣仁廟，在東安門內北池子，雍正六年敕建，以祀風神，嘉慶九年重修。會典事例六百六十三。

凝和廟，在宣仁廟南，一統志。雍正八年敕建，以祀雲神。舊聞考三十九。

昭顯廟，在興隆寺南，一統志。雍正十年敕建，以祀雷神。舊聞考四十一。

永佑廟，在草廠西，祀城隍神，城冊。雍正九年建。舊聞考四十二。

倉神廟，一在左翼海運倉，一在右翼興平倉，一在朝陽門外儲濟倉，雍正七年覆准。通州三倉，惟大西倉舊有倉神祠，在京師内七倉，右翼興平倉廟，有太倉神廟，請重加修葺，左翼擇於海運倉，照興平倉廟式建立廟宇，城外五倉，統於新建之儲濟倉建廟。會典事例三百六一。每歲春、秋諏吉致祭。禮部則例百二十七。

昭忠祠，在崇文門内東單牌樓西，四方柵欄内。采訪冊。南向，圍垣一重。正門五間，三階，左右門各一。二門三間，左右御碑亭各一。正殿七間，南向，左右序各七間。東西樓各五間，樓南兩廡各三間。殿東燎鑪一，西向。殿後正屋五間，左右屋各三間，正屋左右羣房各五間，左右屋之旁，羣房各三間，均南向。東西燎鑪一。殿東爲祭器庫、宰牲房、治牲所、井亭。正門前石獅二，東西門各一。凡殿門正屋，均覆緑琉璃，餘均甋瓦，門楹丹雘，梁棟五采。會典七十一。雍正二年敕建，祀本朝王公大臣官員之全忠盡節者。一統志。

前正室中安設王等位，正室左右及後正室，安設公以下大臣、四品以上官員位。前東西配室，後左右室，安設五品以下官員，文職典史以上，及舉、貢、生、監，武職外委以上位。前兩序、兩廡，後配房、羣房，祔祀陣亡官兵。禮部則例百三十一。雍正二年諭：朕維周禮有司勳之官，凡有功者，書名太常，祭於大烝。祭法曰：以死勤事則祀之。凡以崇德報功，風勵忠節也。我太祖高皇帝肇造鴻圖，太宗文皇帝式廓區夏，世祖章皇帝奄有萬邦，自創業以至定鼎，將帥之臣致命立功者不少。聖祖仁皇帝臨御六十一年，中間殲滅三逆，永清朔漠，以及平定西藏、台灣，雖天戈所指，如疾風振槁，而師旅之臣，捐軀馬革，及守土之官，見危受命者，所在多有。邇者青海蕩平，西域效順，然自用兵以來，將士奮勇前驅，亦有歿於行陣者。此皆盡忠報國之臣，朕甚嘉之，亦甚憫之，當於京師建立祠廟，春秋妥侑，世世血食。其偏裨士卒，力戰敵愾，舍生取義者，亦附列左右，以崇褒大節，揚表芳徽，俾遠近觀聽，勃然生忠義之心，於治道亦有裨益。仍令翰林官纂其籍貫事蹟，各爲立傳，彙成一編，垂諸永久。九卿、詹事、科、道，悉心詳議具奏。

是年欽定祠名，表奬忠勳，御書匾額給賜。歲以春、秋仲月諏吉，遣官致祭。（會典事例三百六十五。）

賢良祠，在地安門外白馬關帝廟旁，南向，繚以周垣。大門二，門各三間，左右門各一。正殿三間，東西廡各三間，東廡南燎鑪一。後屋五間，兩廡及燎鑪如前。左右門各一。東爲治牲所，西爲安牲房。二門外，左右御碑亭各一。東正殿正門，均覆琉璃瓦，餘均甋瓦，門楹丹艧，梁棟五采。（會典七十一。）雍正八年敕建。（禮部冊。）雍正八年諭：國家效忠宣力之臣，

勳績懋著，必膺崇報之典，令其世饗烝嘗。雍正二年，朕已敕建昭忠祠，自開國以來，致命立功、盡忠報國之儔，皆得春秋妥侑，世世血食。顧念古者大烝之祭，凡法施於民、以勞定國者，皆

得並列祀典，永受明禋，則我朝名臣良弼，其經邦佐治，黼黻昇平者，皆祭法所必登，朕欲爲之建立祠宇久矣。卽如怡親王之精白一心，忠誠體國，勳在社稷，澤被生民，其功德隆盛，又豈一切效忠宣力者之所可比倫乎？洪維太祖、太宗，創業垂統，厥有一德佐命之良，世祖撫綏萬邦，實多奮庸熙載之彦。迨我聖祖，臨御六十餘年間，良臣碩輔，後先相望，據朕所深知者，舉其一二：如大學士公圖海，公賴塔，大學士張英，尚書顧八代、馬爾漢、趙申喬，河道總督靳輔、齊蘇勒，總督楊宗仁，巡撫陳璸等，持躬正直，奉職公忠，或垂節鉞之勳，或勵冰霜之節，俯仰無愧，爲朝野所共欽，終始無欺，無瑕疵之可指。此等靖共爾位，不愧古大臣之風者，正不乏人，既樹羽儀於一世，宜隆俎豆於千秋。且使世之爲臣者觀感奮發，知所慕效，羣以皋、夔、稷、契共相期待，則明良喜起之盛，朕於斯有厚望焉。著於京城内，選擇吉地，特建廟宇，命名賢良祠，春、秋以時展祀。其應入祠之人，著大學士會同該部查明本朝滿、漢文、武大臣，才德著聞，完名全節者，詳慎開列，具奏請旨。將來繼起之臣，亦竝得沾被恩光，永爲盛典。

世宗憲皇帝御製賢良祠碑文　朕維國家鍾昌隆之運，誕降賢臣；宇宙成熙皞之風，端資良弼。故徽聲聿播，旂常銘勒於生前，而元祀攸崇，俎豆歆承於身後，用以寵褒已往，勸勵方來，所由沛殊恩舉曠典也。爾和碩怡賢親王，忠孝自天，敬勤成性。嘉猷入告，啟乃心以沃朕心；庶績咸熙，圖國事卽如己事。勳高燮理，立臣道之儀型；禮極哀榮，備人生之祉福。爾大學士公圖海等，際王迹肇基之始，業贊運籌；當皇朝一統之期，績參佐命。我皇考聖祖仁皇帝，緜膺歷祚，簡公卿以翊昇平；載定寰瀛，選將帥而宣威武、中朝外任，多令名清節之完人；跨海窮邊，著破敵開疆之偉略。朕眷懷舊德，詢訪僉謀，既祠宇之告成，敍官階而列位。於戲！念鴻功於同氣，自古希倫；追盛烈於羣賢，於今不泯。綸章丕錫，永垂圖牒之輝；珉石深鐫，式焕星雲之色。凡百有位，其咸觀感於兹。歲以春、秋仲月諏吉，遣官致祭。禮部則例。

睿忠親王祠，在朝陽門外，乾隆四十五年建。禮部則例百三十。南向，大門三間，正中碑亭一，正屋五間，東、西廡各三間，覆以緑琉璃瓦。前栅門三，後甎門一，石梁一，周繞朱垣，會典事例六百六十三。祀睿忠親王並福晉科爾沁博爾濟吉特氏、佟佳氏、扎爾莽博爾濟吉特氏、科爾沁博爾濟吉特氏、科爾沁博爾濟吉特氏、朝鮮李氏。會典事例三百六十六。乾隆四十三年諭：睿親王多爾衮，當開國時，首先統衆入關，掃蕩賊氛，肅清宮禁，分遣諸王，追殲流寇，撫定疆陲，一切創制規模，皆所經畫，尋卽奉迎世祖車駕入都，定國開基，以成一統之業，厥功最著。顧以攝政有年，威福不無專擅，諸王大臣未免畏而忌之，遂致殁後爲蘇克薩哈等所搆，授款於其屬人首告，誣以謀逆，經諸王定罪除封。其時我世祖章皇帝尚在沖齡，未嘗親政也。夫睿王果萌異志，則方兵權在握，何事不可爲？且吳三桂之所迎，勝國舊臣之所奉，止知有攝政王耳，其勢更無難號召，卽我滿洲大臣，心存忠篤者，自必不肯順從，然彼誠圖爲不軌，無難陰鋤異志，以逞逆謀，乃不於彼時因利乘便，直至身後以殮服僭用明黄龍衮，指爲覬覦之證，有是理乎？況英親王阿濟格，其同母兄也，於追捕流賊回京時，謊報李自成身死，且不候旨班師，睿王卽遣員斥責其非，免王公等往迎之禮。又因阿濟格出征時，脅令巡撫李鑑釋免逮問道員，及擅至鄂爾多斯土默特取馬，會議其罪，降爲郡王。平日辦理政務，秉公持正若此，是果有叛志乎？無叛志乎？又實録載，睿王集諸王、貝勒、貝子、公、大臣等，遣人傳語曰：今觀諸王、貝勒、大臣等，但知諂媚於予，未見有尊崇皇上者，予豈能容此！昔太宗升遐，嗣君未立，英王、豫王跪請予卽尊位，予曰：若必如此言，予卽當自刎，誓死不從。遂奉皇上纘承大統。似此危疑之日，以予爲君，予尚不可，今乃不敬皇上而媚予，予何能容？自今以後，有盡忠皇上者，予用之，愛之；其不盡忠，不敬事皇上者，雖媚予，予不爾宥也。且云：太宗恩育予躬，所以特異於諸子弟者，蓋深信諸子之成立，惟予能成立之。每覽實録至此，未嘗不爲之墜淚。則王之立心行事，實能篤忠藎，感厚恩，深明君臣大義，尤爲史册所罕覯。使王彼時如宋太祖之處心積慮，則豈肯復以死固辭，而不爲邪説摇惑也？乃王之身後，久抱不白之冤於泉壤，心甚憫焉。假令王之逆迹稍有左驗，削除之罪，果出於我世祖聖裁，朕亦甯敢復翻成案？乃實由宵小姦謀，搆成冤獄，而王之政績，載在實録者，皆有大功，而無叛逆之迹，豈可不爲之昭雪乎？昨於乾隆三十八年，因其塋域久荒，特飭量爲繕葺，並准其近支祭掃。然以王之生平盡忠王室，尚不足以慰彼成勞，朕以爲應加恩復還睿親王封號，追謚曰忠，補入玉牒，並令補繼襲封，照親王園寢制度，修其塋墓，仍令太常寺春、秋致祭。其原傳有未曾詳敍者，並交國史館，恭照實録所載，敬謹輯録，增補宗室王公績傳，用昭彰闡宗勳至意。歲以仲春月致祭。（會典事例三百三十六。）

怡賢親王祠，在正陽門内東偏，雍正八年敕建。（一統志。）

雙忠祠，在崇文門内石大人衚衕，（采訪册。）乾隆十六年建。（禮部則例百三十。）南向，大門三間，左右門各一，二門一間。正屋三間，東西廡各三間，燎鑪一。二門外正中碑亭一，繚以朱垣。（會典事例六百六十三。）合祀都統、一等伯、謚襄烈傅清，左都御史、一等伯、謚壯果拉布敦。春、秋致祭。（會典事例三百六十。）

旌勇祠，在地安門外半藏寺西，乾隆三十三年建。（禮部則例百三十。）南向，大門三間，左右門各一，正中碑亭一，東官房五間。西庫房五間，二門一間，正屋三間，東西廡各三間，燎鑪一。覆以黑琉璃瓦，繞以甎垣，閑以朱栅。（會典事例六百六十三。）祀誠嘉毅勇公、謚果烈明瑞，配都統、謚昭節札拉豐阿，護軍統領觀音保，總兵李全、王玉廷，三十四年以總兵德福入祀。每歲春、秋仲月，諏吉致祭。（會典事例三百六十。）

獎忠祠，在地安門内之東，東華門外，嘉慶二年建。（禮部則例百三十。）南向，大門三間，正中碑亭一，正屋三間，東西廡各三間，燎鑪一，覆以緑琉璃瓦。大門外石獅二，栅門二，門楹朱飾，梁棟五采。（會典事例六百六十三。）祀郡王銜、大學士、謚文襄福康安。歲以春、秋仲月，諏吉致祭。（會典事例三百六十。）

褒忠祠，在地安門外之西，嘉慶十一年建。禮部則例百三十。南向，大門三間，正中碑亭一，正屋五間，東西廡各三間，燎鑪一，覆以黑琉璃瓦。會典事例六百六十三。祀領侍衛内大臣、三等公額勒登保。禮部則例百三十。歲以春、秋仲月，諏吉致祭。會典事例三百六十六。

定南武壯王祠，在廣安門外，順治十一年建。禮部則例百三十。圍牆一重，大門三間，正屋三間，兩廡各三間，均覆黑琉璃，前立石碑一，門外列柵塗丹。會典事例六百六十三。祀定南王、謚武壯孔有德，並妃白氏、李氏。歲以春、秋仲月致祭。會典事例三百六十六。

恪僖公祠，在安定門外里八臺，康熙十九年建。禮部則例百三十。制如武壯王祠。會典事例六百六十三。祀一等公、謚恪僖遏必隆，並縣主一品夫人舒舒覺羅氏；乾隆三十五年，以領侍衛内大臣、謚慤敬音德，户部尚書果毅公、謚襄壯阿里衮從祀，其音德夫人董氏、阿里衮夫人瓜爾佳氏，照例祔祀。歲以春、秋仲月致祭。會典事例三百六十六。

勤襄公祠，在朝陽門外，雍正二年建。禮部則例百三十。制如武壯王祠。會典事例六百六十三。祀太師、定南將軍、一等公、謚勤襄佟圖賴，並一品夫人覺羅氏；次太傅、安北將軍、内大臣、都統、一等公、謚忠勇佟國綱，並一品夫人他塔喇氏、温都氏；次太傅、領侍衛内大臣、一等公、謚端純佟國維，並一品夫人赫舍哩氏。會典事例三百六十六。歲以春、秋仲月致祭。禮部册。

文襄公祠，在德勝門外，雍正二年建。禮部則例百三十。制如武壯王祠。會典事例六百六十三。祀少保兼太子太傅、一等公、中和殿大學士、謚文襄圖海，並一品夫人覺爾禪氏、鈕鈷録氏。會典事例三百六十六。歲以春、秋仲月致祭。禮部冊。

宏毅公祠，在安定門外里八臺，乾隆二年建。禮部則例百三十。制如武壯王祠。會典事例六百六十三。祀光禄大夫、宏毅公額亦都。會典事例三百六十六。歲以春、秋仲月致祭。禮部冊。

恪僖公祠，在東安門内，乾隆十四年建。禮部則例百三十。制如武壯王祠。會典事例六百六十三。祀太子太保、内大臣、議政大臣、總管内務府大臣、一等男、兼一雲騎尉、追封一等承恩公、謚恪僖哈世屯，並一品夫人覺羅氏；次户部尚書、總管内務府大臣、一等男、兼一雲騎尉、追封一等承恩公、謚敏果米思翰，並一品夫人穆溪覺羅氏、博爾濟吉特氏；次一等男、兼一雲騎尉、兼察哈爾都統、追贈一等承恩公、謚莊慤李榮保，並一品夫人覺羅氏；乾隆三十五年以太保、大學士、忠勇公、謚文忠傅恆從祀，以夫人那拉氏祔祀。會典事例三百六十六。歲以春、秋仲月致祭。禮部冊。

左翼忠孝祠，在王府大街，大門一間，内立石碑一，二門一間，正屋三間，兩廡各三間，後屋五間，兩廡各三間，大門外各建牌坊一。會典七十七。

左翼節孝祠，在理藩院署後，制如忠孝祠。采訪冊。

右翼忠孝祠，在武定侯衚衕，制如左翼忠孝祠，今廢。采訪冊。

右翼節孝祠，在按院衙衕，制如左翼忠孝祠，光緒元年重修。采訪册。

文丞相祠，在府學衚衕內，府學之東，祀宋丞相文天祥。舊聞考四十五。明初北平按察司副使劉崧立。名勝志。宣德二年二月，遣順天府官祭，歲爲例。明典彙。楊士奇重修文丞相祠記 孟子曰：我知言，我善養吾浩然之氣。知言者，盡心知性，而有以究極天下之理；浩然之氣，即天地之正氣具於吾身，至大而不可屈撓者。知之至，養之充，而後足以任天下之大事。天下之事，莫大於君父。文丞相甫冠，奉廷對，即極曰論國家大計；元兵渡江，又上書乞斬嬖近之主遷幸議者：以一人心安社稷，固已氣蓋天下矣。自是而斷斷焉殫力竭謀，扶顛持危，以興復爲己任，雖險阻艱難，百挫千折，有進而無退。不幸國亡身執，而大義愈明。蓋公志正而才廣，識遠而器閎，浩然之氣以爲之主，而卒其志弗遂者，蓋以天命去宋也。雖天命去宋，而天理在公，必不可已。故宋亡，其臣之殺身成仁者不少，論者必以公爲稱首。公事具宋史，而公鄉人劉岳申摭公所著日録、吟嘯集、指南録、集杜二百首，及宋禮部郎中鄧光薦所述督府忠義傳，以作公傳，視史加詳實焉。北京之有公祠，洪武九年，前北平按察副使劉崧始建於教忠坊，今順天府學之右，而作塑像焉。永樂六年，太常博士劉履節奉命正祀典，始有春秋之祭於有司，歲以順天府尹行事。宣德四年，府尹李庸始至，謁公祠下，顧瞻祠宇敝陋，弗稱遵用詔旨，葺而新之，凡祀神之器靡不備具。又求岳申傳刻石，將使人人皆知世之爲臣者光明震動，焜焜烈烈有公也。於戲！忠孝，人道之大節，治化所先，而崇禮先賢，表勵後人，尤守令之急務，庸其達爲政之本與！庸字執中，保定唐縣人，寬厚明敏，自太學生授工科給事中，上親政，擢爲順天府尹。愛人之心，劇繁之才，上下皆稱之。而盡心學校，敬賢尚德，如飾昌平之狄梁公、劉諫議祠而嚴其祀事之類，皆其知本之務，皆可書也。因並書之，以示來者。羅倫宋丞相文信國公祠堂記 公名天祥，甫弱冠，奉廷對，陳君道之大本，經世之急務，文思神發，萬言立就，可謂天下之大材也。董宋臣主議遷幸，公上章乞斬之；賈似道誤國要君，公嘗以義裁之；吕師孟偃蹇傲命，公又上章乞斬之；勤王詔下，重臣宿將縮頸駭汗，公提孤兵獨往當之；敵次皋亭，三軍震動，宰相遁荒，公挺身獨往説之；可謂天下之大勇也！夫慷慨就義，決死生於一旦，中人猶或能也，若歷履萬死，其執彌堅，其志彌勵，非仁者其能然乎？方公之使北，詆罵激烈，當死；脱京口，走真州，如揚州，趨高郵，抵通州，苗再成逐之，李庭芝疑之，無日而不當死；然後遵海道，涉鯨波，始立二王，開督南劍，敗績於空坑，當死；仰藥於潮陽，當死；絶粒於南安，當死；至就囚燕獄，從容南向，再拜而死，震動天地，照耀萬世：可謂天下之大忠也。宋之亡，死國事者多矣，陸秀夫、張世傑死於海，李芾死於潭，趙昴發死於池，江萬里死於饒，姚時死於常，趙時賞死於洪，先先君、武岡公死於吉，督府行朝，死者不可勝數。雖然，死矣，未有如公之出萬死而後死。微子之去，箕子之囚，龍逢、比干之諫，伯夷、叔齊之餓，諸葛武侯之鞠躬盡瘁，備於公之一身矣。自古亡國之臣未有如公之烈也。收宋三百年養士之功，立千萬載爲臣之極，不在於公乎？公非仁者之勇，浩然塞於天地之間者乎？公去今二百年，順天府祠公於學宮，鄉郡祠公於城南，公之子孫祠公於富田。富田之祠，元季兵燹，爲橫民所奪。龍鳳間，僉事李公飲冰復之，正統間，知府陳公本深繼之，景泰間，督憲韓公雍奏加諡號，録用子孫。今成化二年，僉憲李公齡來掌學事，以公九世孫繼宗入學，俾公鄉人周丕憲劃田贍之。是皆有功於名教，可書，故書之以詔後世之爲人臣者。國朝道光八年重修，光緒九年，府尹周家楣重修。采訪册。

忠節祠，在崇文門内東裱背巷，祀明少保于謙，地即于公賜宅也。祠三楹，中塑像，歲春秋遣太常寺官致祭。公被刑於天順元年，復官於成化二年，賜謚肅愍在宏治二年，改謚忠肅在萬曆十八年。春明夢餘録。

山右三忠祠，在上斜街，明天啟四年建，乾隆三十九年修，嘉慶十九年重修。采訪册。祀沁水張忠烈公銓，襄陵高忠節公邦佐，大同何忠愍公廷樾，三公皆山西人，故額曰山右三忠祠。堂三楹，中楹像祀三忠，左、右楹木主祀從祀者。左爲舊祀明二十人：經略標下統兵鎮守奉集等處總兵官、都督僉事朱公萬良，統兵援遼副總兵官王公誥，協守遼東副總兵官、管錦州參將事麻公承宗，援遼總兵官、督都僉事楊公宗業，協守開原副總兵官麻公巖，援遼正參將、贈總兵官彭公振雲，誥贈奉政大夫、光禄寺少卿、原任陝西鳳翔府扶風縣知縣王公國訓，敕贈光禄寺寺丞、原任順天府香河縣知縣任公光裕，統兵援遼遊擊將軍滿公龍鱗，誥贈奉政大夫、光禄寺少卿、原任順天府大城縣知縣武公維周，敕贈光禄寺寺丞、原任順義縣知縣上官公藎，遼東鎮守標下參將管中軍事梁公汝貴，誥贈奉政大夫、光禄寺卿、前分守開原道、山東按察司僉事潘公宗顔，誥贈光禄寺卿、原任直隸永平府知府張公鳳奇，鎮守遼東總兵官、督都同知馬公林，統兵援遼遊擊將軍李公鎮忠，領兵援遼守備劉公興漢，領兵援遼千總劉公起佩，又戚公士榮、楊公其暢。右爲新祀本朝六十四人：爲員外郎侯佐，參議道劉昇祚，濟南道李時，同知趙瀚，知州李方瀓，知縣李還春、曹邦偉、趙家駿、薛佩玉、郭自修、王曰俞，教諭崔珩、王奕葉、張化樞、黄縉，典史陳復新、從有度，舉人趙居甲，提督竇斌，贈提督、總兵官任舉，總兵官張淩霞、李全、穆生輝，副將魏麟，贈總兵官、遊擊楊光祖，遊擊杜國慶、竇明運、何道深，都司王廷衡，守備司起龍、晉天忠，把總李克友，知縣温光裕、楊泰、段上彩，署知縣高士達，州同李士麟，縣丞徐喆、王牧民、袁養民，教諭周遠祚、曹道醇，貢生李旦，生員張射斗、周于德、蕭熙載、李蓂、張琳，副將郝爾德，參將李允、劉大受、馬之迅、王弼，贈都司、同知傅富，把總高虎、邱登榮，武生李先春、李齊田、秦士鳳、喬謹，贈太僕寺少卿王如玉，提督、謚壯節馬全，提督、謚毅節牛天畀，總兵官張大經，皆山西人。舊聞考五十九。

京師志七

衙署

德清蔡賡年纂　江陰繆荃孫覆輯

昔宋元豐時，都官員外郎蒙安國得唐宮省圖，獻於朝，遂遷舊七寺監，如唐制。今府志首繪京師全圖，百司庶府，方位條著，勝如唐寺監之標其蹟矣。而其建設規模，損益本末，攸資攷訂，例不容闕。其在禁城内者，亦採録焉，明其爲辦公之所也。其先設而後裁者，或改，或廢，或歸併於某署，坿述大概，以存故實。其相隸屬者，則絣敘於本署之後，事之所麗，地之所繫，兩不戾已。設官之數，其經制備詳一統志、會典諸書，而甿間或不得讀，謹注其員額於此，俾設官良法，覽者瞭然。終之以通商各公署，乃志地以診時也。而順天府署則載於地理門之首，志例然爾。志衙署。

宗人府，在皇城東，西嚮，吏部公署之北，順治九年仍舊址而恢廓之。欽定日下舊聞考六十二。明英宗實録：正統七年四月，建宗人府於大明門之東。左爲經歷司，迤南爲左司，迤北爲右司。又有黄檔庫、黄檔房、銀庫、玉牒庫。舊聞考。一統志：宗人府設宗令及宗正、宗人各一，親王、郡王、貝勒、貝子、宗室公、將軍爲之。又設漢府丞一，理事官、副理事官各四，及主事、經歷等員。主事有漢缺二。

宗學左右翼，雍正三年特建。一統志二。按：左翼在燈市口，右翼在絨線胡同。餘詳學校。

八旗覺羅學，雍正十年建。一統志。按：左翼鑲黃旗在安定門香兒胡同，正白旗在南小街新鮮胡同，鑲白旗在東四牌樓北十條胡同，正藍旗在崇文門内大阮府胡同，右翼正黃旗在西直門内北衞兒胡同，正紅旗在阜成門内宫門口，鑲紅旗在承恩寺街，鑲藍旗在玉帶胡同。餘詳學校。按：以上屬宗人府。

内閣，在午門内東南隅，門西嚮，二門南嚮。滿、漢本堂蓋黄瓦，票籤房及蒙古堂、典籍廳、稽察房皆用常瓦。舊聞考。後門東爲紅本庫，又東爲尊藏實録庫，及書籍表章庫，俱北嚮。

誥敕房，在協和門之南。一統志。順治二年，以翰林院官分隸内三院，稱内翰林國史院，内翰林秘書院，内翰林宏文院。十五年改内三院爲内閣，大學士俱改内閣銜。會典事例九。會典二：内閣大學士例兼殿閣銜，曰保和殿大學士，文華殿大學士，武英殿大學士，文淵閣大學士，體仁閣大學士，東閣大學士。凡補授大學士由内閣開列請旨，滿二人，漢二人，協辦大學士於尚書内特簡，滿、漢或一人或二人。十八年復改内閣爲内三院，裁翰林院。康熙九年，仍改内閣，另設翰林院，如舊制。會典事例九。春明夢餘録：大學士直舍，所謂内閣也。宣德以前，内閣與外九卿爲平交，至宣德後，三楊眷重，漸柄朝政。英宗九歲登極，凡事啟太后，太后不欲專，令内閣議行，此内閣票旨之所由始也。又云：永樂初，建内閣於東閣門内，初制規模甚狹，嘉靖十六年，閣制始備。

皇史宬，在東安門外東南，會典二。會典：内閣滿本房侍讀學士滿洲二人，侍讀滿洲四人，皇史宬及太庫皆掌焉。漢本房侍讀學士滿洲二人，漢二人，侍讀滿洲三人，漢軍二人，又學士滿洲六人，漢二人。其掌繙清本中書，滿洲三十有一人，漢軍八人，貼寫中書滿洲十六人。掌繕本單中書漢三人，滿票籤處侍讀滿洲三人，委署侍讀無定員。掌繕票籤中書滿洲二十人，蒙古二人，貼寫中書滿洲八人。掌閲漢文本章，漢票籤處侍讀漢二人，委署侍讀無定員。掌繕票籤中書二十有七人。掌撰擬進文字撰文中書無定員。又學繙繹外藩各部文字，蒙古房侍讀學士蒙古二人，侍讀蒙古二人，掌學習竹筆字以供譯寫中書，蒙古十有六人，貼寫中書蒙古六人。又設誥軸房、稽察房、收發紅本處、飯銀庫、副本庫、批本處。按：起居注匱，凡起居注記載，每年十二月，該衙門貯匱，送内閣起居注館。詳翰林院。

上諭事件處，雍正八年設於隆宗門外，乾隆元年移昭德門外東廊議政處。内閣册。按：稽察事件處大臣，於滿、漢大學士、尚書、左都御史内簡任，無定員。辦理軍機處，設於隆宗門内，凡諭旨明降者，既述則下於内閣。會典三。按：凡發抄者，交内閣中書領出傳抄。又軍機大臣於滿、漢大學士、尚書、侍郎、京堂内特簡，無定員。其軍機章京，滿洲十六人，漢十六人，分辦清字、漢字之事。

國史館，在東華門内，南嚮。館旁列書庫，即前此恭修實録及會典處也。先在熙和門西南，蓋舊制如此。後因實録館地較寬廣，復移置今處云。會典五十五。

方略館，在武英殿垣後。會典五十五。

續三通館，在西華門内。會典五十五。

中書科，在午門外西，順治初置。會典三。會典：稽察科事内閣學士滿一人、漢一人，掌印中書滿一人，掌科中書漢一人，掌書誥勅中書滿一人、漢三人。

吏部，在宗人府之南，明永樂十八年建，本朝仍其舊址。大堂西嚮，左司務廳，右土地祠。其南爲文選、稽勳二司，北爲考功、驗封二司。又稽俸廳、督催所皆在其左。吏部册。一統志：吏部設尚書滿、漢各一，侍郎滿、漢各二，文選、考功、驗封、稽勳清吏四司，各設滿、漢郎中、員外郎、主事等官，司務廳一。吏部穿堂之右屋三楹曰藤花廳，乃吏部長官治事之所，藤即吳寬手植也。惟寬詩自注云：朱藤一株。而今實二株，蓋後人補植也。舊聞考六十三。按：寬詩見匏翁家藏集。燕都游覽志：紫藤花二株，其一在少宰右署中，吳文定手植也，其一在司廳左署中。有莆田方興邦撰古藤記石刻尚存。又文選司有許公祠。舊聞考。明史列傳：許直字若魯，如皋人，崇禎七年進士，除義烏知縣，徵授吏部文選主事，進考功員外郎。都城陷，賦絶命詩六章，闔户自經。本朝順治九年，賜謚忠愍。舊聞考：文選司庫後有萬曆二十年兵部職方司員外郎宣化蔣行可跋。又吏部後堂有明碑二：一、萬曆壬寅重建正堂火房記，禮部尚書馮琦撰；一、爲衡鑒臾語，萬曆辛巳濩澤王國光書。文選司署内奎星像石刻一。又萬曆二十二年，銓署公籍引石刻一，尚書陳有年載其所購官書部目，司務馬怡跋。

户部，在吏部南，西嚮，亦因明舊址建。大堂西嚮，司務廳在其左，諸司屬以次分列：江南、貴州、陝西、湖廣、浙江、山東六司在左廊後南夾道内；福建、江西、河南、雲南、四川、廣西六司在右廊後北夾道内；山西、廣東二司在二門外，南、北向。又有南北檔房、飯銀處、俸餉處、現審處、督催所、軍需局，皆有公廨在署内。户部册。一統志：户部設尚書，滿、漢各一，侍郎滿、漢各二，其十四清吏司，各設滿、漢郎中、員外郎、主事等官。順天、直隸及奉天所屬州縣，則以福建、山東二司分理之。司務廳一。按舊聞考云：明代户部置十三司，本朝增以江南，爲十四司。諸司多有明季題名石刻，文已漫滅。惟萬曆十八年雲南司主事張問仁題名記碑尚完好，在今貴州司署内。蓋本雲南司舊署，而今則互易其地者也。

三庫，大庫在署東北，緞匹庫在東安門内，顔料庫在西安門内，並屬户部。一統志。又有火倉，在署西。餘詳倉庫。

寶泉局，舊在東四牌樓街北，仍明舊址，别設四廠，建鑪鼓鑄。一統志。會典：侍郎滿、漢各一員以總之，滿、漢司員各一員爲監督，其下有大使五員。四作廠：一、在東四牌樓四條胡同，爲東作廠；一、在錢糧胡同，爲南作廠；一、在鑼鼓巷千佛寺胡同，爲西作廠；一、在北新橋三條胡同，爲北作廠：俱隸户部。春明夢餘録：寶泉局，國初錢法專屬工部寶源局，自天啟二年，始設户部錢局，以右侍郎督理之，名錢法堂，加鑪製造，以濟軍興。

總督倉場公署，在城東。一統志。會典：設侍郎滿、漢各一員董其事。春明夢餘録：倉場公署在城東裱褙胡同，設於正統三年。餘詳倉庫。

崇文門監督署，在崇文門外街東。一統志。左、右翼監督署，左翼税局在東四牌樓之西大街，右翼税局在西四牌樓之東大街。户部冊。

禮部，在户部南，西嚮，亦仍明舊址建。門左爲鑄印局，右韓昌黎祠。堂之南爲督催所，舊儒士廳。北爲司務廳。儀制、主客二司在左，祠祭、精膳二司在右。禮部冊。一統志：禮部設尚書，滿、漢各一，侍郎滿、漢各二，儀制、主客、祠祭、精膳清吏四司，各設滿、漢郎中、員外郎、主事等官。司務廳一。鑄印局會同四譯館坿焉。明典彙：明宣德五年，北京五府六部皆未建，上以禮部所典者天地宗廟社稷之重，及四方萬國朝覲會同，皆有事於此，遂首建之。劉球劉忠愍集：宣德六年，行在禮部成，上命寮屬入涖事。

會同四譯館，舊在正陽門外楊梅竹斜街。乾隆十三年歸併禮部會同館，以禮部郎中兼鴻臚寺少卿銜提督之，並典務廳，正教、協教、序班，隸於禮部。凡八館：曰西天，曰暹羅，曰回回，曰八百，曰高昌，曰西番，曰緬甸，曰百譯。並設譯字生。禮部冊。燕都游覽：四譯館在御河橋西，永樂五年十一月始設。其外有朝貢使人之公館，一在宣武門内京畿道胡同，一在宣武門外横街，一在東江米巷御河橋。禮部冊。舊設行人公署，在西長安門外。本朝順治年間，改建兵部督捕公署，別設行人公署，在正陽門外大柵欄，有司正、司副等官，屬禮部，後裁。舊聞考六十三。

樂部公署，在景山西門外迤北道西，乾隆七年創建。禮部冊。樂部所屬，有神樂、和聲二署，掌儀、司旗、手衛、什榜、處樂並隸焉。會典三十三。會典：樂部管理大臣亦曰典樂，以禮部滿尚書一人兼之，又王大臣知樂者簡用，無定員。神樂、和聲二署，設署正、署丞等官。

兵部，在宗人府後，亦仍明舊址建。大門嚮西，門内爲會同館。大堂五楹，武選、職方二司在其南，車駕、武庫二司在其北。又司務廳、督催所、稽俸廳皆在大堂左、右。又二堂五楹，中有照壁，刊周禮大司馬法一則，猶明代物。又武選司，設楊椒山祠。兵部册。一統志：兵部尚書滿、漢各一，侍郎滿、漢各二，武選、職方、車駕、武庫清吏四司，各設滿、漢郎中、員外郎、主事等官。司務廳一。其外有會同館坿焉。舊有兵部督捕公署，順治十一年特設，一侍郎主之，佐以理事官及郎中、員外、主事、司獄等官，專詰八旗逃丁與窩逃者，並察緝盜賊。康熙三十八年，裁併刑部。兵部册。

會同館，在大興縣東王府街，明永樂六年改順天府燕臺驛爲之。今爲在京驛馬牧養之所，有館大使。一統志。按：舊聞攷云：明代會同館之制，永樂初改燕臺驛烏蠻市之地爲之。其後又有北館、南館之設，皆以處外藩貢使也。本朝於城内外建置賓館三所，秩宗掌之。又併四譯於禮部會同館，規制具備。至明之諸館已廢，惟大興縣東王府街會同館，專屬兵部，猶永樂時舊館也。明會典：北京會同館，永樂三年設，并烏蠻驛入本館。正統六年，定爲南、北二館，北館六所，南館三所，北館在澄清坊大街東，南館在東江米巷御河橋西街北。

刑部，在皇城西，卽明錦衣衛故址移建。大堂壁間舊有錦衣衛題名碑，後燬於火。大堂東嚮，直隸、奉天二司在堂左右；左廊湖廣、廣東、陝西三司，右廊河南、山西、山東、江西四司，及司務廳，在二門外；江蘇、安徽、福建、浙江、四川、廣西、雲南、貴州並督捕司凡九，在南夾道内；督催所在江西司稍北。西南、西北二隅各置獄，曰南、北所。北所圜垣東大榆樹一株，傳爲明楊繼盛手植云。刑部册。又有贓罰庫、秋審處。

刑部册。一統志：刑部設尚書，滿、漢各一，侍郎滿、漢各二，直隸、奉天、江蘇、安徽、浙江、江西、福建、湖廣、山東、山西、河南、陝西、四川、廣東、廣西、雲南、貴州督捕凡十八清吏司，各設滿、漢郎中、員外郎、主事等官。司務廳一，司獄司坿焉，以主事提牢。明英宗實録：正統七年十一月，建刑部、都察院、大理寺於宣武街西。舊聞攷：明時刑部在長安街西，今俗呼刑部街是也。白雲、甘露諸遺蹟皆無存，今刑部治事之所，榜曰白雲，數典徵名也。

律例館，舊在西長安門外，歲久漸圮，乾隆三十七年移建於太常寺後，（舊聞考六十三。）以滿、漢司員提調纂修，五年一編緝。（會典四十四。）

工部，在户部後，西嚮，仍明舊址建。大堂西嚮，營繕、都水二司在左廊，虞衡、屯田二司在右廊。司務廳在大堂之左，料估所在堂右。堂後爲督催所。其堂官視事之所，亦曰藤花廳，枝幹蚴蟉，與吏部相似，第不傳爲何人所植也。（工部册。一統志：工部設尚書，滿、漢各一，侍郎滿、漢各二，營繕、虞衡、都水、屯田四清吏司，各設滿、漢郎中、員外郎、主事等官，司務廳一。按戴璐藤陰雜記：陳澤州午亭集稱，冬官署中南亭，張敦復英所葺。按今工部廳事植藤，亦曰藤花廳，旁有齋戒房、節慎庫，旁有捧日亭，相傳爲嚴世蕃書，今削其名。南亭疑即藤花廳，而人罕知，故記之。）

節慎庫在署東，製造庫在長安右門外，丙丁戊三庫在西安門内，皆屬工部。（詳倉庫。工部册。舊聞考：節慎庫仍明舊址，所屬分五作：曰銀作，曰鍍作，曰皮作，曰繡作，曰甲作。）

寶源局，在朝陽門内西南，新增一廠，在崇文門内泡子河。（工部册。一統志：滿、漢侍郎各一總之，滿、漢司官各一爲監督，又大使二員。春明夢餘録：寶源局在東城石大人胡同，石亨舊宅也。亨誅，宅没入官，嘉靖中以賜仇鸞，鸞敗，復没入官，因改爲鼓鑄公署。蓋鼓鑄一事，其初惟屬工部，至天啟二年始添寶泉局，屬之户部，而工部所鑄微矣。）

惜薪廠在宣武門外，砲子庫在左安門内。鉛子庫，（即濯靈廠。）火藥局，並在右安門內。均屬工部。又琉璃廠，仍明舊制。柴廠，木廠，煤廠。工部冊。一統志：皆分遣司官監督。按：舊有黑窯廠與琉璃廠，俱明代設，燒作甎瓦及內府器用也，乾隆中裁。

理藩院，在玉河橋東長安街，南向。本朝特設，掌外藩蒙古及喇嘛事，西域平定，凡回部伯克訥皆隸之。其署舊在刑部北，後移今處。分典屬、王會、旗籍、柔遠、徠遠、理刑六司。司務廳一，銀庫、司庫附焉。理藩院冊。一統志：理藩院設尚書一，侍郎三，及郎中、員外郎、主事、筆帖式等員，皆用滿洲并蒙古人。自平定金川以來，凡各土司入覲之職，亦隸於理藩院。舊聞考六十三。

都察院，在刑部北，明都察院在長安街西之刑部街，今署乃本朝即明通政司舊署改建。堂左有明通政司題名碑，字久剥落。舊制，各道以河南爲首，乾隆二十年改制，首京畿道，與河南道互易其署。今京畿道署之在大堂右者，即故河南道也。江南、山西二署在堂左廊，浙江、江西、四川、廣東、雲南、貴州六署在堂右廊，陝西、湖廣二署在二門外之左，山東、廣西二署在二門外之右，福建道署在內堂。後堂左爲經歷廳，穿堂之北爲都事廳。惟河南道署別在刑部之南，本京畿道署，俗猶呼京畿道胡同。都察院冊。會典：都察院左都御史，滿、漢各一人，左副都御史，滿、漢各二人；監察御史，京畿道、河南道、浙江道、山西道、陝西道、湖廣道、江西道、福建道，滿、漢各三人；江南道，滿、漢各四人；山東道，滿、漢各三人；四川道、廣東道、廣西道、雲南道、貴州道，滿、漢各一人；經歷、都事，滿、漢各一人。舊聞考：都察院原設有左僉都御史一人，乾隆十年議裁。督催所、查旗處，皆在署內穿堂後。都察院冊。六科，在午門外東西兩廊，吏、户、禮西嚮，兵、刑、工東嚮。舊制，六科無所統，雍正二年，始隸都察院。

六科冊。會典：六科掌印給事中，滿、漢各一；給事中，滿、漢各一；筆帖式二十有五。春明夢餘録：六科直房，在午門外，東、西相向。初在掖門内之西，與内閣相對，所謂六科廊是也，以災，移外直房。

五城御史署，中城署在兵部窪，東城、南城署在正陽門内西城下道北，西城署在高碑胡同，北城署在紅井胡同。都察院冊。一統志：巡視五城御史，每年輪差。五城兵馬司，中城正指揮署在鷂兒胡同，副指揮署在豬市口西，吏目署在北蘆草園。東城正指揮署在花兒市，副指揮署在朝陽門外雞市口，吏目署在東河漕。南城正指揮署在清化寺街，副指揮署在永定門外，吏目署在東打磨廠。西城正指揮署在彰儀門大街，副指揮署在阜成門外，吏目署在西便門内。北城正指揮署在菜市口鐵門，副指揮署在德勝門外，吏目署在椿樹三條胡同。都察院冊。一統志：兵馬司設指揮一，副指揮一，吏目一，分轄於五城御史。舊聞考：兵馬司副指揮衙署，舊在城内，乾隆三十一年移置城外。

通政司署，在西長安街路南，北向。明通政司署，本朝改爲都察院，乃移建於此。通政司冊。一統志：通政使，滿、漢各一；副使，滿、漢各一；參議，滿、漢各一，知事、經歷埒焉。

登聞鼓院，在長安右門外。舊設滿、漢科道各一掌之，雍正二年併於通政司。一統志。春明夢餘録：登聞鼓院在西長安門，小廳三間，東向，傍一小樓，懸鼓，俾寃民擊之。每日科、道官各一員，錦衣衛官一員輪司其事。民有寃抑，有司不爲審理，具狀通政司，又不爲轉達，審實列其狀以聞。

大理寺，在刑部南，東嚮。一統志。明大理寺署，其地距舊刑部街當不遠，其蹟已湮廢無考。今署乃本朝移建，傳爲明南鎮撫司故址。舊聞考六十三。一統志：大理寺卿，滿、漢各一；少卿，滿、漢各一；有左、右寺丞，評事諸職，司務廳附焉。

太常寺，在西長安門外，都察院之北，仍明舊址建。堂左博士廳，其前有漂牲庫、科神祠，右典簿廳，其前有關帝廟及土地神祠。雍正元年，命大臣總理寺事，嗣經奏准，與鴻臚寺皆歸禮部滿尚書兼管。太常寺册。一統志：太常寺卿，滿、漢各一；少卿，滿、漢各一；寺丞，滿、漢共三；博士，滿、漢共三；讀祝、贊禮郎、典簿、筆帖式、庫使，滿、漢共五十餘人。

神樂署，東嚮。正中凝禧殿，後顯佑殿，殿後袍服庫、典禮署、奉祀堂。左門東通贊禮房、恪恭堂、正倫堂、候公堂，南轉穆佾所；右門東掌樂房、協律堂、教師房、伶倫堂，北轉昭佾所。太常寺册。太常紀要：犧牲所建於神樂署之南，有大祀牲房、太廟牲房、社稷牲房。舊聞考：祀牲舊隸太常寺飼養，乾隆二十六年始隸内務府，每年欽派大臣監視之。

翰林院，在長安左門外，玉河西岸，北嚮。國初併於内三院，詞臣皆值宿禁城，後仍明舊址重建。翰林院册。明廖道南殿閣詞林記：國初建官，以本院爲近侍衙門，故公署雖在外，而僚屬相聚，恒在館閣。洪武初，建翰林院於皇城内，學士而下晚朝，即宿其中，扁之曰詞林。永樂中，行在本院官仍在禁内供奉，不別立公署。正統七年八月，詔建於長安左門外玉河西岸。院門北嚮，第三重爲登瀛門，堂五楹，堂西偏爲讀講廳，東爲編檢廳，左廊圍門内爲狀元廳，右廊圍門内南向者爲昌黎祠，北嚮爲土穀祠。堂之後爲穿堂，左爲待詔廳，右爲典簿廳。後爲後堂，南嚮，高廟、仁廟臨幸時御此。後堂東西屋二楹，爲藏書庫。院内東偏有井，覆以亭，曰劉井，明學士劉定之所浚。西偏爲柯亭。明學士柯潛所建。自後堂而南，内爲敬一亭。院册。明世宗實録：七年二月，敬一亭成。自劉井而東，爲清秘堂，堂前爲瀛洲亭，亭下方池爲鳳凰池，池南爲寶善亭。堂後爲陳樂軒。自柯亭而西，爲先師祠，祠南爲西齋房，又南爲原心亭。翰林院册。舊聞考：儀門左有掌院學士題名碑，壁間龔石，刻高廟柏梁賡韵詩，及東壁圖書府四十字分韻詩。又左、右碑亭各一，爲明嘉靖五年所頒敬一亭箴、范浚心箴，程子視聽言動四箴。清祕堂舊爲東齋房，乾隆九年重修，賜額集賢清祕，因易名。其西齋房舊爲皇清文穎館，後又爲功臣館。乾隆三十八年，於院置欽定四庫全書館，原心、寶善二亭及西齋房，皆爲校讐之所，遂移功臣館於狀元廳。院册。會典：翰林院掌院學士，滿、漢各一；侍讀、侍講學士及侍讀、侍講，滿、漢各三；修撰、編修、檢討無定員；典簿、孔目、待詔，滿、漢各二；筆帖式，滿洲四十人，漢軍四人，俱掌繙譯。俞正燮癸巳存稿九：孝陵碑言：順治十七年，於景運門内建直房，令翰林官入宿，備顧問。康熙十六年十月，始設南書房，以侍讀學士張英、序班高士奇、州同勵杜訥入直，後高授侍講，勵授編修。三十三年五月，命翰林院、詹事府、國子監官，日以四人至南書房承直，其後耑用翰林。

起居注館，康熙九年初置於太和門西廡，五十六年停館，雍正元年復。舊聞考六十四。會典：雍正元年設日講起居注官，滿六人，漢十有二人；滿主事二人；滿洲筆帖式十有四人，漢軍筆帖式二人。十二年，增漢主事一人。乾隆元年，增滿日講起居注官二人。案記注册籍，每年至十二月藏之内閣大庫，已附見内閣條下。

恩賜教習庶常館，在正陽門内迤東。往時教習庶吉士，未有專館，就院中間曠屋宇及大堂廊廡居之，爲肄業之所。雍正十一年，特賜官房一區於正陽門内迤東，當翰林院之西，南面城，門南嚮，堂西嚮，後有樓以貯賜書。中後堂爲教習庶吉士大臣講課之所，餘東、西房皆庶吉士居之。詞林典故。乾隆三十三年重加修葺。庶常館册。會典：教習庶吉士，滿、漢各一人，以掌院學士或内閣學士領其事，大學士、尚書、侍郎之不兼掌院事者亦得掌之。於侍讀、侍講、修撰、編修、檢討内擇學問優長者爲小教習。按：道光以前，每科館選後，掌院學士擇庶吉士八九員，分習國書，時謂之清書翰林，自道光戊戌年裁。

詹事府，在玉河東，西嚮，明代所建，我朝仍其舊制。門内南偏爲土地祠。大堂之南廳事左右春坊官居之，北廳事司經局官居之，堂之後爲穿堂，又後爲退堂。穿堂之南有廳事，爲府中官僚視事之所。退堂之後，中爲先師祠，其旁爲齋房，有碑鐫康熙十六年所賜御書存誠二字。詞林典故。一統志：詹事府設詹事，滿、漢各一；少詹事，滿、漢各一，主簿屬焉。堂之左爲春坊，設左、右庶子掌坊事，滿、漢各一；左、右中允，贊善，滿、漢各二；堂之右爲司經局，設洗馬，掌局事，滿、漢各一。舊聞攷：詹事府署，明黃錦石刻一尚存。又近時修葺府署，於主簿廳舊址得扁石曰一枝軒，明王百穀書也。明黃錦詹事府題名記略：明興，建大本堂，儲經籍，召四方名儒，教太子諸王，或於文華殿分直進講。洪武二十二年，始置詹事院，後四年改名府。永樂二年，給印篆，今所循用者是也。正統七年，改府署於玉河之東隄。

光禄寺，在東安門内橋之右。寺署堂五楹，露臺一，左典簿，右鹽庫，大官、良醞署在東，珍羞、掌醢署在西，餘若黃册房、督催所、煤食房，俱在北。光禄寺册。按春明夢餘録謂：寺署在東華門内者，蓋東安門俗亦稱外東華門也。一統志：光禄寺卿，滿、漢各一；少卿，滿、漢各一；大官、良醞、珍羞、掌醢四署，司庫、典簿附焉。光禄寺酒局在西安門。光禄寺册。王同軌耳談：光禄寺有鐵力木酒榨，相傳籍没沈萬三家物，每榨用米二十石，得汁百甕，今無存。

太僕寺，在正陽門内東中心臺。堂三楹，東有當月印房、土地祠、文昌閣，西有主簿廳、茶房。國初無專署，惟分兵部武庫司廨舍六間爲辦事之所，亦無兼管大臣。雍正三年，始建官署。乾隆四十四年特命大臣總理署事。太僕寺册。一統志：太僕寺卿，滿、漢各一；少卿，滿、漢各一；員外郎、主事各四，主簿廳坿焉。明太僕寺在皇城西，乃元兵部舊署，今兵部夾道稱太僕寺胡同，卽舊署址也。舊聞考六十五。

鴻臚寺，在工部南，西嚮。舊隷禮部統轄，嗣經奏准，與太常寺皆以禮部滿尚書兼管。鴻臚寺册。一統志：鴻臚寺卿，滿、漢各一；少卿，滿、漢各一；鳴贊、序班、主簿附焉。

國子監，在安定門内，文廟西。元至元二十四年設國子監。元世祖紀。大德十年，營國子監於文宣王廟西。元成宗紀。皇慶二年，建崇文閣於國子監。元仁宗紀。明洪武間，改爲北平郡學，至永樂，仍爲國子學，又改爲國子監。彝倫堂卽元之崇文閣也，春明夢餘録二十四。國朝因之。街曰成賢街，門曰集賢門。堂曰彝倫堂，聖祖仁皇帝御書，進士釋褐行禮於此。堂外露臺，爲入監諸生釋褐升拜之所。堂前東南序間爲暖閣，臨雍日於此更衣、用膳。後堂三間，堂左右東西講堂各三間，南嚮。西講堂外古槐一株，按：講堂中壁石刊古槐圖，並恭勒高廟御製古槐重榮詩。元許衡手植，老幹不朽，乾隆十六年古槐重榮。東講堂之東，轉而南，廊房三間，屬於東序，西亦如之。東序近北爲繩愆廳，其南舊爲鼓房，次率性、誠心、崇志三堂，助教、學正、學録莅之。西序近北爲博士廳，與繩愆廳相對。其南舊爲鐘房，次修道、正義、廣業三堂，亦助教、學正、學録莅之。彝倫堂後堂之北，中爲敬一亭，南嚮，繚以周垣，前爲門，題曰敬一之門。門東爲東廂，祭酒、司業治事莅焉。後軒曰敬思堂，東曰崇實，西曰振雅，署之東北隅建御書樓。敬一亭西爲射圃，大門外隙地平敞，設箭亭。太學門內，彝倫堂之南爲辟雍，乾隆四十八年建，南嚮，池環如璧，徑十九丈二尺，深一丈，四達以橋，橋各長四丈，闊各二丈二尺，周池護以石欄，池岸設噀水龍口四以達水。水由太學門外東西井及六堂後檐外東、西井暗溝分注之，池內爲殿基，方十一丈一尺，白石甃之以起殿，殿頂圓，冠以火珠，宇方，檐重，覆黃琉璃瓦。殿方五丈三尺，面各三間，中央一間方一丈一尺，四正四間，闊如之，深一丈六尺，四隅四間，方如之，九間合爲一間，四面啟門，門四扉，右左窗各四，外周以廊，深六尺八寸。柱高一丈六尺，徑一尺八寸，廊外出檐四尺三寸，柱高一丈八尺八寸，方一尺，四出陛。國子監志。舊聞考：殿門外設琉璃坊座，南面額曰圜橋教澤，北面額曰學海節觀。御碑亭二，恭勒新建辟雍圜水工成碑記，碑陰恭勒御製三老五更説，皆左清文，右漢文。又御製題三老五更議。彝倫堂後爲敬一亭，恭勒康熙四十一年御製訓飭士子碑，並御書四碑：一曰功存河洛，一曰嵩高峻極，一曰靈瀆安瀾，一曰昌明仁義。外又有明嘉靖敬一箴碑，及宋儒范氏心箴、程子視聽言動箴各一。最後爲御書樓，内尊藏聖祖御製文集、世宗御製文集板，又乾隆御纂諸經，並十三經、二十二史各板，本皆貯焉。又有蘭亭記、樂毅論、明王同祖及本朝謝履忠丁香花詩石刻。彝倫堂後穿堂内，祭酒、司業題名碑四。後堂恭懸上諭一通。又老彭觀井石刻一。東有崇實、振雅二軒記石刻，康熙五十七年，祭酒李周望撰。穿堂内古文孝經石刻二。又國子監署有明洪武學制、五朝上諭、正統新建太學及廟學全圖四碑，皆摧蝕不可讀。會典：國子兼管監事大臣無定員。祭酒，滿、漢各一，司業，滿、漢、蒙古各一，掌成均之法，以教國子及俊選之士。監丞掌學規，以督教課，糾勤惰，均廩餼。博士掌闡明經説，以助啟迪。典簿掌簿書以及文移之出入，均滿、漢各一。典簿，漢一人，掌經史以備諸生誦習。率性、修道、誠心、正義四堂，漢助教、學正各一，崇志、廣業二堂，漢助教、學録各一，掌教直省俊選之士。雍正六年，俄羅斯國遣陪臣子弟魯哈佛多德、宜畹喀喇西、本米海拉等，觀光國學，特命卽舊會同館設俄羅斯館教之。會同館見禮部條下。

八旗官學，在八旗分地，隸國子監。詳官學國子監志。欽賜學舍在國子監南方家胡同。雍正九年，祭酒孫嘉淦奏准國子監門外方家胡同官房一所，舊有三百餘間，今存一百四十二間，與國子監相去數武，懇恩賞給國子監衙門。大門南嚮，額曰欽賜學舍，計一百九十間，分公所六堂，因在署南，亦稱南學，以衙署爲北學。中爲公所，東爲率性、修道、廣業，西爲誠心、正義、崇志，分門出入。又文公祠在國子監之東北隅。

欽天監，在禮部後，西嚮，明正統七年建。乾隆四十一年奉詔重修，門西嚮。堂前月臺設晷影一座，堂左右碣一，恭紀雍正三年二月二日庚午日月合璧、五星聯珠之瑞。監臣明圖等奉敕恭建。

堂後凡三重，其廨宇之數，共百有十。欽天監册。會典：欽天監兼管監事大臣，無定員。監正，滿一、西洋一；監副，滿、漢各一；左、右監副，滿、漢、西洋各一。掌測候推步之法，占天象以授人時。所屬時憲科，春、夏、中、秋、冬五官正，五官司。天文科，五官靈臺郎，五官監候。漏刻科，五官挈壺正，五官司晨。博士，天文生，陰陽生，主簿，筆帖式。

觀象臺，在城東南隅，臺上有渾天儀、簡儀、銅毬、量天尺諸器。康熙十二年以舊儀年久，多不可用，御製新儀凡六：一、天體儀，一、黃道儀，一、地平經儀，一、地平緯儀，一、紀限儀，陳於臺上，至今遵用。其舊儀移藏臺下。又五十四年製地平經緯儀。一統志。皇朝禮器圖式：地平經緯儀乃合地平、象限二儀而爲一。乾隆九年，製璣衡撫辰儀。臺中爲紫微殿，殿東小室曰壺房，即浮漏堂。又東廂爲測量所，別有室爲晷影堂。舊聞考。明世宗實録：嘉靖二年九月，修觀象臺占風竿，及渾天儀、簡儀。按：占風竿今仍其制，亦名順風旗，竿上有鐵箍二十八道，以象二十八宿之數也。

時憲書局，在宣武門内天主堂西，本朝令西洋人居此，治理時憲書，卽天啟二年都御史鄒元標、副都御史馮從吾所建首善書院，後禮部尚書徐光啟借院修曆，名曰曆局。一統志。會典：凡時憲書，歲以二月一日進來歲時憲書式，四月一日頒式直省刊刻，十月一日恭進御覽，並頒賜王公百官。

太醫院，亦在禮部後，西嚮。大堂外，左南廳，右北廳，後爲先醫廟。外門曰櫺星門，内門曰咸濟門。殿曰景惠殿，供三皇聖像。左右廡列勾芒、風后至王冰配位。殿旁爲省牲房。先醫廟外北嚮者爲藥王廟，有銅人像，蓋卽明英宗時修者也。太醫院册。會典：太醫院使一，左、右院判各一，掌醫之政令，率其屬以共醫事，掌九科之法以治疾，掌灸製之法以治藥，教習二，簡能者任之。舊聞考：藥王廟神像前銅人像，始作於宋天聖時，元至元間修之，明英宗時又修之。三皇廟内有鍼灸經石刻，明時重摹上石者。

内務府，在西華門，内轄。右翼門之西，循牆第四門，前後凡五重，其廨舍之數，共四十有三間，内務府冊。國初置設，凡内務府諸事總隸之。順治十一年，分置十三衙門，十八年裁，十三衙門仍置内務府；康熙十六年，改爲七司、三院，而以内府大臣統之，遂爲定制。舊聞考七十一。内務府冊：其十三衙門曰司禮監、尚方司、御用監、御馬監、内官監、尚衣監、尚膳監、尚寶監、司設監、兵仗監、惜薪司、鐘鼓司、織染司，尚沿明代舊名。十二年，改尚方司爲尚方院。十三年，改鐘鼓司爲禮儀監，尚寶監爲尚寶司，織染司爲經局。十七年，改内官監爲宣徽院，禮儀監爲禮儀院。十八年裁十三衙門，仍置内務府，以兵仗監爲武備院。康熙十六年，盡汰舊時名目，改七司、三院。會典：總管内務府大臣無定員，於滿洲文、武大臣或王公内用之，掌内務府一切事務，奉宸院、武備院、上駟院並隸焉。所屬廣儲、會稽、掌儀、都虞、慎刑、營造、慶豐七司。舊聞考：内務府之職，前代所未有，我朝革明代内官監司之弊，特設内府官屬以理之。其職不下數百員，内廣儲司管理六庫郎中二秩，在諸司之上，至掌治堂事，總理府屬及各司院事宜，則有坐辦堂郎中一，或由六庫郎中陞用，或擇院卿及内府護軍統領兼攝之，蓋内府總管下即以坐辦郎中爲要職焉。

順治十二年六月二十八日，世祖敕諭嚴禁中官鐵牌　中官之設，自古不廢，然任使失宜，遂貽禍亂。近如明朝王振、汪直、曹吉祥、劉瑾、魏忠賢等，專擅威權，干預朝政，開廠緝事，枉殺無辜，出鎮典兵，流毒邊境，甚至謀爲不軌，陷害忠良，煽引黨類，稱功頌德，以致國事日非，覆敗相尋，足爲鑒戒。朕今裁定内官衙門及員數職掌，法制甚明，以後但有犯法干政，竊權納賄，囑託内外衙門，交結滿、漢官員，越分擅奏外事，上言官吏賢否者，卽行凌遲處死，定不姑貸。特立鐵牌，世世遵守。欽此。舊聞考：鐵牌之製，高四尺五寸，廣一尺九寸，厚一寸，内務各司院通行鑄勒，垂示久遠。

稽察内務府御史衙門，雍正四年設，在景山西門路北，房四十有六楹，以都察院滿監察御史二員稽核其事。内務府冊。

廣儲司署，舊在西華門内白虎殿東配房，雍正八年移於尚衣監北，筩子河路西，後屢有遷易。今置於酒醋房之南牆門内，前後三重，廨舍十有七間，所屬銀、皮、瓷、段、衣、茶六庫，爲内府庫藏總滙之所。初名御用監，順治十八年，分銀、皮、段、衣四庫，康熙十六年改今名，二十八年分設瓷、茶二庫，皆統隸焉。内務府册。餘詳倉庫。

會稽司署，在西華門外北長街，東嚮。前後五重，廨舍共四十間。掌内府户口、地畝、徵收莊糧等事。初名内官監，順治十七年改宣徽院，康熙十六年改今名。内務府册。

管理三旗納銀莊署，向隸會稽司，雍正元年，始設專署於西華門外南長街胡同路東，廨舍三十有五，專掌畿輔各莊歲納糧銀之屬。内務府册。按：以上屬會稽司。

掌儀司署，在西華門外南長街織女橋，南向。後有觀象臺，前後廨舍共七十餘間，掌内府之典禮。初名鐘鼓司，順治十三年改禮儀監，十七年改禮儀院，康熙十六年改今名。内務府册。

都虞司署，在西華門外路北，南嚮，五重，廨舍共四十間。其東爲箭亭，内務大臣挑甲驗看於此。都虞掌陞補武職、咨行俸餉及供應畋漁等事。初名尚膳監，順治十八年改爲採捕衙門，康熙十六年改今名。内務府册。

三旗參領署，舊在東安門内騎河樓官房，乾隆三十五年後移建於地安門外白米斜街，前後廨舍共六十有三間。□三旗佐領、管領，向未有檔房，乾隆二十二年，奉給以地安門内景山後樓房六十六間爲檔册房。內務府册。按：此屬都虞司。

慎刑司署，在西華門外長街之北，東嚮，前後三重，廨舍共五十三間，掌内府之刑罰。初名尚方司，順治十二年改爲尚方院，康熙十六年改今名。內務府册。管轄番役處，雍正四年奉命設立。舊署在東華門外南池子，乾隆三十六年移建西華門外長街之北，西嚮，廨舍共三十九間。其番役專隸内府，捕緝各案暨逃走太監等，由三旗人選充。內務府册。按：此屬慎刑司。

營造司署，在西華門外北長街，西嚮。大堂五楹，二堂後有魯班殿，前後凡四重，廨舍共七十間，掌理工作，兼司薪炭。初名惜薪司，順治十八年改爲内工部，康熙十六年改今名。內務府册。

監造花炮處，在地安門内甬路西，東嚮，廨舍共四十有五。內務府册。舊聞考：其北有廟，殿祀上帝、關帝、火德真君，南嚮者爲天王廟。按：此屬營造司。

慶豐司署，在西華門外北長街，東嚮，廨舍共二十三間，掌牛羊廐暨口外牧羣。所屬有南苑鹿圈村牛圈、槐房邨經板庫、南海淀各牛圈、豐臺羊圈。內務府册。舊聞考：慶豐司所屬各圈牛羊，皆大内所用，其犧牲所喂養牛隻，爲祭祀之需，向隸太常寺。乾隆二十六年奉旨，簡總管内務府大臣一員值年經理，每歲派内府司員内司其事，以昭敬慎。

掌内管領關防署，在西華門外路南，廨舍共二十有一楹，所屬凡八。内務府册。

官三倉，在西華門外北圍城，連房百有十八楹。内務府册。

餑餑房，在西安門旋磨臺舊址，路北，房四十四楹。内務府册。

酒醋房，在神武門内路西，連房二十有三楹，又別房十有四楹，順治十年設。内務府册。

傢伙倉，在西華門外北城下，連房二十五楹。内務府册。

冰窖四座，在隆宗門外甬路西邊。内務府册。

恩豐倉，在東華門外北圍房，内廒十有二，官舍十，貯内監人等所食米石。内務府册。舊聞考：太監倉米，舊制隨内府兵役由京倉關支。乾隆二十八年，上以外倉關領，既恐内監人等滋生事端，且就近支放，尤爲便易，故建立是倉。按：以上屬内管領。

奉宸苑，在西華門外西苑門之旁，廨舍十有五楹，總理苑囿、河道、稻田之屬。初隸尚膳監，康熙二十五年設奉宸苑，鑄給印信。内務府册。會典：奉宸苑兼管苑事大臣，特簡，無定員，卿二人，掌苑囿之政。所屬郎中二人、員外郎四人、主事一人，分管苑囿諸事。筆帖式十有六人。南苑郎中一人，員外郎二人，主事一人。暢春園郎中一人。圓明園兼管大臣無定員，協理二人，或郎中，或員外郎，主事一人。清漪園兼管大臣無定員，員外郎一。靜宜園員外郎一。苑丞共四十有五，苑副共六十有九，庫掌一，筆帖式三十有九，分置禁苑，各備典守。

管理南苑署，在北紅門内迤東，南嚮，前後四重，房十有八楹。順治年間歸併採捕衙門，康熙二十三年，始命奉宸苑管理。内務府册。

稻田廠署，康熙五十三年始建，倉署在玉泉山之東青龍橋，前後四重，房六十有四楹。

內務府冊。玉泉山青龍橋稻田廠廨宇，向存貯米石，倉廒及官署碾房俱備焉。又官場二處，一在功德寺，西房四間；一在六郎莊，南房十六間。內務府冊。舊聞考：司其事者員外郎一員，庫掌一員，筆帖式三員，催長、領催掌十名，種地鬮鑾子十三名。餘詳內務府莊田，見賦役門。按：以上屬奉宸苑。

武備院，在東華門外北長街路西，甲庫直房、氊庫直房俱南嚮，靴皮作西嚮，鞍庫直房東嚮，正南爲帳房處、檔案房北嚮，南鞍庫直房南嚮。前後五重，房七十有九楹，掌御用武備及製造兵仗之事。初名靴房，順治十一年改名兵仗局，十八年改今名。內務府冊。會典：武備院兼管院事大臣無定員，卿二，掌供上用武備，製造兵仗；郎中一，掌章奏及庫帑出納；主事二，掌文移。所屬四庫，各設員外郎二，庫掌三，未入流庫掌二，筆帖式二十八，庫守五十有九，司函長一，司函六，司弓、司矢各三，下五旗司弓五人並隸焉，掌上用甲、冑、弓、矢；掌蓋三，掌擎御蓋；司幄三，掌御幄帳殿；司匠七，分掌各作匠役，成造器物。

帽作，在東安門外錫鑞胡同，房九楹，北向。內務府冊。

染氊作，在燒酒胡同，北向，房二十有四楹。所屬沙河氊作，在沙河城。內務府冊。按：以上屬武備院。

上駟院，初名御馬監。順治十八年置阿敦衙門，康熙十六年改今名。舊署在東華門內三座門之西，今改建於左翼門外，西嚮。堂左右爲司房、東西耳房，其所掌御馬廄，今移於新署內之南，計廄五間。所屬之十八廄分設禁城門外。內務府冊。舊聞考：十八廄，上乘御馬爲一廄，皇子良馬爲一廄，對子馬爲一廄，在院署之旁，東安門內駑馬三廄，駕車騾馬一廄，西安門內駑馬二廄，小馬一廄，乾隆五年，增設駕車騾馬一廄，圓明園大有莊駑馬一廄，南苑御馬內養馬六廄。圓明園上乘御馬外圈一廄，小馬外圈一廄。暢春園皇子良馬外圈一廄，駕車騾馬外圈一廄，備差駑馬外圈一廄。會典：上駟院兼管院事大臣無定員，卿二，掌羣牧之政。所屬左司郎中一，侍衛、員外郎各二，主事一，掌均齊賞罰；右司侍衛、員外郎各二，主事一，掌俸餉芻菽；堂主事二，掌章奏文移；筆帖式二十五，分隸堂、司，掌繙譯；侍衛二十一，掌侍直，内八人兼試御馬；司鞍長二，司鞍八，司轡二十。上駟院侍衛，每旗七人，司鞍、司轡、侍衛無定員，隸上駟院。

内務府造辦處，掌成造諸器用之物。康熙三十年，以慈甯宫之茶飯房一百五十一楹爲造辦處，四十八年復增白虎殿後房百楹。所屬玻璃廠，在西安門内蠶池口之西，共房三十有六楹。内務府册。舊制，養心殿有造辦處，雍正年間始移今處。舊聞考。

織染局，舊隸工部，康熙三年，歸内務府管理。是局原設於地安門内嵩祝寺後，乾隆十六年，奉移於萬壽山之西。廨舍局房與稻田毗近，立石曰耕織圖，原機上織染局三字，今改爲耕織圖。内務府册。會典：織染局管局大臣及兼攝局務之司官，均奏派，無定員，司庫一，筆帖式三，庫使六，司匠二，領催六。

茶膳房，舊在中和殿東圍房内，乾隆十三年，以箭亭東外庫改爲御茶膳房，門東嚮。門内迤北東、西黄玻璃瓦房八楹，西南黄玻璃瓦房十二楹，又南北瓦房九楹。内務府册。

領侍衛府，無專署，惟設檔房，在昭德門外。舊聞考七十二。皇朝文獻通考：領侍衛府領侍衛内大臣六人，内大臣六人，散秩大臣無定員，掌統領親軍，以先後扈御，左右翊衛焉。一等侍衛六十人，二等侍衛百五十人，三等、四等侍衛二百七十人，藍翎侍衛九十人，親軍校四十五人，宗室侍衛一等九人，二等十八人，三等六十三人，每十人各設什長一人。會典：御前侍衛、乾清門侍衛，皆無定員，隨印協理事務侍衛班領有二，漢侍衛無定員，主事一，筆帖式十二，貼寫筆帖式十五，掌辦理章奏，收發文移。宿衛更番輪直，凡六班，班分兩翼，各設侍衛班領一，署班領一，侍衛三十。宿衛乾清門爲内班，散秩大臣一，侍衛親軍十。宿衛中和殿，侍衛什長三，侍衛親軍三十。宿衛太和門爲外班，以領侍衛内大臣一總統之，内大臣、散秩大臣二，隨班入直。行幸駐蹕宿衛，一如宫禁之制。舊聞考：掌鑾儀衛内大臣，由領侍衛府以領侍衛内大臣列名疏請除授。

鷹房，養鷹、鷂、鴉、鶻處，在東華門内三座門路東，共房二十二楹。狗房，在東華門内東三所前路東，房十九間。外養狗處在東安門内南池子之南，房十五楹。內務府册。按：鷹房、狗房，有侍衛兼管，統在三旗額内，無定員。

鑾儀衛署，在長安右門外，即明錦衣衛舊署。鑾儀衛册。舊聞考：今刑部公署，亦相傳爲明錦衣衛故址，殆即其地而分建二署歟？順治二年，改爲鑾儀衛。鑾儀衛册。皇朝文獻通考：鑾儀衛職掌乘輿、供奉鹵簿之事。掌衛事内大臣一人，鑾儀使，滿洲二人，漢軍一人，所屬前、後、中、左、右所，分鑾輿、馴馬、擎蓋、弓矢、旌節、旛幢、扇手、斧鉞、戈戟、班劍十司。馴象一所，分東、西二司；旗手一衛，分左、右二司。又鑾儀衛主事，滿洲一人，經歷，漢一人，筆帖式，滿洲七人，漢軍三人。會典：凡軍尉儀刀、弓矢、殳戟用親軍，豹尾槍、仗馬用護軍，蒙古畫角用蒙古鳴角軍，奉輦、擎執各校尉，由内府選充者爲旗尉，五城選充者爲民尉，奉輦旗尉一百六十八人，民尉六十人，各執事旗尉二百四十六人，民尉三百二十二人，左、右、中、前、後五所民尉，計千三百二十八人。馴象所民尉二百有六人，八旗及漢軍更夫四十人。按：左、右、中、前、後五所，及馴象所，與旗手衛，並設冠軍使、雲麾使、治儀正、整儀尉等官。左所掌輦輅，右所掌繖蓋、儀刀、弓矢、槍、殳戟，中所掌麾氅、旛幢、纛幟、節鉞、仗馬，前所掌扇、拂、爐、盒、盂、盤、几、椅、星、御仗、引仗、樱薦、静鞭、品級山，後所掌旗、瓜、吾仗；馴象所掌儀象、寶鉼、騎駕、鹵簿、鐃歌、鼓吹；旗手衛掌金鉦、鼓角、鐃歌、大樂、陪祀。冠軍使漢軍二人，贊鳴鞭八人。明一統志：錦衣衛在通政司南，經歷司、上下鎮撫司，并各所司附焉。舊聞考：明設錦衣衛，其初但司輿衛而已，一自閹豎攬權，兵刑寄任，掌衛者咸得專恣，遂失建官初意。本朝革除明季弊政，順治二年，改錦衣衛爲鑾儀衛，專司鑾輿儀仗，以内大臣掌其事，節制嚴，名實稱矣。

馴象所，在宣武門内西城根。鑾儀衛册。明工部志：象房，宏治八年修。姚旅露書：今朝午門立仗、及乘輿、鹵簿，皆用象，不獨取以壯觀，以其性亦馴警，不類他獸也。象以先後爲序，皆有位號，食幾品料。每朝則立午門之左右，鐘鳴鞭響，肅然翼侍，百官入畢，則以鼻相交而立，無一人敢越而入矣。

八旗都統衙門，鑲黄旗滿洲都統署在安定門大街交道口，蒙古都統署在北新橋南大街，漢軍都統署在安定門大街。正黄旗滿洲都統署在德勝橋南，蒙古都統署在德勝門大街石虎胡同，漢軍都統署在西直門丁家井。正白旗滿洲都統署在朝陽門老君堂胡同，蒙古都統、漢軍都統署俱在東四牌樓南報房胡同。正紅旗滿洲都統署在阜成門錦石坊街蒙古都統署在水車胡同，舊在巡捕胡同。漢軍都統署在宣武門内鷲峯寺街。鑲白旗滿洲都統署在燈市口大街，蒙古都統署在王府大街甘雨胡同，漢軍都統署在燈草胡同。鑲紅旗滿洲、蒙古、漢軍都統署並在石駙馬大街。正藍旗滿洲、蒙古、漢軍都統署並在崇文門内燈市口本司胡同。鑲藍旗滿洲都統署在華嘉寺胡同，蒙古都統署在宣武門内西單牌樓太僕寺街，漢軍都統署在堂子胡同寬街。雍正八年，始行建立滿洲、蒙古、漢軍同一廨宇，厥後漸次分建，遂爲今制。八旗册。會典：凡八旗序次，曰鑲黄，曰正黄，曰正白，爲上三旗；曰正紅，曰鑲白，曰鑲紅，曰正藍，曰鑲藍，爲下五旗。行軍蒐狩，以鑲黄、正白、鑲白、正藍四旗居左，爲左翼；正黄、正紅、鑲紅、鑲藍四旗居右，爲右翼。官職除授公差踐更以上下旗爲辨，朝祭班列旗籍界止以左右翼爲辨。滿洲八旗，旗各都統一人，副都統二人，掌宣布教養，整詰戎兵，以治旗人；所屬參領五人，掌頒都統、副都統之政令，以達於佐領；蒙古、漢軍並同。佐領所治，以三百人爲率，人户滋生，則增設。佐領掌稽所治人户、田宅、兵籍，以時頒其職掌。又驍騎校每佐領一人。蒙古、漢軍並同。

值年旗衙門，在地安門外雨兒胡同，南嚮。前後四層，共房四十楹。雍正四年始設，名當月旗，八旗輪流當月，乾隆十六年改今名。每歲終，兵部奏派王大臣等司其事。八旗册。

左翼前鋒統領衙門，在燈市口本司胡同内。八旗册。

右翼前鋒統領衙門，在阜成門内巡捕廳胡同。八旗册。會典：前鋒統領，左右翼各一人，或以王公大臣兼領，掌本翼四旗前鋒之政令。前鋒參領、前鋒侍衛，左、右翼各八人，署前鋒參領各四人，掌督率前鋒，警蹕宿衛。每翼隨印協理事務前鋒參領、侍衛各一人，前鋒校二人，筆帖式二人。

護軍統領衙門，鑲黄旗在東直門内金太監寺胡同，正黄旗在西直門内崇元觀後寬街，正白旗在東四牌樓十條胡同，正紅旗在西四牌樓臭皮胡同，鑲白旗在朝陽門內驢市胡同，鑲紅旗在西單牌樓報子街，正藍旗在崇文門內乾麪胡同，鑲藍旗在屯絹胡同。向分左右四旗爲二區，今每旗各立一署，便於辦公。八旗册。會典：護軍統領每旗一人，掌護軍之政令；護軍參領每旗滿洲一人、蒙古四人，內司鑰長、署司鑰長各一人；副護軍參領，如參領之數；護軍校署護軍參領，每旗七人；隨印協理事務護軍參領、副護軍參領各一人；護軍校各二人；筆帖式各二人；門筆帖式，鑲黃、正黃、正白三旗各十人，護軍校八旗，滿洲、蒙古每佐領各一人，護軍每佐領各十有七人。十五善射王公大臣、官員等共四十五缺，拜唐阿丁等共一百二十缺，善騎射二十缺，善射鵠帶翎者六缺，餘無定額。善撲善强弓處，左、右兩翼翼領六員，筆帖式六員，善撲二百名，善强五十名，騸馬人五十名，教習十六員。按：十五善射、善騎射、善射鵠、善撲、善强弓諸處俱無專署，特派王、公、大臣管理。嚮道總統以前鋒統領、護軍統領、八旗副都統兼理，凡時巡、省方，由嚮導總統先期率官校飭所在有司，修築營盤。嚮導官無定員，亦無專署。

圓明園總統營廨，鑲黃旗營房在樹邨西，護軍參領等廨舍共六十五楹，護軍等官房共一千四百八十五楹。正黃旗營房在蕭家河北，護軍參領等廨舍共六十五楹，護軍校、護軍等官房共一千四百八十五楹。正白旗營房在樹邨東，護軍參領等廨舍共六十五楹，護軍校、護軍等官房共一千四百六十四楹。鑲白旗大營房在長春園東北，副護軍參領等廨舍共三十九楹，護軍校、護軍等官房共一千一百六十七楹；小營房在長春園東，護軍參領等廨舍共二十六楹，護軍校、護軍等官房共三百一十五楹。正藍旗營房在海甸東，護軍參領等廨舍共六十五楹，護軍校、護軍等官房共一千四百二十五楹。鑲藍旗營房在廣仁宮西，護軍參領等廨舍共六十五楹，護軍校、護軍等官房共一千四百八十五楹。正紅旗營房在安河橋西北，護軍參領等廨舍共六十五楹，護軍校、護軍等官房共一千四百六十七楹。鑲紅旗營房在靜明園東北，護軍校、護軍等官房共一千四百八十五楹。八旗册。會典：圓明園總統無定員，掌翊衛之政令，營總八人，護軍參領八人，副護軍參領十六人，署護軍參領三十二人，護軍校、副護軍校各一百二十八人，護軍三千六百七十二人，養育兵四百八十人。内務府三旗營房，在陳府邨東，護軍參領等廨舍共九十六楹，護軍校、護軍等官房共四百八楹。其總管八旗及三旗護軍印房，在圓明園前紅橋河側。八旗册。

步軍統領署，在地安門外顯佑宫之右。步軍統領，康熙十三年始行設立，無專署，雍正十二年，以宣武門内京畿道胡同内務府官房爲之。乾隆三十一年，管步軍統領事傅恒以衙署偏在西南，奏准與地安門外帽兒胡同禮部會同館互易。步軍衙門册。京師營房在皇城内者，八旗滿洲步軍宿衛之處九十所。内城九門，各設巡房，左翼三百二十七所，右翼二百二十九所，分隸八旗、滿洲、蒙古、漢軍，門内皆令循環巡警。附城列屋三千六百十六，每旗各撥滿洲、蒙古、漢軍官兵挈眷駐防，並於城門外各設巡房八間，即令駐防官兵分班守衛。外城七門，設馬、步兵巡房三百四十二所，分隸巡捕三營巡守。步軍衙門册。舊聞考：内、外城門各設班房、更房，内城百有五楹，外城八十楹，城上有設戍守望，内城八十四所，外城四十三所。信礮總管一人，五品官，八旗各一人，掌監守白塔信礮。會典：提督九門巡捕三營，步軍統領一人，掌管門禁鎖鑰，統率八旗步軍三營將備，以肅清輦轂。左、右翼步軍翼尉各一人，八旗步軍協尉、副尉各二十四人，掌董率守衛，巡警掃除。步軍尉，每旗滿洲二十四人，蒙古、漢軍各九人；委署步軍尉，每旗滿洲各五人，蒙古、漢軍各二人；掌分汛警夜、清道、詰姦、捕盗。步軍尉，滿洲每旗各三人，蒙古、漢軍每旗各一人，緝捕盗賊，稽察奸宄。領催二千三十一人，步軍萬七千八百四十七人。城門領，内九門每二人，外七門每一人。城門吏同。門千總，内外門每門均二人，掌嚴啟閉出入，以稽作僞。

中營提督，中營，兼管中營副將分駐海甸、新莊；游擊駐四王府；副將中軍兼管圓明園汛都司駐掛甲屯；暢春園汛守備駐海甸、新莊；樹邨汛守備駐樹邨；靜宜園汛守備駐香山；樂善園汛守備駐西闕。南營參將駐崇文門外抽分廠；游擊駐菜市口；西珠市口汛都司駐棉花頭條衚衕；參將中軍兼東珠市口汛守備駐東珠市口；東河沿汛守備駐鐵廠；花兒市汛守備駐崇文門外上三條衚衕；菜市口守備駐牛街。北營參將駐德勝門外；大關游擊駐安定門外大關；德勝汛都司駐德勝門外大關；參將中軍兼管安定汛守備駐安定門外大關；東直汛守備在東直門外大關；朝陽汛守備在朝陽門外雞市口。左營參將駐朝陽門外芳草地；游擊駐東便門外三忠祠；左安汛都司駐左安門外關廂；參將中軍兼管河陽汛守備駐朝陽門外南中街；東便汛守備駐東便門外三忠祠；廣渠汛守備駐廣渠門外關廂。右營參將一駐阜成門外關廂；游擊駐廣甯門外大關；永定汛都司駐永定門外鶯橋；參將中軍兼營阜成汛守備駐阜成門外驢市口；西便汛守備駐西便門外角樓；廣甯汛守備駐廣甯門外車市。采訪册。按：左營四汛，所轄自朝陽門石道之南，至東便、廣渠、左安、永定門以東；右營四汛，所轄自阜成門以南，至西便、廣甯、右安、永定門以西。舊聞考：中、南、北、左、右五營，每營各設參將一員，游擊一員，都司一員。中營管轄園庭，增設副將一員。其營汛之制，中營五汛，南營六汛，北營六汛，餘三營各轄四汛，每汛千總二員，把總四員，經制外委六員，額外外委三員。

火器營衙門，在東四牌樓西。八旗册。會典：火器營總統六人，八旗鳥槍護軍參領十六人，鳥槍驍騎參領二十四人，管鳥槍散秩官五十六人，管礮散秩官四十人，鳥槍護軍校、鳥槍驍騎校各一百十二人，管礮驍騎校四十人，八旗、滿洲、蒙古每佐領下鳥槍護軍三人，鳥槍驍騎四人，礮驍騎一人。左翼鑲黄、正白、鑲白、正藍四旗礮廠在東直門北新橋東教場，康熙二十四年工部修建。右翼正黄、正紅兩旗礮廠在西直門内樺皮廠，康熙四十六年移建。鑲紅、鑲藍兩旗礮廠在宣武門内城隍廟北。八旗册。外火器營房在長河西岸藍靛廠後。火器營官署向止城内東四牌樓一處，至操演訓練，俱會於安定門外教場。乾隆三十五年，於長河西岸另立教場，爲外火器營，並建蓋營房，撥本營八旗滿洲弁兵移駐，俾羣聚環居，便於演習。外火器營房，共官廨一千二十四楹，官廳義學等房六十楹，礮甲連房六千三十八楹。圍牆大門樓四座，看牆八道，周圍門樓三千一百七十六座，虎皮石院牆長三萬七丈有奇，曲尺牆三千一百四十座，外圍大牆長一千一百六十六丈有奇，隨門平橋四座，牆腳下洩水溝二十五道，護牆河長一千一百八十餘丈有奇，鑿井十六，建水房十六楹。其西門外建翼長廨舍一所，乾隆三十五年奉命創建，撥八旗滿洲火器營官員兵丁駐此。又營西門之西，設立大教場，爲八旗合操之地。建演武廳一座，五楹，抱厦三楹，配殿六楹，看守房四楹，大門樓一座，隨牆門二，虎皮石圍牆長三十八丈四尺有奇。廳前月臺三出陛，以備合操。乾隆三十九年，又於藍靛廠後設小教場，以爲兵士早晚校射之地。八旗册。

健鋭營衙門，在香山静宜園東南，圍牆四角有碉樓四座，共房二十二楹。又御駕閲兵演武廳一座，後有看城及東西朝房，放馬黄城。健鋭營官兵營房在静宜園之左右翼，共三千五百三十二楹，碉樓六十八所。八旗册。演武廳，乾隆十四年敕建，爲健鋭雲梯營肄武之地。其土城門五，内設碉樓七處，西城樓門一。舊聞考。會典：健鋭營總統無定員，翼領二人，前鋒參領八人，副前鋒參領八人，署前鋒參領十六人，前鋒校五十人，副前鋒校四十人，什長五十人，筆帖式四人，前鋒千人，委前鋒千人，習雲梯、馬步射、鳥槍、馳馬、躍馬、舞鞭、舞刀、水戰、駕船、駛風之技。按：水戰習于昆明湖，而轄於香山健鋭營。又設三旗虎槍營，無專署。

神機營衙門，在崇文門内煤渣胡同，咸豐十一年建，特派親王佩帶印鑰總理事務。署内分設文案、營務、糧餉、印務、稾案、覈對六處，派全營翼長三員，總司各處，及馬步二十四隊練兵事宜。每年兩季，撥隊前赴南苑，紮營操演。神機營册。册又云：總理文案處，額設翼長三員，委員官兵共七十六員名。總理營務處，額設翼長六員，差委章京、差委侍衛、委員官兵等共一百五十一員名。總理糧餉處，額設委員等官兵共二十一員名。全營翼長兼管總理印務處，額設委員等官兵共十六員名，文案、翼長輪流監印。總理稿案處，額設委員等官兵共八員名，文案翼長兼管。總理覈對處，額設委員等官兵共二十五員，文案翼長兼管。

圓明園馬隊廠，在本營。健鋭營馬隊廠在本營。外火器營馬隊廠在本營。内火器營馬隊廠在安定門内方家胡同。左驍騎馬隊廠在國子監街。右驍騎馬隊廠在德勝門内劉海胡同。左前護軍馬隊廠在國子監街。右前護軍馬隊廠在新街口公用庫。駿字馬隊廠在西直門内四根柏胡同。驤字馬隊廠在西直門内紅橋。震字馬隊廠在東單牌樓金魚胡同。按：以上每隊專操一員，幫操二員，額設官兵四百二十員名。威遠營捷字步隊廠在東單牌樓帥府園。威遠營勝字步隊廠在西單牌樓皮庫胡同。威遠營精字步隊廠在東直門内北新橋。威遠營鋭字步隊廠在德勝門内三不老胡同。圓明園抬槍隊廠在本營。按：以上每隊專操一員，幫操二員，額設官兵八百三十員名。外火器營利字步隊廠在本營。健鋭營健字步隊廠在本營。按：以上每隊專操一員，幫操二員，額設官兵一千三百員名。左驍騎營抬槍隊廠在鼓樓東寶鈔胡同。右驍騎營抬槍隊廠在新街口公用庫。以上每隊專操一員，幫操二員，額設官兵各四百二十員名。左八旗漢軍排槍隊廠在東直老君堂。右八旗漢軍排槍隊廠在西四磚塔胡同。按：以上每隊專操一員，幫操二員，額設員兵一千員名。左八旗漢軍礮隊廠在東直老君堂。右八旗漢軍礮隊廠在西直北城根。按：以上每隊專操一員，幫操二員，額設官兵共四百員名。左幼丁隊廠在銀閘。右幼丁隊廠在酒醋局。按：以上每隊專操一員，幫操二員，額設官兵五百員名。中營步隊廠在西四帝王廟。專操一員，幫操一員，額設官兵共二百五十員名。軍火局在阜成門内。官兵一百十六員名。軍器庫在金魚胡同。官兵十三員名。槍礮廠在石碑胡同。新設官兵尚未定額。神機營册。

回人佐領事務處在西長安街路南。乾隆二十五年授白和卓爲回子佐領，以投誠回衆編爲一佐領，於西長安街設回營一所居之。共房百四十有七楹，營内設辦事房，以内務府官董其事。内務府册。回子館學，乾隆二十一年立，在西華門内右翼門外，東嚮。内務府册。緬子館，乾隆三十二年立，亦在西華門内右翼門外，造辦處南門外迤東路北。内務府册。

總理各國通商衙門，在崇文門内東單牌樓東堂子胡同。咸豐十一年十二月奏請設立總理衙門。初定約時，借宛平縣署東之嘉興寺爲辦理交涉事務之所，至是就東堂子胡同鐵錢局公所改建，額曰總理各國事務衙門。采訪冊。咸豐十一年十二月初一日，總理衙門奏遞章程六條之一云：京師請設立總理各國事務衙門，以專責成也。查各國事件，向由外省督撫奏報，彙總於軍機處。近年各路軍報絡繹，外國事務，頭緒紛繁，駐京之後，若不悉心經理，專一其事，必致辦理延緩，未能悉協機宜。請設總理各國事務衙門，以王大臣領之。軍機大臣承書諭旨，非兼領其事，恐有歧誤，請一併兼管；並請另給公所，以便辦公，兼備與各國接見。其應設司員，擬於内閣部院、軍機處各司員、章京内滿、漢各挑取八員，輪班入直，一切均倣照軍機處辦理，以專責成；俟軍務肅清，外國事務較簡，即行裁撤，仍歸軍機處辦理，以符舊制。按：初立衙門時，所設司員如此，後則設立滿、漢章京，分掌各國交涉事務，由内閣中書及六部司員考充，一如軍機章京體制。其管理事務王大臣，特派，無定員。又十二月二十一日，奏遞新設衙門章程十條之二云：擬建立衙署，以資辦公也。查各衙門分司辦事，往往多者數百間，少者亦百餘間，方可敷用，房間既多，官役亦因之而增。此次總理衙門，義取簡易，查東堂子胡同舊有鐵錢局公所，分設大堂、滿、漢司造科房等處，儘足敷用，無庸另搆。惟大門尚係住宅舊式，外國人後來接見，若不改成衙門體制，恐不足壯觀，且啟輕視。擬僅將大門酌加改修，其餘則稍加整理，不必全行改修，並擬由臣等自行估修，以期迅速，而資節省。

同文館，挑選八旗子弟充學生，學習外國語言文字，以備繙譯。即就鐵錢鑪房修葺以作館舍，爲東所；咸豐十年十二月初一日，奏請於廣東、上海挑選認識外國文字、通解外國語言之人，各派二人來京差委。又同治五年，奏請招致天下算學。光緒元年，建造西院房屋，爲出使各國大臣留駐，並每歲新年各部院大臣接見各國使臣之所，爲西所。采訪冊。

化學館、博物館，均光緒二年添設。采訪冊。

總税務司署，在台基廠中間路西。采訪冊。

附外國公署

英國公署在御河橋河沿路西，每年歲租一千兩。采訪冊。

俄國公署在東交米巷橋西路北。采訪冊。俄羅斯館在東華門外北池街西。舊聞考。按：此雍正六年設，見國子監條下，今無可隸，附志於此。會典事例：俄羅斯館專司繙譯俄羅斯文字，選八旗官學生入館肄業。

美國公署在東交米巷橋西路南。采訪冊。

德國公署在東交米巷橋東路南。采訪冊。

法國公署在台基廠南口外路北。采訪冊。

日國公所在法國公署西，路北飫店。采訪冊。

比國公所在日國西間壁路北。采訪冊。

和國公所在台基廠南口外迤東路北。采訪冊。

日本國公所在東四牌樓北六條胡同迤東路北。采訪冊。

定遠方孝傑校

京師志八

兵制

德清傅雲龍纂　江陰繆荃孫覆輯

本朝八旗勁旅，鞏衛京畿，制度威嚴，歷代罕比。近年以來，兵事叠起，復設神機營，俾加訓練，兼設捕盜營，以資彈壓，臂指交應，腹心鞏固，以視前代，或糜帑項，或苦征役，或專屬於武臣，或領之以内豎，豈可同日語哉！謹舉其制度，録其員弁，遼、金、元、明亦坿於後，或得或失，可鑒觀矣。志兵制。

侍衛

領侍衛内大臣六人，散秩大臣無定員，掌統領侍衛親軍，以先後扈御，左右翊衛焉。一等侍衛六十，二等侍衛百五十，三等、四等侍衛二百七十，藍翎侍衛九十，親軍校四十五，宗室侍衛一等九人，二等十八，三等六十三，每十人設什長一。皇朝文獻通考。按：宿衛更番輪值，凡六班，班分兩翼，各設侍衛班領一，署班領一，侍衛三十。宿衛乾清門爲内班，散秩大臣一，侍衛親軍十；宿衛中和殿侍衛，什長三，侍衛親軍三十。宿衛太和門爲外班，以領侍衛内大臣一總統之，内大臣散秩大臣二，隨班入直。行幸、駐蹕，宿衛一如宫禁之制。侍衛初選均授三等侍衛、藍翎侍衛，歲以冬月推陞；至勳戚後裔，内有特旨，初選即授爲一、二等侍衛者，即坐補、本補員闕宗室侍衛、不論鎮國、輔國、奉國、奉恩將軍，先選三等、四等侍衛□　漢侍衛無定員。按：漢一等侍衛以一甲一名武進士補授，二等以二甲二名、三名武進士補授，三等于二甲内簡選，藍翎侍衛于三甲内簡選。三旗，每佐領親軍二名，鑲黄旗滿洲人，八十五佐領，蒙古二十八佐領，共親軍二百二十四名，内親軍校十五人；五旗移入六十佐領，親軍一百三十名，内親軍校十人；正黄旗滿洲九十三佐領，蒙古二十四佐領，共親軍二百三十四名，内親軍校十有五人；五旗移入六十七佐領一半佐領，親軍一百三十五名，内親軍校十一人；正白旗滿洲八十六佐領，蒙古二十九佐領，共親軍二百三十名，内親軍校十有五人；五旗移入五十八佐領一半佐領，親軍一百十有七名，内親軍校九人；三旗親軍每旗選六十人隨侍衛班行走，其餘親軍校、親軍，隨三旗護軍營、護軍校、護軍一同直宿當差。據大清會典事例八百三十二。

驍騎營即旗營。

驍騎營，滿洲八旗，旗各都統一，副都統二，掌宣布教養，整詰戎兵，以治旗人；所屬參領五，副參領五，掌頒都統、副都統之政令，以達于佐領；佐領所治以三百人爲率，人户滋生，則增佐領。蒙古、漢軍旗同。以見數計之：鑲黄旗八十五，正黄旗九十三，正白旗八十六，正紅旗七十四，鑲白旗八十四，鑲紅旗八十六，正藍旗八十四，鑲藍旗八十七。驍騎校每佐領一人，掌稽所治人户、田宅、兵籍，以時頒其職掌。蒙古八旗，旗各都統一，副都統二。所屬參領二，副參領二。佐領鑲黄旗二十八，正黄旗二十四，正白旗二十九，正紅旗二十二，鑲白旗二十一，鑲紅旗三十二，正藍旗三十，鑲藍旗二十五，驍騎校每佐領一人。漢軍八旗，旗各都統一，副都統二。所屬參領五，副參領五，佐領，鑲黃、正黃、正白三旗各四十，正紅旗二十八，鑲白旗三十，鑲紅旗二十九，正藍旗三十，鑲藍旗二十九，驍騎校每佐領一人。以上職掌與滿洲八旗同。八旗册。日下舊聞考：都統、副都統由兵部疏請補授；滿洲參領由本旗都統列副參領五人，並移宗人府、領侍衛府簡選宗室侍衛，鎮國將軍以下，奉國將軍以上，咨送列名；蒙古、漢軍參領列副參領五人，均引見補授；副參領于印房理事之佐領世爵及應陞各官内引見補授。

太祖高皇帝辛丑年，始編三百人爲一牛彔，每牛彔設額真一。先是我朝出兵校獵，不論人數多寡，各隨族黨屯寨而行，每人各取一屯，十人設一長領之，其長稱爲牛彔額真，至是遂以名官。尋復定户籍分爲四旗：曰黃旗，曰白旗，曰紅旗，曰藍旗，以純色爲辨。乙卯年，以初設四旗爲正黃、正白、正紅、正藍，增設鑲黃、鑲白、鑲紅、鑲藍四旗。黃、白、藍均鑲以紅，紅鑲以白，合爲八旗。每三百人設一牛彔額真，五牛彔設一甲喇額真，五甲喇設一固山額真，每固山額真設左、右梅勒額真二人以佐之。天命元年，始編置滿洲牛彔。八年，增編蒙古牛彔。天聰四年，增編漢軍牛彔。八年，改梅勒額真以下爲章京，定管梅勒者卽爲梅勒章京，管甲喇者卽爲甲喇章京，管牛彔者卽爲牛彔章京，惟固山額真如故。其隨固山額真行營馬兵，定爲阿禮哈超哈，是爲驍騎營之始。九年，分設蒙古八旗色，官制與滿洲八旗同。崇德二年，始立漢軍二旗。四年，以漢軍二旗分爲四旗。七年，設漢軍八旗，旗色、官制與滿洲、蒙古八旗同。順治八年，定甲喇章京漢字稱爲參領，滿文如舊。十六年，鑄給八旗都統二十四印。十七年，定固山額真漢字稱爲都統，梅勒章京漢字稱爲副都統，牛彔章京漢字稱爲佐領，分得撥什庫漢字稱爲驍騎校，滿文如舊。

國初，各部落長率其屬來歸，授之佐領，以統其衆，爰及苗裔者，曰勳舊佐領；其率衆歸誠，功在旗常，得賜户口者，曰優異世管佐領；其僅同弟兄族里來歸，因授之以職，奕葉相承者，曰世管佐領；其户少丁稀，合編佐領，兩姓、三姓迭爲是官者，曰互管佐領，皆以應襲者引見。又定都統滿洲、蒙古、漢軍八旗各一人，副都統八旗各二人，驍騎參領滿洲、漢軍旗各五人，蒙古旗各三人，佐領按壯丁多寡，隨時編設，無定員，驍騎校每佐領下一人，親軍校滿洲、蒙古、上三旗四十五，屬領侍衛内大臣管轄。下五旗無定員。屬本王公府管轄。

康熙十三年，定各佐領撥出餘丁，增編佐領，爲公中佐領，以本旗不兼部務之大臣、世爵及五品以上文武官内簡選除授。三十四年，定每甲喇增置委署參領各一人，於世爵佐領等員内選用。雍正元年，改委署參領爲副驍騎參領，滿洲、漢軍旗各五人，蒙古旗各二人，改八旗都統印滿文固山額真字爲固山昂邦，漢名如舊。五年，八旗每佐領添設副佐領一。七年，增置左、右司掌關防參領，旗各二。八年，議准漢軍上三旗，每旗各四十佐領，下五旗每旗各三十佐領，除八旗原有二百六十五佐領，及二半箇佐領外，增設佐領三，並增足二半箇佐領爲二佐領，共定爲二百七十佐領。再下五旗漢軍佐領，除親王、郡王所屬，照舊分屬外，其貝勒、貝子、公等，卽有府屬佐領，則所屬之漢軍佐領，悉歸入各旗，作爲公中佐領。十三年，裁左、右司掌關參領。乾隆元年，改設印務參領、章京員額。二十一年，正紅旗漢軍裁佐領二、驍騎校二，鑲紅旗漢軍裁佐領二、驍騎校二，鑲藍旗漢軍裁佐領一、驍騎校一。三十九年，鑲黃旗漢軍增佐領一、驍騎校一，正藍旗漢軍裁佐領一、驍騎校一。四十年，鑲黃旗滿洲增佐領一，驍騎校一。五十五年，鑲黃旗漢軍增佐領一、驍騎校一。嘉慶九年，鑲黃旗漢軍裁佐領、驍騎校各一。會典事例四百二十八。八旗序次：曰鑲黃，曰正黃，曰正白，爲上三旗；曰正紅，曰鑲白，曰鑲紅，曰正藍，曰鑲藍，爲下五旗。行軍蒐狩，以鑲黃、正白、鑲白、正藍四旗居左，爲左翼；正黃、正紅、鑲紅、鑲藍四旗居右，爲右翼。官職除授公差踐更，以上下旗爲辨。朝祭班列旗籍界止，以左右翼爲辨。八旗方位，左翼自北而東，自東而南：鑲黃旗在安定門內，正白旗在東直門內，鑲白旗在朝陽門內，正藍旗在崇文門內；右翼自北而西，自西而南：正黃旗在德勝門內，正紅旗在西直門內，鑲紅旗在阜成門內，鑲藍旗在宣武門內。八旗直班，各有定所，更番宿直。内城九門：安定、德勝、東直、西直、朝陽、阜成、崇文、宣武八門，各按軍士居止方位，八旗滿洲、蒙古、漢軍分直。惟城門領，安定門以正藍旗，德勝門以鑲藍旗，東直門以鑲白旗，西直門以鑲紅旗，朝陽門以正白旗，阜成門以正紅旗，崇文門以鑲黃旗，宣武門以正黃旗。正陽門八旗輪直，以滿洲、蒙古。九門外舊營房，以滿洲、蒙古。新營房，以滿洲、蒙古、漢軍。外城七門，鑲黃旗直東便門，正黃旗直西便門，正白旗直廣渠門，正紅旗直廣甯門，鑲藍、鑲白二旗直左安門，鑲紅旗直右安門，正藍旗直永定門，均以漢軍。（據八旗冊，參歷代職官表。）值年旗，雍正六年始設，名當月旗，八旗輪當，乾隆十六年，奉旨改今名，每歲終，兵部奏派王大臣等司其事。（八旗冊。）

八旗設兵之制，滿洲、蒙古旗每佐領下親軍二人，上三旗隸領侍衛內大臣，下五旗隸宗室王公；前鋒二，隸前鋒統領；護軍十有七，隸護軍統領；步軍領催二，步軍十有七，隸步軍統領；鳥槍護軍三，鳥槍驍騎四，礮驍騎一，隸火器營；領催五，驍騎二十，弓匠一，鐵匠或鞍匠一，各隸本旗都統。（會典事例六十七。）凡大閱，皇帝躬擐甲胄，御櫜鞬，巡閱軍營，登臺視操。八旗將領，簡精銳，飭器械，集教場結陣，肅聽軍令。凡操兵，八旗官軍歲以春分操於本旗教場二次，合操于鑲黃、正黃二旗教場一次；秋，豫奏操期，會八旗營大操于仰善窪二次。漢軍旗藤牌軍，每歲春、秋四旗合操二次，八旗合操一次。遇大閱及大操時，仍守護大礮入陣演習。凡演試火器，漢軍歲以春二月十六日，秋八月十六日爲始，各演鳥槍四十五日，本翼四旗合操二次，春、秋各演標準三次。歲由兵部奏演神威將軍等礮，鑲黃旗漢軍都統會八旗列名奏請簡命都統、副都統各二人監視。先期運礮至盧溝橋，樹的以百弓爲率，自九月一日始，每礮日演十出，至一月止，鳥槍營及礮營每三歲一合操。按東華續録云：乾隆五年七月戊寅，命八旗三年一次赴盧溝橋演礮。凡校射，八旗驍騎營以每月上旬四、八日，中、下旬三、八日爲校射之期，都統以下各官親往閲視，若遇奏事及會議之日，留副都統一人往閲。春、秋擐甲冑步射二次，由本旗定期移文兵部；馬射由兵部定期通行，八旗均遣官稽察。同上。其京師營房，皇城内八旗，滿洲官廳十六所，步軍堆撥房九十所，鑲黃、鑲白二旗官廳各二，堆撥各十，正白、正藍二旗官廳各二，堆撥各十一，正黃、正紅、鑲紅、鑲藍四旗官廳各二，堆撥各十二。内城八旗堆撥房，左翼三百二十七所，鑲黃旗滿洲五十三所，蒙古二十二所，漢軍十七所；正白旗滿洲五十一所，蒙古二十所，漢軍十四所；鑲白旗滿洲四十六所，蒙古十三所，漢軍十二所；正藍旗滿洲四十五所，蒙古十九所，漢軍十五所。右翼二百九十九所，正黃旗滿洲五十五所，蒙古、漢軍各十八所，正紅旗滿洲三十八所，蒙古十四所，漢軍十所，鑲紅旗滿洲四十八所，蒙古十三所，漢軍十所，鑲藍旗滿洲五十所，蒙古十五所，漢軍十所。各旗官廳，滿洲各五所，蒙古、漢軍各二所。内城九門城上堆撥房一百三十五所，收貯旗、鐙、信礮、火藥一百六所，城外舊營房一萬六千間，每旗滿洲一千五百間，蒙古五百間，新營房三千六百八十間，除正陽門外，每門滿洲、蒙古、漢軍四百六十間，守門班房九十間，更房十五間。外城巡捕南營，堆撥房二百九十六所，城上堆撥房四十三所，守門班房六十二間；城外巡捕北營，堆撥房一百二十一所，左營堆撥房一百三十所，右營堆撥房一百十一所。康熙三十四年題准，於八旗教場等處，蓋造兵丁住房，每旗二千間，共一萬六千間，無房兵丁，每人給房二間居住。三十九年，議准京師城上堆撥房及營房等工，如有坍塌傾頽，由步軍統領咨部，隨時修理。雍正六年，奏准京師九門內，均有八旗兵丁看守，城外獨無，應增撥八旗官兵看守，正陽門外現有巡捕營官兵，毋庸再撥旗兵外，其崇文等八門，城外各旗，撥滿洲、蒙古、漢軍，散秩四、驍騎校四、驍騎二百名，令各攜家口駐防，官員各給住房八間，驍騎校各五間，驍騎各二間，再於城門相近，各設堆撥房八間，令駐防官兵輪班看守，共蓋造官員驍騎校兵房堆撥每門四百六十間，計共三千六百八十間。乾隆十年，奏准內九門城上共房二百四十一所，每所三間，計房七百二十三間，除收貯燈、旗、信礮、火藥外，尚有堆撥房百三十五所，設步軍堆撥八十七處，如遇駐蹕圓明園，增驍騎堆撥四十八處，恭遇巡幸，將步軍撤下，分防大街巷口，城上悉令驍騎看守，其房屋如有坍塌，照例移咨工部，隨時修理。至外七門城上，係巡捕三營官兵看守，設有堆撥十八處，其堆撥並非官建，悉無瓦片木料，皆屬遠年自行建造之土房，現多傾頽，難於棲止，且周圍二十五里有餘，僅設堆撥十八處，相距窵遠，守望不周，應於七門城上增蓋堆撥二十八間，除分給值班千、把總三間外，餘悉安設堆撥二十五處，卽動支步軍統領衙門房租銀建造。二十三年，奏准重修八旗營房八千間，併每旗管營章京房各五間，官學房各五間，又增建章京房各五間。二十九年，奏准重修八旗新營房三千六百十六間，增建義學官廳堆撥等房七十一間，工竣奏請移交合營管理營房大臣等查收，分給兵丁居住。奉旨：著交該管大臣，不時派員查看，毋致作踐殘毀。三十一年，奏准八旗修理房間，如係奏明交與工部料估、領用户部銀兩者，卽於鹽課餘平銀内動用興修，仍令工部逐案奏銷。三十七年諭：修建營房，原係加惠八旗兵丁，不惜發帑興修，俾安棲止，自應倍加愛惜保護，承受恩澤。著交各該旗都統等，嗣後八旗營房，遇有零星傷損，卽令隨時查明，分别黏修，使住房各兵，共知愛護，不得任意殘毁，並交查旗御史，隨時詳查糾覈。仍令各該旗於歲底將查過有無修理，及是否完整之處，咨報值年旗，彙總具奏一次，儻有不行修理以致損壞過甚者，惟各旗都統及查旗御史等是問。四十六年，覆准嗣後八旗遇有應修工程，查照乾隆四年奏准原案，除二百兩以上，奏明交部會同修理外，若遇零星黏補工程，遵照定例，工竣後據實報部驗核銷。五十九年，議准八旗滿洲、蒙古改建官房。嘉慶八年諭：各旗營房原係賞給窮兵居住，理宜照例均分。今鑲白旗蒙古舊營房，該管章京等並不遵例均分，竟有以一分錢糧越分居住四間者，又將未住營房之人捏名註册，殊屬非是。著飭令各旗管理營房之大臣等，務須照例均勻，分給兵丁居住，勿任該章京等草率辦理。十四年，奏准各旗營房門樓，向係甎瓦成砌，鑼鍋頂需費較多，今擬改做隨牆灰頂，以歸節省。十六年，奏准沿城八旗馬道十九處，每處分道二股，各設柵欄一座，共柵欄三十八座，每座應建蓋堆撥房三間，共蓋房一百一十四間。會典事例六百六十九。

坿十五善射等

十五善射，王公、大臣、官員等共四十五闕，拜唐阿、兵丁等共一百二十闕，善騎射二十闕，善射鵠帶翎者六闕，餘無定額。善撲、善强弓處左右兩翼領六，筆帖式六，善撲二百名，善强弓五十名，騙馬人五十名，教習十六名。八旗册。

前鋒營

前鋒營，前鋒統領二，協理事務前鋒參領二，前鋒侍衞二，前鋒校四，前鋒參領十六，前鋒侍衛十六，委署前鋒侍衛八，前鋒校八十八。天聰八年定巴牙喇營哨兵爲噶布什賢超哈。順治十七年定噶布什賢噶喇衣昂邦，漢字爲前鋒統領，噶布什賢章京爲前鋒參領，並設前鋒侍衛、前鋒校等官。又定前鋒統領左右翼各一，八旗前鋒參領旗各二，前鋒衛旗各二，前鋒校旗各十二，均滿洲、蒙古兼用。雍正三年，設隨印協理事務前鋒參領侍衛，左右翼各一；隨印前鋒校，左右翼各二。乾隆十七年，增設委署前鋒侍衛，旗各一。給與五品頂戴，仍食前鋒校月餉。五十四年，奏准避暑山莊添設戴翎前鋒校十，八旗滿洲每旗補用一人，八旗蒙古每翼補用一人。此項前鋒校，仍歸入前鋒數內，每月添銀一兩，季添米一石五斗五升。會典事例四百二十八。又云：凡拔補前鋒，由統領會本旗護軍統領，於護軍驍騎執事人、養育兵、閑散壯丁内遴選補用。又云：凡兩翼前鋒統領，遇一人奉差外出者，即以未出差之人兼攝；如二人均差，奏請簡署。日下舊聞考：前鋒統領由兵部列名，奏請簡命，筆帖式由吏部補外，前鋒參領員闕，於本旗護軍參領、一二等侍衛、宗室將軍、一二等侍衛、前鋒侍衛内遴選六人或七人；前鋒侍衛員闕，以署前鋒參領一列於前，再于本旗二三等侍衛、護衛、副護軍參領、前鋒校内遴選五人或六人；署前鋒參領員闕，于本翼前鋒校内遴選正、陪；前鋒校員闕，于旗鳥槍什長、隊長内遴選正、陪；若闕多人少，于前鋒内每闕遴選四人或五人，均由統領引見補授。協理事務前鋒參領、侍衛員闕，于本翼前鋒參領、侍衛内各遴選正、陪，引見補授。隨印前鋒校闕，于本翼前鋒校内選委；前鋒鳥槍什長闕，于本旗隊長，隊長闕，于本旗前鋒各遴選充補。

營制：鑲黃、正白、鑲白、正藍爲左翼；正黃、正紅、鑲紅、鑲藍爲右翼；前鋒校，左右翼各四十八人，每旗十有二人爲一隊；鳥槍什長，左右翼各二十四人，隊長如之；前鋒，八旗滿洲、蒙古、每佐領二人。本旗教場操演步射，月六次，騎射歲二次或四次，三年考驗一次。又于左右翼内各分前鋒之半兼習鳥槍，凡演十次，均由統領督率參衛校長如法訓練，以定黜陟。八旗冊。凡卡倫，距御營一二里外安設，立前鋒旗二，以爲門户，左右以次列帳，日則瞭望，夜則守衛，以前鋒參領、前鋒侍衛共八人，前鋒校、前鋒共百二十人董其役，犯卡倫者，坐以軍法。會典事例四百二十八。

護軍營

護軍營護軍統領八，協理事務護軍參領八，副護軍參領八，護軍校十六；護軍參領，滿洲八十，蒙古三十二；副護軍參領，滿洲八十，蒙古三十二；護軍校，滿洲六百七十八，蒙古二百四。國初置巴牙喇營，設巴牙喇纛章京，巴牙喇甲喇章京。順治十七年，定巴牙喇纛章京漢字爲護軍統領，巴牙喇甲喇章京爲護軍參領，又設署護軍參領。又定八旗護軍統領旗各一，護軍參領滿洲旗各十，蒙古四；護軍校，每佐領下一人。雍正元年改署護軍參領爲副護軍參領，旗各十四。三年，設隨印護軍參領、副護軍參領、護軍校等官。乾隆十七年，奏准設護軍校委署護軍參領，旗各七。給與五品頂戴，仍食護軍校月餉。三十三年，議准八旗增設副護軍參領十六，委署護軍參領三十二，護軍校二百十四。四十一年，奏准由護軍内遴選優等七十七，作爲委署護軍校。給與虛銜，金頂，仍食護軍月餉。按：會典事例四百二十八云：凡拔補護軍，由該統領會同本旗都統于本佐領下驍騎、執事人、養育兵、步軍、閑散壯丁内遴選善于國語、弓馬嫻熟、人材壯健者補用。日下舊聞考：護軍統領，由兵部列名奏請簡用；筆帖式，咨吏部考取補用。外協理事務參領員闕，于護軍參領內；司鑰長、署司鑰長員闕，于護軍前鋒鳥槍參領內；護軍參領員闕，于本旗驍騎參領、冠軍、雲麾使、一二等侍衛、護衛、前鋒侍衛、副護軍參領、宗室一二等侍衛、鎮、輔國等將軍、子、男輕車都尉等官內選六人或七人；副護軍參領員闕，以署護軍參領一人列於前，再于本旗副驍騎參領、雲麾使、治儀正、一二三等侍衛、護衛、宗室二三等侍衛、奉國、奉恩將軍、佐領、騎都尉、雲騎尉等官內選二人，並于護軍校內選一人；署護軍參領員闕，于本旗護軍校內，均由該統領會本翼四旗統領遴選正、陪，引見補授。護軍校員闕，于本佐領下前鋒親軍、護軍領催及食四兩餉銀之執事人內遴選二人，擬定正、陪，由該旗統領會同本翼四旗引見補授。凡訓練，月以初二、初六、十一、十六、二十一、二十六等日，步射六次；歲以春、秋，擐甲冑騎射各一次或二次。三年考驗一次，均由統領督率參校軍士如法訓練，以嚴黜陟。護軍營冊。

步軍巡捕營

提督九門巡捕五營步軍統領一，除統轄步軍營外，專轄巡捕營，中營統轄南、左、北、右四營，十六門門千總。提督中軍兼管中營副將一，駐箚海甸新莊，兼管中營、圓明園、暢春園、樹邨、靜宜園、樂善園五汛。中營遊擊一。駐箚香山四王府邨。副將中軍兼管圓明園汛都司一，駐箚掛甲屯。千總二，把總四，外委六，額外外委三，兵五百名。暢春園汛守備一，駐箚海甸新莊。千總二，把總四，外委六，額外外委三，兵五百名。樹邨汛守備一，駐箚樹邨。千總二，把總四，外委六，額外外委三，兵六百名。靜宜園汛守備一，駐箚香山。千總二，把總四，外委六，額外外委三，兵五百八十名。樂善園汛守備一，駐劄西關。千總二，把總四，外委六，額外外委三，兵五百八十名。內九門：正陽門千總二，門甲三十名，門軍四十名；崇文門千總二，門甲三十名，門軍四十名；宣武門千總二，門甲三十名，門軍四十名；德勝門千總二，門甲三十名，門軍四十名；安定門千總二，門甲三十名，門軍四十名；朝陽門千總二，門甲三十名，門軍四十名；阜成門千總二，門甲三十名，門軍四十名；東直門千總二，門甲三十名，門軍四十名；西直門千總二，門甲三十名，門軍四十名。外七門：永定門千總二，門甲十名，門軍四十名；左安門千總二，門甲十名，門軍四十名；右安門千總二，門甲十名，門軍四十名；廣渠門千總二，門甲十名，門軍四十名；廣甯門千總二，門甲十名，門軍四十名；東便門千總二，門甲十名，門軍四十名；西便門千總二，門甲十名，門軍四十名。左翼總兵一，與步軍統領同堂辦事，除統轄步軍營外，專管巡捕營南、左二營。南營參將一，駐劄崇文門外抽分廠，兼轄南營、西珠市口、東珠市口、東河沿、西河沿、花兒市、菜市口六汛。遊擊一。駐劄宣武門外菜市口。西珠市口汛都司一，駐劄棉花頭條衚衕。千總二，把總四，外委六，額外外委三，兵四百三十三名。參將中軍兼管東珠市口汛守備一，駐劄東珠市口。千總二，把總四，外委六，額外外委三，兵四百三十三名。東河沿汛守備一，駐劄東河沿。千總二，把總四，外委六，額外外委三，兵四百二十三名。西河沿汛守備一，駐劄鐵廠。千總二，把總四，外委六，額外外委三，兵四百二十三名。花兒市汛守備一，駐劄崇文門外上三條衚衕。千總二，把總四，外委六，額外外委三，兵四百二十四名。菜市口汛守備一，駐劄牛街口。千總二，把總四，外委六，額外外委三，兵四百二十四名。左營參將一，駐劄朝陽門外芳草地，兼轄左營、左安、河陽、東便、廣渠四汛。左營遊擊一。駐劄東便門外三忠祠。左安汛都司一，駐劄左安門外關廂。千總二，把總四，外委六，額外外委三，兵四百四十四名。參將中軍兼管河陽汛守備一，（駐劄朝陽門外南中街。）千總二，把總四，外委六，額外外委三，兵三百四十名。東便汛守備一，（駐劄東便門外三忠祠。）千總二，把總四，外委六，額外外委三，兵三百九十名。廣渠汛守備一，（駐劄廣渠門外關廂。）千總二，把總四，外委六，額外外委三，兵三百七十六名。右翼總兵一，（與步軍統領同堂辦事，除統轄步軍營外，專管巡捕營北、右二營。）北營參將一，（駐劄德勝門外大關，兼轄北營、德勝、安定、東直、朝陽四汛。）遊擊一。（駐劄安定門外大關。）德勝汛都司一，（駐劄德勝門外大關。）千總二，把總四，外委六，額外外委三，兵四百名。參將中軍兼管安定汛守備一，（駐劄安定門外大關。）千總二，把總四，外委六，額外外委三，兵四百名。東直汛守備一，（駐劄東直門外大關。）千總二，把總四，外委六，額外外委六，兵四百名。朝陽汛守備一，（駐劄朝陽門外雞市口。）千總二，把總四，外委六，額外外委三，兵四百名。右營參將一，（駐劄阜成門外關廂，兼轄右營、永定、阜成、西便、廣甯四汛。）右營遊擊一。（駐劄廣甯門外關廂。）永定汛都司一，（駐劄永定門外鶯橋。）千總二，把總四，外委六，額外外委三，兵三百七十名。參將中軍兼管阜成汛守備一，（駐劄阜成門外驢市口。）千總二，把總四，外委六，額外外委三，兵三百七十名。西便汛守備一，（駐劄西便門外角樓。）千總二，把總四，外委六，額外外委三，兵三百七十名。廣甯汛守備一，（駐劄廣甯門外車市。）千總二，把總四，外委六，額外外委三，兵三百七十名。（會典事例六百六十九。日下舊聞考：巡捕營參將、遊擊、守備，以次陞補，均簡選引見補授。）初設步軍統領一，總尉左、右翼各一，步軍校八旗滿洲、蒙古，每參領下各四，漢軍每參領下各二。（會典事例四百二十八。）京城內九門，外七門，沿明制，設指揮千百户，屬兵部職方司漢主事專管；又建巡捕南北二營，設參將二，遊擊二，把總十，亦以兵部主事督之。順治四年，改城門指揮千百户爲千總。會典事例六百六十九。五年，增步軍副尉，八旗滿洲、蒙古、漢軍各一。會典事例四百二十八。十四年，建巡捕中營，設參將一，遊擊一，把總五。會典事例六百六十九。康熙十三年，命步軍統領提督九門事務，定内九門城門尉、城門校、千總，每門二，外七門城門尉、城門校，每門一，千總每門二，以統轄十六門門軍。二十四年，八旗滿洲、蒙古，每參領下添設委署步軍校一。會典事例四百二十八。三十年，命步軍統領兼管巡捕三營，增守備十五，千總六，把總三。又設南營，暢春園守備一，把總一。三十三年，設中營海子牆守備一，千總一，把總二。會典事例六百六十九。三十四年，步軍營設委協尉二十四，委署步軍校八旗滿洲各五，蒙古、漢軍各二，捕盗步軍校四十。即於步軍校遴選委用。會典事例四百二十八。雍正元年，設圓明園守備二，千總一，把總一。會典事例六百六十九。四年，添設步軍參領尉，八旗滿洲、蒙古、漢軍每旗一人。會典事例四百二十四。十二年，巡捕營增千總七，把總六。會典事例六百六十九。乾隆十九年，改步軍總尉爲步軍翼尉，副尉爲協尉，參尉爲副尉，城門尉爲城門領，城門校爲城門吏，步軍校爲步軍尉。三十六年，仍改步軍尉爲步軍校。會典事例四百二十八。

乾隆四十六年，諭：京師輦轂重地，向來步軍統領所管營務，止分中南北三營，地方本屬廣闊，又西北昆明湖一帶，離城較遠，稽查巡緝，更覺耳目難周，所有從前額設官兵，不敷派撥，且營制亦有參差未協之處，其應如何添設兵丁，酌安營汛，並管兵員弁及一切事宜，著議奏。遵旨議定：舊設巡捕三營，有參將三，守備十九，千總十五，把總三十，經制外委四十，額外外委二十，馬兵一千四百七十名，步兵三千六百三十名，酌添馬步兵四千九百名，定額一萬，分爲步、戰、守三項，（會典事例八百七十五。）按京城南、北、左、右分設四營，以合方位。（會典事例六百六十九。）以圓明園爲駐蹕處，列巡捕營之首，原爲南營，改爲中營，凡中、南、北、左、右五營。（兵部冊。）前以南營參將一管轄圓明園一帶，例給副將銜，今改中營，卽以此缺改爲中營副將。其四營各設參將一，（除原設參將外，添參將二。）五營各設遊擊一，（除原設遊擊外，添遊擊二。）定爲二十三汛，中營五，南六，餘三營各轄四汛。原設營汛守備十九，內裁海子牆守備一。每營添都司一，與守備一體分汛管轄。其中營都司，卽爲副將中軍都司，南營東珠市口汛守備，卽爲南營參將中軍守備，北營安定汛守備，卽爲北營參將中軍守備，河陽汛守備，卽左營參將中軍守備。每汛設千總二、把總四、經制外委六、額外外委三。除原設之千、把、外委外，添千總三十一、把總六十二、經制外委九十八、額外外委四十九，各按汛地分駐。（會典事例六百六十九。）嘉慶四年，添設左、右翼總兵。諭：步軍統領爲九門管鑰，統轄京營，總司緝捕，一人獨理，不特事權過重，兼恐稽察難周，自應另設佐理之員，以資分任。卽如八旗設立都統，駐防設立將軍，俱有副都統；綠營設立提督，卽有總兵。今步軍統領衙門，亦當照此，添設左、右翼總兵各一員，遇有一切公務，步軍統領與總兵同堂坐辦，既可杜一人專擅之漸，而於巡察諸事，更爲周密。嗣後本衙門官員引見，即令步軍統領與總兵同帶，無須步軍翼尉，著交部載入條例，永遠遵行。其巡捕五營事務，命將中營作提督，副將作爲提標中軍，仍令管理圓明園一帶五汛，餘參將四員，分管南、北、左、右四營，共十八汛。南、北兩營參將等官，並所轄十汛，歸左翼總兵管；北、右二營參將等官，並所轄八汛，歸右翼總兵管。九年，奏准添設副翼尉二，由八旗協尉内補放，三品虛銜，仍食協尉原俸。會典事例四百二十八。十七年議：步軍營額設步甲二萬三千一百二十二名，内除漢軍步甲三千七百十八名。又嘉慶十一年，奏撥步甲九百五十七名，歸滿洲、蒙古閒散正身挑補，其餘八旗户下步甲，尚有一萬八千四百四十七名，再撥二千名。巡捕營額設戰守兵六千，馬兵四千，除有馬馬兵差委紛雜外，其無馬馬兵二千，儘數改爲旗缺，共添旗缺四千，滿洲八成，蒙古二成。又巡捕五營均在城外，應令即在本旗坍近當差，裁補之缺自嘉慶十八年二月始。會典事例八百八十。議奏云：原設額缺本寬，將此項步甲内再撥出二千名，挑補八旗滿洲、蒙古閒散正身。巡捕營額設戰守兵六千名，馬兵四千名，除有馬馬兵及戰守各兵差委紛雜，並有出境遞解案件，未便挑補旗人外，其無馬馬兵二千名，儘數改爲正身旗人額缺，統計步軍巡捕兩營，共可添補旗缺四千名。惟滿洲人數較多，蒙古人數較少，此次挑補正身額缺四千名，應將滿洲挑補八成，其步甲馬兵共應挑取三千二百名，蒙古挑補二成，其步甲馬兵共應挑取八百名，通按八旗分挑，滿洲旗分每旗應挑步甲二百名，馬兵二百名，蒙古旗分每旗應挑步甲五十名，馬兵五十名，以合四千名之數。出缺挑補時，於挑補滿洲四名後，挑補蒙古一人，步甲、馬兵兩項，均一律辦理。又步軍營每月所出步軍之缺，若一時儘補正身旗人，恐於各户下應補之處不免窒礙，遇有缺出，應各按五成，以一正身、一户下分別間補，以示平允。其未挑足二千名以前，遇有新挑正身旗人出缺，卽屬正身旗人額缺，仍應以正身旗人挑補，不得作爲户下之缺，列爲間補，以免牽混。所挑正身旗人，歸步軍統領衙門酌量地方，安置當差。此二千名内應有領催，亦由步軍統領衙門查照向例辦理。又户下步甲，向不挑補別項差使，並無進身之階，今既以正身旗人挑補，與户下挑補者不同，未便阻其上進之路，應由步軍統領衙門察其當差勤慎、堪習弓馬者，隨時咨送該旗，備挑護軍、驍騎等營各項差使，嬾惰者隨時革退，仍於挑補別項差使後，由該佐領呈明本旗都統，咨行步軍統領衙門，以便開缺，另行挑補，並咨報兵部查覈。其挑充馬兵之旗人，亦照此一例辦理。惟馬兵拔補外委後，業已身爲營弁，卽不得復挑各旗差使，以示限制。又巡捕五營，均在城外，今以旗人充補馬兵，應令其卽在各本旗坿近營汛當差。查鑲黃、正黃二旗地面，係在北城，正白、鑲白係在東城，正紅、鑲紅係在西城，正藍、鑲藍係在南城，今以八旗閒散分補巡捕各營，在南、北、左、右四營，相距尚近，惟中營汛地在圓明園、香山一帶，距城較遠，應就各營地面，酌派旗分挑補。查中營五汛，額設無馬馬兵五百四十名，爲數較多，應將鑲黃旗挑補十分之三，正黃旗挑補十分之三，正紅旗挑補十分之三，鑲紅旗挑補十分之一。北營四汛，額設無馬馬兵三百二十名，應將鑲黃、正黃兩旗應挑之缺，儘數送挑；左營四汛，額設無馬馬兵三百二十名，應將正白、鑲白兩旗應補之缺，儘數送挑；南營六汛，額設無馬馬兵五百二十名，於正藍、鑲藍兩旗儘數送挑；右營額設無馬馬兵三百名，於正紅、鑲紅兩旗儘數送挑，不足，於隣近旗分次遞酌挑，以足各該營之額。遇有缺出，由步軍統領衙門按照坿近旗分，咨取送挑。至挑補馬兵後，應在城外當差，查舊營房本有各旗閒散居住，挑補後卽可就近當差，其城内閒散，挑補馬兵後，如何安置之處，應由各該旗酌量辦理。又巡捕營無馬馬兵爲戰守各兵陞拔之路，今既改爲旗缺，若遇缺出，儘補旗人，則戰守各兵，專俟有馬馬兵缺出，始得陞拔，未免較滯，應將每月所出無馬馬兵之缺，以二缺挑補旗人，其第三缺仍以各營兵丁陞拔，通盤計算，以七成爲挑補旗人之缺，以三成爲陞拔民兵之缺，如此逐次輪補，則民兵陞拔之路既無阻滯，而旗人之得缺亦可較速，統俟將無馬馬兵全數充補旗人後，則旗人既已不復占缺，而戰守各兵卽可陞拔有馬馬兵，更可以昭獎勸。又旗人挑補無馬馬兵後，既不復補有馬馬兵，亦當予以陞拔之路，應俟挑補一百名之數，既於此内考驗人材，弓馬去得、年壯技優者，遇有外委缺出，准拔一員，挑足二百名後，挑拔外委二員，遇有把總缺出，陞補把總一員，挑足四百名後，挑拔外委四員，把總二員，遇有千總缺出，陞補千總一員，合計挑足二千名，應挑外委二十員，把總十員，千總五員，此項人員，應另立一班，定爲旗缺，自不致與五營現行班次攙雜。至千總應陞之守備額缺較少，應歸五營千總不分滿、漢，一體較拔，以昭公允。又中營汛地在圓明園、香山一帶，距城較遠，且無各旗坐落營房，專藉該班公所住宿，此次所挑馬兵，應酌派在圓明園坿近左右，充當看守園亭等項差使，其香山等處較遠地方，應酌派該營別項民兵看守，無庸派撥旗兵。又巡捕營營規，與各旗營不同，此項無馬馬兵，既儘充補旗人，除錢糧仍照舊例支給外，其餘一切營規，應卽照各旗營辦理。又挑補步甲馬兵，如八旗閒散内不敷保送，准其將及歲之養育兵一體送挑。又此項裁補之缺，自嘉慶十八年二月爲始，遇有步甲、馬兵缺出，步軍統領衙門於營官呈報後，卽行移咨兵部，查覈其輪應挨補何旗，並卽咨行該旗，以備送挑，至巡捕營有馬馬兵缺出，係無馬馬兵應行陞拔，亦應咨報兵部備查。

又議：中營五汛，共計無馬馬兵五百四

十名，內圓明園汛兵一百名，暢春園汛兵一百名，樹邨汛兵一百名，此三汛共兵三百名。圓明園八旗人數較多，且近三汛，卽咨取圓明園八旗之閒散挑補滿洲二百四十名，蒙古六十名。其樂善園汛，計兵一百二十名，應卽咨取坿近之火器營閒散挑補滿洲九十六名，蒙古二十四名。靜宜園汎，計兵一百二十名，卽咨取坿近之健鋭營閒散挑補滿洲九十六名，蒙古二十四名。其南、北、左、右四營，卽以京城八旗派撥南營六汛，計無馬馬兵五百二十名內，迤東之東珠市口、東河沿、花兒市三汛兵二百六十名，應就近咨挑正藍旗滿洲閒散二百零八名，蒙古閒散五十二名，迤西之西珠市口、西河沿、菜市口三汛兵二百六十名，應就近咨挑鑲藍旗滿洲閒散二百零八名，蒙古閒散五十二名；北營四汛無馬馬兵三百二十名內，迤東之朝陽、東直二汛兵一百六十名，應就近咨挑鑲黄旗滿、漢閒散一百二十八名，蒙古閒散三十二名；迤西之安定、德勝二汛兵一百六十名，應就近咨挑正黄旗滿洲閒散一百二十八名，蒙古閒散三十二名；左營四汛無馬馬兵三百二十名內，迤南之左安、廣渠二汛兵一百六十名，應就近咨挑鑲白旗滿洲閒散一百二十八名，蒙古閒散三十二名；右營四汛無馬馬兵三百名內，迤南之永定、廣甯二汛兵一百五十名，應就近咨挑鑲紅旗滿洲閒散一百二十名，蒙古閒散三十名；迤北之西便、阜成二汛兵一百五十名，應就近咨挑正紅旗滿洲閒散一百二十名，蒙古閒散三十名：以足二千名之數。又奏准巡捕三營，額設馬兵一千四百四十名，守兵三千五百六十名，内除步軍統領坐糧九分，翼尉坐糧各四分，參將、遊、守、千、把等共親丁名糧三百八十五分外，實在充差馬步兵四千五百九十八名。會典事例八百八十。又云：經制，官弁及馬步兵每年共扣朋銀三千一百四十六兩四錢，向因辦理公務，無項可動，是以將所准馬價作爲各項公費之用，年終以騐馬匹開銷，而兵丁之倒馬者，令停遲二三月，以馬乾銀買補，相沿已久，此雖以公完公，但徒有朋銀虛名，究無給價實跡。今將應行裁革之費，一概革除，其必需公項，在於官房租銀内動補。至辦理鄉、會武場及每月兵部堂考各省武弁、八旗生童騎射處，墊築馬道，搭蓋棚廠，置備公案、旗籌、箭垛，修理堆撥器、激桶救火器具，歲需銀八九百兩、千兩不等，實屬無項動支，請照各省營汛設立公費名糧之例，將巡捕三營額兵之内，每營准設公費名糧十分，馬、步各半，每年約餉乾銀千餘兩，足敷公用。至於兵丁馬匹已過五年，倒斃與例相符者，即動朋扣銀照例每馬定價銀九兩，買補足額，仍赴兵部騐看印烙。乾隆四十六年，議准巡捕三營，現有將備衙署二十五座，今改爲五營，添設參將、遊擊、都司共九員，裁汰守備一員，除阜成門外，移設右營參將衙門，將宣武門外舊北營參將衙署拆挪改蓋，又廣甯門外新設右營遊擊衙門，將舊中營遊擊衙門拆挪改蓋外，應添衙署八座，其千總、把總等，向無衙署，係賃房居住，遇有陞調，該弁仍居舊地，前往新任當差，殊多未便，均量給予衙署，以便防守。至三營各汛，舊有官廳二十九座，今添兵改爲五營二十三汛，按照地勢情形，應添官廳十七座，舊有堆撥六百九十四座，應添堆撥二百四十四座。

營房詳驍騎營。步軍統領册：凡京營房在皇城内者，八旗滿洲步軍宿衛之處九十所。内城九門各設巡房，左翼三百二十七所，右翼二百九十九所，坿城列屋三千六百十有六，每旗各撥滿洲、蒙古、漢軍官兵挈眷駐防。城門外各設巡房八間，即令駐防官兵分班守衛；外城七門，設馬步兵巡房三百四十二所，分隸巡捕三營巡守。内、外城門，各設班房、更房，内城百有五楹，外城八十楹，城上各設戍守望，内城八十四所，外城四十三所。

信礮總管一，五品官八旗各一，掌監守白塔信礮。步軍統領册。初，順治十年，奏准設守白塔山信礮漢軍左、右翼各二人，會典事例八百七十五。雍正二年，改設今制。按：雍正二年改設總管一人，守司信礮官漢軍每旗一人。

衛皇城内汛，守分旗畫界，鑲黄旗滿洲地方在紫禁城北，東自地安門箭亭城牆起，西至地安門甬路分中，接正黄旗界，北自火藥局城牆起，南至三眼井，接正白旗界，中設步軍校二人，（後各旗同。）分汛十，每汛設步軍十有二名，（後各旗同。）柵欄十有八座，每座設步軍三名。（後各旗同。）

景山後管理街道灑水兼管河道步軍校一，（後各旗步軍校職掌同。）步軍百二十名，（後各旗步軍人數同。）正白旗滿洲地方在紫禁城東北，東自內府庫東口東牆起，西至景山東牆止，北自三眼井起，南至銀閘風神廟，接鑲白旗界，分汛十有一，柵欄十。景山東門設步軍校，步軍如前，鑲白旗滿洲地方在紫禁城東，東自騎河樓東牆起，西至北池子止，北自宣仁廟起，南至北池子南口，並望恩橋北，接正藍旗界，分汛十，柵欄十有三。北池子街設步軍校、步軍如前。正藍旗滿洲地方在紫禁城東南，東自東安門東城牆起，西至南池子街止，北自北池子街，並望恩橋，接鑲白旗界起，南至蒼蒲河城牆止，分汛十有一，柵欄九。南池子口設步軍校如前。正黃旗滿洲地方在紫禁城北，東自地安門甬路分中起，西至西什庫止，北自侍衛教場城牆起，南至宏仁寺分中，接正紅旗界，分汛十有二，柵欄十有六，內十座各設步軍三名，餘六座即附近汛兼管。地安門內設步軍校、步軍如前。正紅旗滿洲地方在紫禁城西北，東自景山西門起，西至西安門城牆止，北自宏仁寺分中起，南至西安門甬路分中，接鑲紅旗界，分汛十有二，柵欄十有七，內十一座各設步軍三名，餘附近汛兼管。景山西門設步軍校、步軍如前。鑲紅旗滿洲地方在紫禁城西，東自大高殿門分中，接正紅旗界起，西至西安門城牆止，北自西安門甬路中分起，南至大石槽分城牆止，分汛十有二，柵欄二十四，内一座卽附近汛兼管。光明殿後設步軍校、步軍如前。鑲藍旗滿洲地方在紫禁城西南，東自西華門起，西至西苑門止，北自慎刑司，接鑲黄旗界起，南至南府城牆止，分汛十有二，柵欄九，内三座卽坿近汛兼管。西華門外設步軍校、步軍如前。以上八旗，均按界址防守稽查，夜則擊柝立更籌。又定皇城外、大城内各處，汛守分旗畫界：鑲黄旗滿洲地方在大城北，蒙古旗同。東自新橋起，西至舊鼓樓大街，接正黄旗界，北自安定門城根起，南至紅廟後，接正白旗界，中設步軍校五，後滿洲各旗同。分汛五十三，每汛步軍十有二名，後各旗步軍人數同。柵欄九十四座，每座步軍三名，後各旗同。激箭十有三。後滿洲各旗同。蒙古旗地方東自東直門北小街口，接本旗漢軍界起，西至新橋西，接本旗滿洲界，北自北城根，接本旗滿洲界起，南至汪家衚衕西口，接正白旗界，中設步軍校二人，後蒙古、漢軍各旗同。分汛二十二，柵欄二十九，激箭四。後蒙古、漢軍各旗同。漢軍旗地方在大城東北，東自東直門城根起，至西新橋東，接本旗蒙古界，北自角樓迤西，接本旗滿洲界起，南至南部街北口，接本旗滿洲界，南至城根止，分汛十有五，柵欄十有五。正黄旗滿洲地方在大城北，北自德勝門城根起，南至城牆西北角止，東自地安門分中，接鑲黄旗界起，西至水關橋止，分汛五十五，内一汛止設步軍五名。柵欄九十一，内三座係坿近汛兵兼管，激箭十有五。蒙古旗地方在大城西北，（漢軍旗同。）北自北城根起，南至園口止，東自横橋起，西至西直門止，分汛十有八，柵欄三十，内二座係坿近汛兵兼管。漢軍旗地方北自北城根起，南至臭皮衚衕，接正紅旗界，東自水關，接本旗滿洲界起，西至横橋，接本旗蒙古界，分汛十有八，柵欄四十一，内一座係坿近汛兵兼管。正紅旗滿洲地方在大城西，（蒙古、漢軍旗同。）北自臭皮衚衕起，南至丁字街止，東自大市街分中，西至馬石橋，接本旗蒙古界，分汛三十八，柵欄七十九，内六座係坿近汛兵兼管，激箭十有四。蒙古旗地方北自朝天宫前起，南至武衣庫衚衕止，東至馬石橋起，西至阜成門止，分汛十有四，柵欄三十六，内六座係坿近汛兵兼管。漢軍旗地方北自倉夾道北柵欄起，南至西安門分中止，東自城牆起，西至大市街分中，接本旗滿洲界，汛十，柵欄十有四。鑲紅旗滿洲地方在大城西南，北自按院衚衕起，南至南城根止，東自瞻雲坊分中起，西至西城根止，分汛四十八，柵欄九十六，内十一座係坿近汛兵兼管，激箭十有四。蒙古旗地方在大城南，（漢軍旗同。）北自絨線衚衕，接本旗滿洲界起，南至宣武門止，東自六部口起，西至自大濠止，分汛十有三，柵欄二十三，内二座係坿近水關，接正白旗界，分汛十有七，柵欄二十七。正白旗滿洲地方在大城東，（蒙古漢軍旗同。）東自朝陽門北城根起，西至地安門大街分中，接鑲黃正旗界，北自汪家衚衕西口起，南至大市街，接本旗蒙古界，分汛五十一，柵欄九十。蒙古旗地方東自拐棒衚衕東口，接鑲白旗界起，西至城牆止，北自兵馬司衚衕，接本旗滿洲界起，南至報房衚衕，接鑲白旗界，分汛二十，柵欄三十五。漢軍旗地方東自朝陽門城根起，西至雞鵝市，接本旗滿洲界，南自南小街口，接鑲白旗界起，北至何家口，接本旗滿洲界，分汛十有四，柵欄三十一。鑲白旗滿洲地方在大城東，蒙古旗同。東自東城根起，西至城牆止，北自炒麵衚衕西口，接正白旗界起，南至金魚衚衕東口，接本旗漢軍界，分汛四十六，柵欄八十。蒙古旗地方東自東城根中心臺起，西至東安門止，北自小石槽衚衕，接本旗滿洲界起，南至小街口，接本旗漢軍界，分汛十有三，柵欄三十五。漢軍旗地方在大城東南，東自東城根起，西至王府大街院府衚衕口止，北自金魚衚衕東口起，南至就日坊三條衚衕，接正藍旗界，分汛十有二，柵欄十有八。正藍旗界滿洲地方在大城南，蒙古、漢軍旗同。東自城根起，西至城牆轉西至長安左門止，北自三條衚衕起，南至小報房衚衕西口，接本旗蒙古界，分汛四十五，柵欄八十七。蒙古旗地方東自城根起，西至敷文坊東口，接本旗漢軍界，北自小報房衚衕起，南至城根止，分汛十有九，柵欄四十五。漢軍旗地方東自敷文坊東口起，西至棋盤街分中，接鑲紅旗界，北自兵汛兵兼管。漢軍旗地方北自刑部門分中起，南至南城根止，東自棋盤街分中起，西至六部口，接本旗蒙古界，分汛十，柵欄三十九，内七座係坿近汛兵兼管。鑲藍旗滿洲地方在大城西，蒙古旗同。北自丁字街，接正紅旗界起，南至瞻雲坊，接鑲紅旗界止，東自城牆起，西至河漕沿止，分汛五十，栅欄九十七，内六座係坿近汛兵兼管。蒙古旗地方北自武衣庫衚衕，接正紅旗界起，南至按院衚衕止，東自河漕沿起，西至西城根止，分汛十有五，栅欄二十四，内四座係坿近汛兵兼管。漢軍旗地方在大城南，北自灰廠，接本旗滿洲界起，南至刑部門分中，接鑲紅旗界止，東自長安右門起，西至瞻雲坊，接本旗滿洲界，分汛十，栅欄三十四，内三座係坿近汛兵兼管。以上二十四旗，均按該管地方遠近界址，防守稽查，夜則巡更擊柝，每汛設立更籌，自初更起，上下汛往來傳送，黎明乃止。又定大城外三營分管地界，東三汛，北營外西一守備，汛内所轄至大王莊、觀音堂止；中營外正東守備，汛内所轄至雙橋止；外東南守備，汛内所轄至北鹿司邨止，均接通州界。南二汛，中營外南守備，汛内轄至南苑北牆止；南營外南二守備所轄，汛内所轄至西紅門三官廟止，均接舊州營界。西二汛，南營外南三守備，汛内所轄至大井邨所止；外南一守備，汛内所轄至田邨府君廟止，均接拱極營界。北二汛，北營外正北守備，汛内所轄至清河利水橋河沿止，接鞏華營界；又外東北守備，汛内所轄至羊房邨止，接沙河汛界。以上各汛，統以南、北、中三營參將各一。中營所屬，馬兵汛五十四，步兵汛五十五，栅欄百九十三，鳥鎗百，激箭五；南營所屬，馬兵汛六十二，步兵汛八十二，柵欄百四十五，鳥鎗百，激箭十有一；北營所屬，馬兵汛四十九，步兵汛四十，柵欄百二，鳥鎗百，激箭八。又定圓明園三汛界址，東自劉郈五道廟起，西至京山口，與宛平縣接界，南自黄莊馬兵汛路北起，北至樹郈中營後街，與昌平州接界。又定捕盜步軍校，每旗五人。以滿洲旗地方分爲三，分令滿洲捕盜步軍校三人分管，其蒙古、漢軍地方，令蒙古、漢軍之捕盜步軍校管轄。康熙三十一年，定凡遇聖駕行幸皇城内外緊要地方，增置堆撥，每旗增步軍協尉一人值宿。會典事例八百七十五。又云：其巡察堆撥、柵欄弁兵及捕盜步軍校等，嚴加巡防。至正陽、崇文、宣武三門外巡捕營參將、遊擊，各率該管守備、千把總坐班看守，再將八旗步軍，編設二十堆撥，增置於營兵堆撥適中處。夜間傳籌，委步軍校十有六人，更番管轄，協尉四人，輪流稽查。其餘門外守備，各在該門外坐班，千、把總等在關廂坐班，十六門城門領等，均令近堆值宿，各嚴守衛，俟聖駕回鑾日撤回。又定：凡遇聖駕恭謁陵寢，奏委步軍翼尉、協尉、筆帖式各一人，捕盜步軍校八人，守備、千、把總各一人，健步官十人，番役、捕役各四人，捕盜步軍二十八名，馬兵八名隨往。如聖駕行圍，奏委翼尉、筆帖式各一人，協尉二人，捕盜步軍校八人，守備、千把總各一人，健步官十人，番役、捕役、馬兵各八名，捕盜步軍四十八名隨往。皇子未分封者奉差，奏委捕盜步軍校二人，千總一人，馬兵、步軍、番役各二名，捕盜步軍六名隨行。三十三年，奏准步軍統領添設令箭十二枝，以備隨時調遣及宣傳號令之用。雍正元年，定圓明園附近處設八旗步軍汛凡五十所，激箭八，步軍協尉四人，步軍校十有二人，每汛領催三名，步軍十名，晝夜巡邏。又設三營，馬兵汛十有五，步兵汛五十二。乾隆九年，定静明園附近處設三營，步兵汛十有二，静宜園附近處設三營，馬兵汛一，步兵汛十，西山小屯郈及冷泉附近處又設三營，馬兵汛一，步兵汛四，每汛設兵或三四名，或四五名。如遇聖駕巡幸，以參將一人於清梵寺前駐劄，各汛守備在通衢大街，千、把總等在偏小巷防守，嚴加稽察，晝夜巡邏。十年，奏准内九門城上共房二百四十一所，每所三間，計房七百二十三間，除收貯燈、旗、信礮、火藥外，尚有堆撥房百三十五所，設步軍堆撥八十七處，如遇駐蹕圓明園，增堆撥四十八處。恭遇聖駕巡守方嶽，將步軍撤下，分防大街巷口，城上悉令驍騎看守。其房屋如有坍塌，照例移咨工部，隨時修理外，至外七門城上，並無官建堆房，其看守係巡捕營兵，上設堆撥十有八所，每所步兵三名，共千、把總三人管轄，每堆撥房一間，皆遠年蓋造，悉多傾頹，難於棲止，且外七門周圍二十五里有餘，只設堆撥十八處，相隔窵遠，呼應不靈，增蓋堆撥房二十八，除給值班千、把總三間外，其餘二十五間，設堆撥二十五處，所需工料，卽於統領衙門房租銀内動支購辦。四十六年，議准五營所管地方。中營分爲五汛：副將兼管中營事務一員，仍駐劄海淀，其改設遊擊一員，應在四王府駐劄；五汛之内最要之圓明園一汛，安設都司一員；暢春園樹邨、香山二汛，仍令原設守備照舊管理；其外南一汛，舊制管理西直、阜成兩門一帶莊邨，今改爲樂善園汛，專管西直門外及長河一帶。至萬壽街等處，將阜成門外關廂一帶，撥歸右營管轄，京城前三門外，應改爲南營，向有六汛，係三營交錯管轄，今俱歸南營管理。舊中營參將駐劄崇文門外，南營遊擊駐劄菜市口，今卽作南營參將遊擊駐劄之所，珠市口以西之西南一汛，素稱緊要，今改爲都司，其餘五汛守備，悉照舊管轄。北營四汛：德勝、安定、東直及朝陽門外，石路以北，此内德勝門外地方廣濶，應將北營參將駐劄，其遊擊仍駐劄安定門外。德勝門守備一缺，應改都司，其餘安定、東直、朝陽等三門，俱安設守備一員管轄。左營四汛：朝陽門外石道以南，及東便、廣渠至永定門以東；右營四汛：阜成門以南，及西便、廣甯至永定門以西。内左營之朝陽、東便二門，水陸通衢，且漕糧運倉，俱由東便門至朝陽門運送，右營之阜成、廣甯二門，人煙稠密，且管轄西山一帶，應將左營參將駐劄朝陽門，遊擊駐劄東便門，右營參將駐劄阜成門，遊擊駐劄廣甯門。至永定、左安、右安等門，距參將駐劄之處既遠，邨莊廣濶，且有海子，四面圍牆，應在左安門外適中之地，設立左營都司一員，右安門外適中之地，設立右營都司一員，其餘左營之朝陽、東便、廣渠等門，右營之阜成、西便、廣甯等門，各安設守備一員，分資彈壓。所有五營二十三汛千總、把總、外委，各於本汛要地分駐防守。

嘉慶六年，定驍騎營與步軍營官兵輪班，十日一換。同上。原議云：向來左右兩翼，八旗步營，安設城上堆撥八十五座，大樓九座，角樓四座，共設兵九百二名，章京二十四員，遇聖駕巡幸，則將城上步營官兵全行撤下，專設驍騎營官兵，如駐蹕圓明園及封印後，其步軍營官兵照舊該班，又添設驍騎營官兵，辦理殊未畫一。嗣後八旗驍騎營與步軍營官兵，照原定數目，兩營輪查，派往該班，十日一換，所派官兵，亦在各該營内輪流更換，不得常川專派，以杜久駐滋弊。遇聖駕巡幸，及駐蹕圓明園與封印後，均照此一例辦理，由八旗都統及步軍統領衙門派員，不時前往稽察，兵部派司員，分城巡查，如有曠誤及頂名替雇者，兵丁鞭責，該管官議處。仍將每十日派出官兵，由該班官員造册，先送兵部，其馬道、柵欄鎖鑰，卽交各旗營該班章京掌管，於換班日期交代。十六年，奏准沿城馬道柵欄，向係看街兵帶管，並未設有專員經理，亦無安設堆撥防守，今議沿城八旗馬道十九處，每處分道二股，各設柵欄一座，共柵欄三十八座，每馬道一座，原議應添設步軍校一員，步甲十名，分派各柵欄看守，以昭嚴密，合計每座柵欄應建蓋堆撥房三間，共應蓋房一百一十四間，官兵得棲止之所，不致有藉口曠誤之事，步軍統領衙門仍不時派官稽查，如有疏懈者，官則嚴參，兵丁則從重懲辦。

門禁：康熙三十八年議准：正陽門城門領、驍騎等皆由八旗充補，毋庸議調；其崇文等八門城門領、城門吏、千總，若令各按本翼調門看守管轄，不致瞻徇，於門務有益，應將鑲黄、正藍二門城門領、城門吏、千總等卽對調看守，其正白、鑲白二門，正黄、鑲藍二門，正紅、鑲紅二門城門領、城門吏、千總等，亦令照此對調看守，其兵丁等仍按各旗留門看守。雍正四年旨：步軍統領衙門及正陽、西直二門，各給陰文合符一扇，傳諭步軍統領：如遇夜有奉旨差遣，及緊要軍務，應卽時啟門者，正陽、西直二門，俟大内持出陽文合符至門，該城門領將該門之陰文合符照驗明白，卽行啟門，仍報知統領，其餘各門，遇陽文合符至門，該城門領卽報統領，親賫陰文合符至門，與陽文合符，照驗啟行，於次日具奏。平時啟門，仍遵例行。嘉慶六年諭：據吉綸奏，伊接任步軍統領，據禄康交到合符，並無匣貯、印封，僅用布袱包裹，其存在正陽、西直門者，卽由該處城門領掌管，伊亦未查驗等語。京城内外門及皇城、紫禁城各門，設立合符，規制綦嚴，今步軍統領衙門如此輕率交代，殊不足以昭慎重，著交軍機大臣詳悉查明，一併妥議章程具奏。遵旨議奏：恭查雍正四年，奉旨發出陰文合符八扇，景運門、隆宗門、東華門、西華門、神武門，存貯各一扇，步軍統領衙門及正陽、西直二門存貯各一扇，如遇夜間，有應卽時啟門者，俟大内持出陽文合符至門，其景運、隆宗、東華、西華、神武各門，由該司鑰長、護軍參領等，將該衙門陰文合符照驗啟行啟門，仍報知值班統領；其正陽、西直二門，由該城門領將該門之陰文合符照驗，卽行啟門，仍報知步軍統領；至未經頒給陰文合符各門，遇陽文合符至門，該護軍參領、該城門領，即時具報。紫禁城内值班統領，京城由步軍統領親齎陰文合符至門、與陽文合符照驗啟放，次日具奏。嗣後各門所貯陰文合符，先用黄紙包封，外用木匣存貯，在紫禁城各門存貯者，内封加貼左右翼前鋒統領印花，匣外加貯鑲黄旗護軍統領印花，每屆一月，由該值班統領親加啟驗一次，該司鑰長、護軍參領、城門領换班時，仍驗明匣外印封無損，不許擅拆，若印封損動，立時報明該值班統領，步軍統領親加覈驗，如祇係外匣印花擦損，即换貼新印花，如内封印花啟動，根究明確，再行加封，面交該管官謹領收貯。步軍統領衙門所貼陰文合符，令自行加製木匣，敬謹存貼，照例遵行。又議奏：嗣後九門城上守衛官兵，仍令八旗驍騎營照原定人數輪流撥派，晝夜巡邏，並將栅欄鎖鑰啟交本地面步軍校司掌，换班日，該管官兵眼同各該處掌鑰官啟栅，分别點驗出入。沿城八旗馬道十九處，每處分道二股，各設栅欄一。每馬道一，原議添設步軍校一員，步甲十名，分派各栅欄看守，每座栅欄應建堆撥房三間，共蓋房一百一十四間。會典事例八百七十六。

健鋭營

健鋭營，掌印總統大臣一，總統大臣無定員，翼長二，委署翼長、前鋒參領二，前鋒參領八，副前鋒參領十六，委前鋒參領三十二，學習行走世職官七，前鋒校一百，副前鋒校四十，藍翎長一百，番子佐領一，防禦一，驍騎校二，水師教習委署千總四，委署把總四。乾隆十四年，設雲梯兵一營于香山，以王公大臣兼理營務，會典事例四百二十八。將雲梯千名分爲兩翼，每翼設翼領一，前鋒校五十，鑲黄旗九，正黄、正白二旗各八，正紅等五旗各五，又設副前鋒校四十，什長五十，隨印筆帖式四。會典事例八百八十四。事例四百二十八：十四年，八旗設前鋒校各五十，五年增設前鋒校十。日下舊聞考：苑囿，昆明湖設戰船，仿福建、廣東巡洋之制，命閩省千、把放演，自後每逢伏日，香山健鋭營弁兵于湖内按期水操。十五年，御製賜健鋭雲梯營軍士食卽席得句，有序：朕於實勝寺仿造室廬，以居雲梯軍士，命之曰健鋭雲梯營。室成居定，兹臨香山之便，因賜以食。是營皆去歲金川成功之旅，適金川降虜及臨陣俘番習工築者數人，令附居營側，是日並列衆末，俾預惠焉。猶憶前冬月，雲梯始習諸。功成事師古，戈止衆甯居。實勝招提側，華筵快霽初。餕餘何必惜？可以逮豚魚。十八年，設委前鋒參領十六，副前鋒校四十。二十八年，設前鋒參領二，副前鋒參領八，委前鋒參領八，前鋒校二十四，又奏准由護軍營移駐健鋭營護軍一千名，增設護軍參領二，副護軍參領八，委署護軍參領八，護軍校二十四。（會典事例四百二十八。）三十二年，御製閱武詩：健鋭練精旅，香山聚隊居。知方素嘉爾，閱武便臨予。所尚赴桓實，甯誇聲勢虚？展伸佈行雁，偏伍列麗魚。撫壯誠欣矣，問勞尚憫如。藉茲成偉績，（前此平定回部時，健鋭營士卒所至奮勇先登，屢奏攻堅陷陣之捷，遂成大功。）耆定可忘諸！三十三年，增前鋒校二十六。三十五年，由前鋒參領增放委翼長二。（健鋭營册。）三十七年，御製閱武詩：八旗子弟兵，健鋭此居營。聚處無他誘，（初建健鋭營於此，掄八旗勇壯之士居之。以其地離京城遠，無習俗外誘，而列營聚處，技易精勤。平定西陲時用之，頗著成效。）勤操自致精。一時看斫陣，異日待干城。亦已收明效，西師頗著明。（謹按：御製閱武諸詩，謹依日下舊聞考例，恭録有關紀述事實者。）三十九年，定健鋭營照火器營例，將幹練有爲之護軍校，簡選十人，在委署章京上行走，增放藍翎長五十。四十一年，增設番子佐領一，番子驍騎校一。五十年，奏准健鋭營每旗設委署前鋒參領一。五十三年，增設番子防禦一，番子驍騎校一。（會典事例四百二十八。）健鋭營官兵營房在静宜園之左右，（健鋭營册。）乾隆十四年，議准左、右翼領各給房十三間；每旗參領一，給房十三間；副參領一，給房十間；前鋒校，鑲黄、正黄二旗各七，餘六旗各六，均各給房六間；八旗前鋒，每名給房三間；左翼建四層碉樓十四座，三層碉樓十八座，右翼建五層碉樓二座，四層碉樓十座，三層碉樓二十四座。十八年，奉旨：健鋭營增設驍騎千名，蓋造官兵營房二千一百五十二間，紅石山水師營，委署前鋒參領二，各給房八間，副前鋒校八，各給房三間，驍騎百二十名，各給房二間，鑲黄、正黄、正白、鑲白、鑲紅、鑲藍六旗，每旗委署前鋒參領二，正紅、正藍二旗，委署前鋒參領各一，均各給房八間，八旗驍騎各百有十名，每名各給房二間。會典事例四百二十八。

火器營

火器營，掌印總統大臣一人，總統大臣無定員，協理事務翼長一，署翼長營總一，營總三；鳥鎗護軍參領四，內火器營翼長一，署翼長營總一，營總三，鳥鎗護軍參領四，副鳥鎗護軍參領八，署鳥鎗護軍參領十六，鳥鎗護軍校一百十二，外火器營翼長一，署翼長營總一，營總三，鳥鎗護軍參領四，副鳥鎗護軍參領八，署鳥鎗護軍參領十六，空花翎十，鳥鎗護軍校一百十二。康熙二十七年，設漢軍火器兼管練大刀營衙門，每翼總管一，以現任副都統兼管，每旗協領、參領各一，操練尉、驍騎校各五。三十年始置火器營，設鳥鎗護軍，每人各給鳥鎗一，八旗各給子母礮五，專司練習火器，以王公大臣兼領，無定員，設鳥鎗護軍參領十六，均以旗員兼任，設鳥鎗驍騎參領二十四，鳥鎗驍騎校一百十二。三十六年，裁練大刀營衙門各官。雍正年間，定置總統六。三年，裁察哈爾八旗護軍參領，改入火器營，定爲專設之缺。乾隆二十七年，裁護軍參領八。二十八年，火器營裁鳥鎗驍騎參領二十四，管礮散秩官五十六，鳥鎗護軍校一百十二，每旗設營總各一，鳥鎗護軍參領各一，副護軍參領各二，委署護軍參領各四，護軍校各二十八，藍翎長各二十八。三十五年，議准鳥槍驍騎參領業經裁汰，應以驍騎校額并入護軍校内，即以副護軍參領並管礟位。是年火器營每翼添設正翼長各一，副翼長各一，此項添設副翼長，於營總兵人内兼任，不開營總之缺。據會典事例四百二十八，火器營册：火器營在東單牌樓西。奏准礟手馬甲歸併火器營，操演礟房隸火器營管理。舊聞考。三十八年，奏准將火器營善能管轄之護軍校，簡選十人，帶領引見，賞戴虛職花翎，在委署參領上行走。會典事例四百二十八。凡訓練，歲於七月十七日始，遇閏七月，即於閏七月十七日爲始。至次年四月十八日止。封印日至開印日暫停。月以初四、初九、十四、十九、二十四、二十九等六日演礟，初二、初七、十二、十七、二十二、二十七等六日演鳥鎗，初六、十六、二十六等三日校射。春、秋會操於安定門外教場，大操日隨大隊列陣合操於仰善窪。每年秋後，奏請於盧溝橋演放子母礟，得旨：率官軍前往盧溝橋演放十日。火器營册。乾隆三十五年，奏准滿洲火器營官員兵丁，請仿照健鋭營，臨城左近建蓋營房，奉旨：依議，著於德勝門外臨城附近建蓋營房居住，如此，兵丁一切便益於觀瞻，亦屬威壯矣。遵於德勝門外藍靛廠，蓋造兵營房七千一百九十六間，每旗參領一，各給房十三間；副參領一，各給房十間；委領二，各給房八間；八旗護軍校一百十二，各給房六間；八旗筆帖式，各給房五間；藍翎長一百十二名，各給房四間；隊長一百十二名，各給房三間；護軍二千三百三名，各給房二間；八旗弓房一百十二處，各給房四間；八旗辦事檔房，各給房十間；八旗操演公所，各給房十五間；八旗滿、漢學房，各給房六間；四門值班，給房十二間；八旗水夫，給房十六間；營房外公所三處，給房四十一間；翼長給房十七間。同上。圍牆大門樓四座，看牆八道，周圍門樓三千一百七十六座，虎皮石院牆長二萬七丈有奇，曲尺牆三千一百四十座；外圍大牆長一千一百六十六丈有奇；隨門平橋四座，牆脚下洩水溝二十五道，護牆河長一千一百八十丈有奇，鑿井十六，建水房十六楹。八旗冊。會典：外火器營營房七千一百九十六間。東華續録七十一：乾隆三十五年閏五月，命於德勝門外另建滿洲火器營，並增設馬額。

外火器營西門之西設立大教場，爲八旗合操之地。建演武廳，前月臺三出陛，以備聖駕臨閱。乾隆三十九年，又於火器營南門外藍靛廠後設小教場，爲兵士早晚較射地。同上。守衛原定每年封印後，每旗滿洲、蒙古、漢軍驍騎營合内火器營官兵，於城内街道合添堆撥十，正陽門内設堆撥一，其餘各門内，每旗設堆撥一，每處值以官二，兵二十，開印後撤。會典事例八百八十二。

神機營

神機營，咸豐十一年置。初，道光十九年，御前大臣奕紀請立神機營，鑄有印信，未之用，至是練兵設營。得旨：由禮部頒行，議調八旗兩翼護軍擡鎗兵五百名，馬隊五百名，專操大臣二，幫操侍衛章京四，帶隊章京二十；圓明園擡鎗兵九百名，專操大臣二，幫操侍衛章京二，帶隊章京二十；健鋭營外火器營，共馬隊兵一千名，專操大臣二，幫操侍衛章京二，帶隊章京二十；八旗滿、蒙驍騎營，擡鎗兵二千四百名，專操大臣二，幫操侍衛章京四十；八旗漢軍鎗營，排鎗兵八百名，專操大臣一，幫操侍衛章京一，帶隊章京十八；八旗漢軍牌營，籐牌兵四百名，專操大臣一，幫操侍衛章京一，帶隊章京十；八旗漢軍礮營，兵一千二百名，專操大臣二，幫操侍衛章京三，帶隊章京二十四；各旗營挑選，雜技兵一千四百名，專操大臣二，幫操侍衛章京三，帶隊章京二十八；内務府精捷營，刀矛技藝兵二百名，專操大臣一，帶隊章京四；内務府三旗，鳥鎗兵七百名，專操大臣一，幫操侍衛章京二，帶隊章京十二。凡專操大臣十有六，幫操侍衛章京二十有二，帶隊章京一百九十有六，兵一萬名。請設神機營奏：爲遵旨會議具奏事：十一月十一日奉上諭：前據御史曹登庸、洪昌燕、鄭堃條奏，訓練精兵，請簡派王大臣操練旗兵各摺片，等因，欽此。臣等連日公同商酌，竊以今日練兵之舉，原因近來營務未能整頓，兵丁訓練多疏，不足以資捍衛，始議另爲操演，若不於初辦之時妥定章程，俾一兵得一兵之力，一器得一器之用，徒飾外觀，則有訓練之名，無訓練之實，其與不訓不練何異？現在悉心籌酌，謹擬章程十條，並擬請除臣等督辦訓練事宜外，簡派專操大臣、幫操侍衛及咨調各旗官數目，分繕清單，恭呈御覽。如蒙俞允，臣等即當先行設立專局，咨調委員、章京等，妥爲辦理。總期名實相符，行之久遠，可以折衝禦侮，不至虛應故事，以仰副我皇上整飭戎行，功歸實際之至意。至都統穆騰阿、國子監司業紹祺等先後陳奏練兵條欵，容臣等再行詳細妥籌，再行斟酌辦理。所有臣奕訢、臣奕譞率同瑞麟、崇綸、福興、遮克敦布，遵議緣由，是否有當，理合恭摺具奏，伏乞皇上訓示遵行。謹奏。一、擬請設立公所數處，以資操演也。查八旗官兵，必須各按所屬地方，設立公所，以便就近操演。現有帥府胡同、冰盞胡同並北城交道口舊有鑄造鐵錢局，自各廠停鑄以後，均皆封閉，臣等查其地勢寬敞，可爲該兵丁等操演之地，擬請卽就各該廠地方改爲操演公所，其西城公所，容臣再行採擇，分資訓練。一、擬請添派專操大臣、幫操侍衛，以資統率也；查新營伍兵丁，名數較多，非有統率之員，不足以資彈壓，而一切操演事務，步伐進退，皆有一定章程，非得久歷戎行大小各員，用資訓導，不足以成勁旅，臣等擬請每隊派專操大臣、幫操侍衛二、三員，俾資統率操演，庶可收訓練之實效。一、擬請行知各旗營，挑選精鋭兵丁數目，以敷操演也；查此次練兵，與練勇不同，勇皆募之民間，每多流弊，現在所練之兵，仍由各旗營挑選，但各旗營難稱勁旅，而老幼强弱，多有不齊，必應擇其少壯者方爲有用，現擬行知八旗滿洲、蒙古、漢軍、内務府，共挑選精壯兵丁一萬名，則一兵得一兵之用，不至有濫竽充數之弊。一、擬請咨調文案、營務委員以專責成也；查新營伍事務繁多，一切出入文卷，及現在營務，在在需人，擬請於各衙門酌量咨調司員、章京等分任其事，不致紊亂。一、擬請由户部海税項下，籌欵辦理公費，奬賞銀兩，以資鼓勵也；查現在設營練兵，一切公費，必須預爲籌備，而奬賞一項，尤爲鼓勵兵丁萬不可少之用，臣等擬咨户部，由海税項下籌欵，俟户部咨覆後，臣等再行定擬具奏。一、擬請添造各項器械，以備應用也；查克敵要在兵精，而練兵尤資利器，現在各營所有器械雖多，第年久不修，難免銹損，恐不足以示利用，擬請趕緊修理，如不敷用，卽行添造，以備立營操演之用。一、擬請咨取火藥、鉛丸，以備施放也；查練兵必須以火器爲先，火藥、鉛丸均須預爲儲備，擬請於工部咨取應用。一、擬請查看八旗、漢軍火器營礮位，以備挑揀演放也；查八旗、漢軍火器各營，舊有礮位及各項火器尚多，惟其中難免年久銹澀，不堪施放，臣等擬請行知各營，定期公同查看，擇其可用者，咨取來營，俾各兵丁演習施放。一、擬請製造旗鼓、號令，以申紀律也；查行軍演陣，全資旗幟、金鼓以爲士卒耳目，現在設立營伍，其應用旗鼓、號令等件，必須一律添設，臣等擬請咨行武備院等處，如式製造。一、擬請頒發印信，以資行移也；查行移文件，必須鈐用印信，始能徵實，前於道光十九年，御前大臣奕紀請立神機營，鑄有印信，未經鈐用，現在禮部，臣等擬請飭部頒發，以資行移，如蒙俞允，請卽以神機營作爲現在練兵設營名目。八旗兩翼護軍營，擬調擡鎗兵五百名，馬隊兵五百名，專操大臣二員，幫操侍衛章京四員，帶隊章京二十員；圓明園，擬調擡鎗兵九百名，專操大臣二員，幫操侍衛章京二員，帶隊章京二十員；健鋭營、外火器營兩營，擬調馬隊兵一千名，專操大臣二員，幫操侍衛章京二員，帶隊章京二十員；八旗滿、蒙驍騎營，擬調擡鎗兵二千四百名，專操大臣二員，幫操侍衛章京四十員；八旗漢軍鎗營，擬調排鎗兵八百名，專操大臣一員，幫操侍衛章京一員，帶隊章京十八員；八旗漢軍牌營，擬調籐牌兵四百名，專操大臣一員，幫操侍衛章京一員，帶隊章京十員；八旗漢軍礮營，擬調兵一千二百名，專操大臣二員，幫操侍衛章京三員，帶隊章京二十四員；擬請在各旗營挑選，雜技兵一千四百名，專操大臣二員，幫操侍衛章京三員，帶隊章京二十八員；内務府精捷營，擬調刀矛技藝兵二百名，專操大臣一員，帶隊章京四員；又内務府三旗，擬調鳥鎗兵七百名，專操大臣一員，幫操侍衛章京二員，帶隊章京十二員。以上共專操大臣十六員，幫操侍衛章京二十二員，帶隊章京一百九十六員，兵萬名。再所有專操大臣，除都統瑞麟、侍郎崇綸、署都統福興、副都統遮克敦布分操外，臣等簡派都統穆騰阿、前鋒統領西拉布、副都統德懋、達成、增慶、福鈴、托雲，委散秩大臣惪鑑，其幫操侍衛，臣等擬請簡派乾清門頭

（等侍衛伊昌阿、何永安，二等侍衛岳林，大門頭等侍衛常山，二等侍衛沙克多爾扎布、常春、載鶴、溥盛，三等侍衛阿林達興；至幫操章京，由臣等於各旗營中揀擇擬派。理合附行具奏。得旨：依議。）此初制也。後特派親王，佩帶印鑰，總理事務。（營在崇文門内煤渣衚衕。）全營翼長三，總司文案、營務、糧餉、印務、藁案、覈對六處。文案處翼長三，委員官兵七十六。營務處翼長六，差委章京、侍衛、官兵等一百五十一。糧餉處委員、官兵二十一。全營翼長兼管總理印務處委員、官兵十六。文案翼長輪流監印。藁案處委員、官兵八，覈對處委員、官兵二十五，並文案翼長兼管。每年兩季，撥隊赴南苑操演，其隊凡二十有七。管隊章京每隊專操一，幫操二，惟左、右幼丁二隊，中營步隊，專操幫操各一。馬隊曰圓明園馬隊，曰健鋭營馬隊，曰外火器營馬隊，（三廠各在本營。）曰内火器營馬隊，（廠在安定門内方家衚衕。）曰左驍騎馬隊，（廠在國子監街。）曰右驍騎馬隊，（廠在德勝門内劉海衚衕。）曰左前護軍馬隊，（廠在國子監街。）曰右前護軍馬隊，（廠在新街口公用庫。）曰駿字馬隊，（廠在西直門内四根柏衚衕。）曰驤字馬隊，（廠在西直門内紅橋。）曰震字馬隊，（廠在東單牌樓金魚衚衕。）額設官兵四百二十。其威遠營步隊，曰捷字步隊，（廠在東單牌樓帥府園。）曰勝字步隊，（廠在西單牌樓皮庫衚衕。）曰精字步隊，（廠在東直門内北新橋。）曰鋭字步隊，（廠在德勝門内三不老衚衕。）與夫擡槍隊之屬圓明園者，額設官兵八百三十。又步隊曰外火器營利字步隊，曰健鋭營健字步隊，（二廠各在本營。）額設官兵一千三百。又擡槍隊左右驍騎二隊，（左廠在鼓樓東寶鈔衚衕，右廠在新街口公用庫。）各額設官兵四百二十。又排槍隊，左右八旗、漢軍二隊，（左廠在東直門内老君堂，右廠在西四牌樓磚塔衚衕。）額設官兵一千。又礮隊，左右八旗、漢軍二隊，（左廠在東直門内老君堂，右廠在西直門城根。）額設官兵四百。又幼丁隊左右二隊，左廠在銀閘，右廠在酒醋局。額設官兵五百。中營步隊，廠在西四牌樓帝王廟。額設官兵二百有五十。又有軍火局，在阜成門內。官兵一百十有六；軍器庫，在金魚衚衕。官兵十有三。近又議設槍礮廠，在石碑衚衕。官兵尚無定額。據神機營册。

虎槍營

虎槍營，總統無定員，總領上三旗，旗各二人；虎槍長，旗各七人；委虎槍副長，旗各七人。康熙二十三年，黑龍江將軍送到精騎射、善殺虎，新滿洲四十名至京，分隸上三旗，始置虎槍營，以内大臣或侍衛一人爲總統，每旗以大臣、侍衛、參領等官一人爲總領，每旗設虎槍長一，以親軍校、親軍前鋒校、前鋒護軍校、護軍驍騎校、馬甲領催及閒散内選用。雍正元年，每旗增設總領一，虎槍長六；又每旗設副長七。乾隆三年，鑄給虎槍營關防。恭遇車駕巡狩，虎槍總統、總領，日以十人佩虎槍于前，導侍衛前行；安營後，偵虎豹出入，備仗弩箭犁刀。行田遇大獸，則列槍從之。奉旨殺虎，或追蹤，或尋山，得實具奏。有旨，則殺虎以獻，以首先刺虎一二人名奏聞。如差往畿輔近地，或于口外殺虎，量地方遠近，奏請簡總統或總領，酌帶虎槍人前往。選八旗善騎射者，旗各參領二人，前鋒護軍校二人，前鋒護軍十有八人，共一百六十人，行田時，于蒙古圍後列隊隨行，獸有逸出圍外者，馳騁射獵。會典事例四百二十八。

嚮導處

嚮導處，掌印總統大臣一人，總統大臣無定員，協理事務章京二，嚮導處章京三十二，八旗，旗各四人。藍翎長四。原定嚮導總統無定員，由兵部開列前鋒統領、護軍統領、八旗副都統等職名，奏請欽簡數，以一人掌印，每旗於前鋒護軍營遴選參領、侍衛共四人，前鋒校、護軍校、前鋒護軍共六人，分理其事。乾隆四十二年，奏准嚮導處行走之前鋒護軍，設藍翎長四缺，擇其勤者，照鷹狗處拜唐阿例，戴金頂、藍翎，仍食前鋒護軍錢糧三年，期滿引見，坐補該本旗營護軍校、驍騎校缺。會典事例四百二十八。會典又云：恭遇時巡省方，以嚮導總統一人，先期率官校詣車駕經行之地，周覽山川，通橋梁，夷險隘，計程入告。駕行，佩櫜鞬；既駐蹕，以次日程途及駐蹕之所奏交行在兵部，曉諭闔營。回鑾亦如之。駐蹕御營及頓營看城，均由嚮導總統先期指示，飭所在有司修築營盤。

內務府三旗

內務府三旗，驍騎營，每旗驍騎參領五，副參領五，滿洲佐領五，旗鼓佐領六。正黃旗，世襲朝鮮佐領二。正白旗，回子佐領一。三旗驍騎校三十六，內正黃旗朝鮮佐領下有朝鮮驍騎校二人，正白旗回子佐領下有回子驍騎校一人。校尉長驍騎校二。每旗內管領、副內管領各十。三旗護軍營，每旗漢軍統領一，護軍參領五，副護軍參領五，委署參領五，以本旗護軍校委署。護軍校三十三，内正黄旗朝鮮佐領下護軍校五人。護軍藍翎長五。三旗護軍前鋒營，每旗前鋒參領二，前鋒校二，委署前鋒校二，前鋒藍翎長四。

國初，置内務府，設内管領四。順治初年，定内務府三旗，每旗各設滿洲佐領三，旗鼓佐領四。正黄旗，設朝鮮佐領一。三年增設内管領四，六年增設内管領四，十一年增設内管領八，共内管領二十。分爲三旗，鑲黄旗七，正黄旗六，正白旗七。十八年，定内務府三旗滿洲佐領下，各設護軍校二，旗鼓佐領、内管領下，各設護軍校一。康熙十六年奏准，内務府三旗，各編爲五參領，每參領設護軍參領一，驍騎參領一，每佐領下設驍騎校一。二十年奏准，内務府三旗，每旗於護軍校内委署護軍參領五，護軍内委署護軍校五。二十三年議准，内務府三旗，各裁護軍校十二。又奏准内務府三旗，每内管領下，各設副管領一。二十四年，增設内管領、副内管領各四。三十年，增設内管領、副内管領各三。三十四年奏准，内務府三旗，增設滿洲佐領六，旗鼓佐領六，正黄旗增設朝鮮佐領一，每佐領下設驍騎校一。又奏准增設内管領、副内管領各三。三十六年奏准，每旗設侍衛委署護軍參領三。四十三年奏准，内務府三旗驍騎營，每參領各增設副參領一。雍正元年，内務府三旗，增設護軍統領各一，照八旗參領品級，定爲三品。三年議准，委署護軍校改爲副護軍校，准戴藍翎。四年奏准，内務府三旗，每佐領下，領催内令委署副驍騎校各一，給八品頂戴。七年奏准，内務府三旗，參領定爲五品，副參領定爲六品。九年議准，内務府三旗内增設護軍二百名，編爲鳥鎗護軍，各增設護軍參領二，於驍騎參領内簡選引見補授。又各設侍衛委署參領二，護軍校委署參領五，護軍校十五。又於護軍内，每旗各增設副護軍校五，其統轄之員，於内務府總管大臣内奏請欽定，並於三旗護軍統領内奏簡一人協理。十年，奉旨：正黄旗朝鮮二佐領，著爲世管佐領。十三年奏准，内務府三旗，停止補授副參領及委署驍騎校。又奏准内務府三旗，裁副護軍校。又奏准内務府三旗，鳥鎗護軍撥回舊營，所設護軍參領，原係驍騎參領，仍令在驍騎參領行走，侍衛委署參領，編入舊營，原設鳥鎗副護軍校三十，均授爲護軍校，遇有員缺，停止補授。乾隆十三年奏准，將内務府三旗，學習解馬花馬箭之護軍等，别編爲一營，命名内務府前鋒營，於每旗護軍校委署參領内各簡選二人，給戴孔雀翎，作爲參領，仍食護軍校原俸，再於每旗護軍校内，各簡選二人，爲護軍校委署參領，於副護軍校内，各簡選二人，給戴空銜藍翎，爲前鋒校，仍食護軍月餉。十五年奏准，於每旗護軍内，各簡選二人爲前鋒校，准戴藍翎。十六年奏，内務府三旗，每旗於府屬司官内，簡選五人，掌驍騎參領關防，原設參領改爲副參領。十七年奏，内務府三旗，護軍校委署前鋒參領，給五品虛銜，戴孔雀翎，仍食護軍校原餉。二十五年議准，内務府正白旗設回子佐領一，驍騎校一。三十年奏准，内務府三旗，前鋒營再委署護軍參領一，兼管營務。三十二年奏准，内務府三旗，護軍參領定爲四品虛銜，仍食五品俸。又奏准内務府三旗，護軍内每旗增設金頂藍翎長五，仍食護軍錢糧。三十六年奏准，内務府三旗，驍騎參領定爲三品虛銜，副驍騎參領定爲四品虛銜，均仍食原俸，毋庸添給俸禄。隨中又奏准，内務府三旗，護軍參領定爲三品虛銜，副護軍參領定爲四品虛銜，均仍食原俸。四十一年奏准，内務府正白旗請設佐領一，暫由内務府官内簡選，一授爲番子佐領，於番子内簡放，驍騎校一，俟番子等暫諳事務，其新設佐領，再由番衆簡選充補，至伊等棲止之所，交健鋭營大臣於香山附近居住。又奉旨：香山安插之兩金川番人，自應令健鋭營就近約束管理，所有新設之番子佐領一缺，已令該管前鋒章京補授，其舊有之番子所用内務府甲十一副，及應得餉米，俱著統歸該佐領辦理，以昭畫一。四十七年奉旨：鑾儀衛請轄校尉長内，現有内務府驍騎校二員，本非額缺，著加恩賞給内務府驍騎校二缺，著爲令。五十三年奏准，增設番子驍騎校一。（謹案：番子驍騎校歸健鋭營管轄。）嘉慶七年，内務府三旗前鋒營，奏請增設金頂藍翎長。奉旨：每旗添賞藍翎長四缺，並著作爲額缺。（會典事例四百二十八。）雍正二年議准，内務府三旗護軍營房，每旗參領一，給房十二間；副參領一，給房十間；署副參領一，給房八間；護軍校三，各給房六間；護軍四十名，各給房三間。八旗冊。

圓明園内務府三旗

圓明園八旗内務府三旗，護軍營總統大臣無定員。圓明園内務府三旗護軍營，營總一，每旗各設護軍參領一，副護軍參領一，委署護軍參領一，護軍校三，副護軍校一。雍正二年，置圓明園内務府三旗護軍營，每旗各設護軍參領一，侍衛委署護軍參領一，今副護軍參領。護軍校委署參領一，今委署護軍參領。護軍校三，委署護軍校一，今副護軍校。俱屬圓明園八旗内務府三旗護軍營總統大臣統轄。十年議准，圓明園内務府三旗護軍營增設四品營總一。乾隆二十八年奏准，圓明園内務府三旗委署護軍參領，定爲五品虚銜，准戴花翎，仍食護軍校原俸。三十七年奏准，圓明園内務府三旗護軍營營總，定爲三品虚銜，仍食四品原俸，護軍參領亦定爲三品虚銜，副護軍參領定爲四品虚銜，均仍食五品原俸。會典事例四百二十八。内務府包衣三旗營房，在陳府邨東，護軍參領等廨舍共九十六楹，護軍校、護軍等官房共四百有八楹。其總管八旗及三旗護軍印房，在圓明園前紅橋河側。八旗冊。

圓明園八旗護軍營

圓明園八旗護軍營，掌印總統大臣一，總統大臣無定員，營總八，護軍參領八，副護軍參領十六，委署護軍參領三十二，護軍校百二十八，副護軍校百二十八。雍正二年置圓明園八旗護軍營，選八旗官兵，分地駐劄，以王公大臣統轄營務。是年，八旗設營總八，副護軍參領十六，署副參領三十二，護軍校八十，以王公大臣二、三人統轄之。又定副護軍參領爲五品，署副護軍參領爲六品。七年，設副護軍校七十二。十年，設護軍參領八，又增設護軍校三十二，副護軍校四十，又陞副護軍參領爲正四品，署副護軍參領爲正五品。乾隆十二年，增設護軍校十六，副護軍校十六。會典事例四百二十八。十六年奏准，鑄給圓明園總統印，即於總統王公大臣列名奏請欽簡一人掌印，以營總參領各二，護軍校四，筆帖式八，隨印協理事務。會典事例八百八十四。雍正二年議准，圓明園八旗護軍，於禁苑週圍建營房八所，同上。每旗參領一，給房十三間；副參領二，各給房十間；署副參領四，各給房八間；護軍校十，各給房六間；護軍三百七十五名，各給房三間。乾隆十二年，圓明園八旗，每旗增護軍百名，照例每名給住房三間。同上。又云：乾隆十六年，奏准圓明園八旗營房工程，將所修牆垣，照在京各旗營房作法，下肩整甎，上身土坯，二面抹灰，牆頂甎瓦成砌，庶工程可期經久，錢糧亦不致過費。營房八處，同上。鑲黃旗營房在樹邨西，護軍參領等廨舍共六十有五楹，護軍等官房共一千四百八十五楹；正黄旗營房在蕭家河北，護軍參領等廨舍共六十五楹，護軍校、護軍等官房共一千四百八十五楹；正白旗營房在樹邨東，護軍參領等廨舍共六十五楹，護軍校、護軍等官房共一千四百六十四楹；鑲白旗大營房在長春園東北，副護軍參領等廨舍共三十九楹，護軍校、護軍等官房共一千一百六十七楹，小營房在長春園東，護軍參領等廨舍共二十六楹，護軍校、護軍等官房共三百一十五楹；正藍旗營房在海淀東，護軍參領等廨舍共六十五楹，護軍等官房共一千四百五十五楹；鑲藍旗營房在廣仁宫西，護軍參領等廨舍共六十五楹，護軍校、護軍等官房共一千四百八十五楹；正紅旗營房在安河橋西北，護軍參領等廨舍共六十五楹，護軍校、護軍等官房共一千四百六十七楹；鑲紅旗營房在静明園東北，護軍參領等廨舍共六十五楹，護軍校、護軍等官房共一千四百八十五楹。八旗册。

守衛：雍正二年，定圓明園門汛警蹕共百處，日以營總四，副護軍參領八，署護軍參領十六，護軍校、護軍千人入直，夜傳更籌十六。乾隆四年，改設門汛七十六處，日以營總、護軍參領各二，副護軍參領、署護軍參領十五，護軍校、護軍七百六十人守衛。暢春園設門汛十九處，日以營總一，副參領、署參領四，護軍校、護軍一百九十人守衛，夜傳更籌八。八年定，每遇駐蹕静明園，設門汛五十一處，日以營總二，護軍參領一，副參領、署參領十三，護軍校、護軍五百十名守衛，夜傳更籌十。十年，增設暢春園門汛爲二十處，日以護軍參領一，副參領、署參領四，護軍校、護軍二百人守衛，夜傳更籌八。十八年，增設清漪園門汛六處，日以副參領或署參領一，護軍校、護軍六十人守衛。會典事例八百八十三。

南苑營汛

南苑總尉一，正四品；防禦八，正五品。凡設圍場於南苑，以奉宸苑領之，統圍大臣督八旗統領等，各率所屬官兵先莅圍場，布列鑲黃、正白、鑲白、正藍四旗，以次列於左；正黃、正紅、鑲紅、鑲藍四旗，以次列於右；兩翼各置旗，以爲表，兩哨前隊用白，兩協用黃，中軍用鑲黃。營册。

捕盜營

捕盜中營，同治十年置。初，二年，以近畿馬賊恣擾，增兵分哨巡緝。每哨兵二十，隊長二，弁一，東、南、北三路各八哨，西路五哨，撥三哨弁兵於府尹署。至是議奏，發回三哨，於府尹署增設中營，分左、右、中三哨，馬步兵六十有六，把總一，經制外委二，額外外委一，馬二十有五，又增營千總一，加守備銜，爲五營管領，歸治中考覈。順天府奏：爲酌擬添設捕盜中營，加增兵額，以資巡緝，請旨飭部覈議事：竊順天府四路捕盜營弁兵，自同治二年以近畿馬賊肆擾，請四路添設經制外委、額外外委各四員，兵四百名，連原設馬、步兵共六百名，把總四員，經制外委十二員，額外外委十二員，除官例馬外，添設馬三百二十匹，添備號衣、號帽、器械、軍火，分哨巡緝，每哨兵二十名，隊長二名，哨弁一名，擇要分駐。其廉俸、餉乾等項，全數請發實銀，並於東、南兩路起運地糧正銀內，先行酌提銀三萬兩，解府給發，招募兵丁，購買馬械，並聲明嗣後歲需俸餉、火藥、鉛丸等項，除遇閏加增於順屬東、南兩路地糧正銀內，歲提二萬三千五百兩，按款支給造銷。等因，具奏。嗣於三年又奏請裁去馬一百二十匹，酌添步兵五十名。均先後奉旨允准遵行。計東、南、北三路，各派分八哨，西路派分五哨，並酌撥三哨弁兵駐臣衙門，調遣策應，屢經破獲巨匪，均隨時奏明辦理在案。本年近畿一帶，灾區較廣，各處無業貧民，難保不流而爲匪，防範尤關緊要。且四路把總，雖歸各路同知管轄，並無營員統攝，於營制亦未周全。擬請將臣衙門調駐之三哨弁兵，仍令各回本營，分派巡緝，以期周密。再於臣衙門添設中營一營，分爲左右中三哨，共添設馬、步兵六十六名，把總一員，經制外委二員，額外外委一員，飭令管帶，添設營千總一員，加守備銜，以爲五營管領，近歸治中考覈管轄，以備調遣，並爲各路策應，庶幾聲息相通，於捕務得有裨益。其千總一員，應卽在五營把總內擇優拔補，俟六年俸滿無過，或著有勞績，請照例送部引見，以緑營守備儘先選用。其添設把總，仍照舊章於各路經制外委內揀員拔補，經制外委缺出，仍由額外外委拔補，以資熟悉。所添兵額，卽在四路兵丁內挑選驗補，遺額另行募充。至大興縣屬之孫河，並昌平州屬之高麗營二處，向設駐巡弁兵，卽在中營就近派撥前往駐紮，責成防緝。至添設中營弁兵餉銀，除留守之庫兵二名，照舊支領外，計每年千總一員，應需廉俸餉銀一百六十八兩，把總一員，廉俸餉銀一百二十六兩，經制外委二員，共廉俸餉銀九十一兩二錢，額外外委一員，俸銀二十七兩六錢，馬、步兵六十六名，共餉銀一千八百二十一兩六錢，千總例馬二匹，把總例馬二匹，三哨哨長官馬三匹，三哨馬隊長官馬三匹，三哨前伍馬兵各五名，共需馬十五匹，統共官例馬二十五匹，每匹春、冬馬乾銀一兩二錢，夏、秋馬乾銀九錢，共馬乾銀三百一十五兩，公費銀三十兩，火藥、鉛丸、火繩等項，共需銀一百五十八兩零，統共每年應需銀二千七百三十餘兩。現在新設中營，應添買馬二十五匹，鞍二十五座，號帽、號衣各六十六件，鳥鎗、腰刀各四十八件，雙手帶九把，以及藥管、葫蘆、鉛子袋等件，約需價銀五百六十餘兩。查原設捕盜營兵餉，由東、南兩路地糧項下提解，除遇閏加增，每年酌提銀二萬四千餘兩，除支給廉俸、餉乾、火藥、鉛丸、火繩、公費等項外，計自四年後，每年各路歲修軍裝器械，尚約需銀九百兩，歷屆均於二年支存餉銀內支發。現計存銀漸次完竣，嗣後無款支給，除此次添置馬匹等項，應需銀五百六十餘兩，一併由順屬各州縣地糧項下提解，交臣衙門，給發購辦，照例造册報銷外，其每年添設中營俸餉各款，共需銀二千七百三十餘兩，並歷年提撥無閏餉需銀二萬四千餘兩，及嗣後歲修每年約計需銀九百兩，均請於順屬各州縣起運地糧正銀內，共提銀二萬八千兩，按季分別給發，每年造册報銷，並仍請查照二年奏定之案，一律發給實銀，俾該弁等足敷養贍，至例不准銷暨例銷不敷銀兩，照二年奏定章程，仍由道廳分別各州縣大、中、小治捐辦分以年限，按日彌補，遇有交卸，列入交代作抵。其緝捕章程，並選充兵丁，均照舊章辦理，其餘未盡事宜，仍隨時體察情形，飭屬認真妥辦，俾弁兵足數分布，各營有所統攝，於近畿捕務，尤爲得力。伏乞飭部覈議施行。捕盜營章程。

遼、金、元、明京營考

遼南京提轄司，凡十有一：宏義宫、長甯宫、永興宫、積慶宫、延昌宫、彰愍宫、崇德宫、興聖宫、延慶宫、敦睦宫、文忠王府各一。据遼兵衛志。

金禁軍之制，本於哈濟穆昆，哈濟者，言親軍也。貞元遷都，更以太祖、遼王宗幹、秦王宗翰軍爲哈濟明安，謂之侍衛親軍，立侍衛親軍司以統之。舊常選諸軍之材武者爲護駕軍。金兵志。按：金史，金部長曰貝勒，行兵則稱曰明安穆昆。明安者，千夫長；穆昆者，百夫長也。正隆二年後，於侍衛親軍四明安金史注：舊止曰太祖、遼王、秦王明安，凡三，今曰四明安，未詳，豈太祖兩明安耶？內，選三十以下千六百人，騎兵曰龍翔，步兵曰虎步，以備宿衛。五年，罷親軍司，以所掌付大興府，置左、右驍騎，所謂從駕軍也；置都統指揮使，隸點檢司；步軍都、副指揮使，隸宣徽院。大定初，親軍置四千，二十二年，省爲三千五百。章宗承安四年，增爲五千，又增至六千。又有咸捷軍，承安增簽弩手千人。選親軍，取身長五尺五寸、善騎射者，明安穆昆以名上兵部，移點檢司、宣徽院試補之。又設護衛二百人，近侍之執兵仗者。又設控鶴二百人，以備出入。同上。京師防城軍，大定十七年三月改爲武衛軍，掌京師巡捕。其曰牢城軍，則嘗爲竊盗者，以充防築之役；曰土兵，則以司警捕之事。凡漢軍，有事則簽取於民，事已或亦放免。金兵志。

元制：宿衛者，禁兵也。

四集賽，原作怯薛。太祖功臣博囉罕、保爾濟、穆呼哩、齊拉袞，時號都爾本庫魯克，猶言四傑也，命世領集賽之長，集賽者，猶言直宿衛也。三日一更，申、酉、戌日，博囉罕領之，爲第一集賽，卽伊克集賽，原作也可怯薛。伊克者，言天子自領之故也；亥、子、丑日，保爾濟領之，第二；寅、卯、辰日，穆呼哩領之，第三；巳、午、未日，齊拉袞領之，第四。元兵志。又云：博囉罕早絕，太祖命以博索部代之，而非四傑功臣之類，故以自名領之。齊拉袞後絕，其後集賽常以右丞相領之。凡集賽長之子孫，或由天子所親信，或由宰相所薦舉，或以其次序所當爲，卽襲其職，以掌環衛，雖其官卑，勿論也。及軍勞既久，則遂擢爲一品官。而四集賽之長，天子或又命大臣以統之，然不常設也。其它預集賽之職而居禁近者，分冠服、弓矢、食服、文史、車馬、廬帳、府庫、醫藥、卜祝之事，悉世守之，雖以才能受任，使服官政，貴盛之極，然一日歸至內庭，則執其事如故。至於子孫無改，非甚親信不預也。其集賽執事之名，則主弓矢、鷹隼之事者，曰和爾齊、實保齊、齊哩克齊；書寫聖旨，曰扎爾拉克齊；爲天子主文史者，曰筆且齊；親烹飪以奉上飲食者，曰博囉齊；侍上帶刀及弓矢者，曰伊勒都齊、庫特齊；司閽者，曰巴喇噶齊；掌酒者，曰達喇齊；典車馬者，曰烏拉齊、摩哩齊；掌內府尚供衣服者，曰舒庫爾齊；牧駱駝者，曰特默齊；牧羊者，曰和尼齊；捕盗者，曰呼拉干齊；奏樂者，曰浩爾齊。又名忠勇之士曰巴圖魯，勇敢無敵之士曰巴圖，其名類蓋不一，然皆天子左右服勞侍從執事之人，其分番更直，亦如四集賽之制，而領于集賽之長。宿衛之士，謂之集賽台，原作怯薛歹。亦以三日分番入衛，初甚簡，後增爲萬四千人，比之樞密各衛諸軍爲尤親信。同上。

五衛，元兵志。世祖設以象五方。同上。中統三年，以侍衛親軍都指揮使領武衛軍事。至元元年，改武衛爲侍衛親軍，分左右翼，置都指揮使。八年，改立左、右、中三衛，掌宿衛扈從，兼屯田，國有大事，則調度之。十六年，創置前、後二衛，置都指揮使。同上。二十五年，尚書省奏，諸海納都木以漢軍一萬人立虎賁司。二十六年，樞密院官兵巴奏，以六衛六千人，塔喇海布古所掌大都屯田三千人，及近路迤南萬户府一千人，總一萬人，立武衛親軍都指揮使司，掌修治城隍，及京師内外工役。元兵志武衛。至元十六年，世祖以新取到侍衛親軍一萬户，屬之東宫，立侍衛親軍都指揮使司。三十一年，以屬皇太后，改隆福宫左都威衛使司。元兵志：左都威衛。又云：至大三年，選其軍之善造作者八百人，立千户所一，及百户所八以掌之，而分局造作。皇慶元年，以王平章舊所領軍一千人立屯田。至治三年，罷匠軍千户所。初，穆呼哩奉太祖命，收扎拉爾、烏嚕、莽果、諾海四投下，以安扎爾、博囉、實訥岱、伯爾克巴圖爾、庫庫布哈五人領特默齊軍。中統三年，以五投下特默齊，立蒙古特默齊總管府，至元十六年罷。十九年，仍令充軍。二十一年，樞密院奏，屬之東宫。二十二年，改蒙古侍衛親軍指揮使司。三十一年，改隆福宫左都威衛使司。元兵志：右都威衛。唐古衛親軍都指揮使司，元兵志：唐古衛。至元十八年立。同上。桂齊衛，二十四年立。元兵志：桂齊衛。元貞元年立西域親軍都指揮使司。元兵志：西域親軍。大德十一年，陞衛候司爲衛候直都指揮使司。元兵志：至元元年，裕宗招集控鶴一百三十五人。三十一年，徽政院增控鶴六十五人，立衛候司以領之，且掌儀從金銀器物。元貞元年，皇太后復以晉王校尉一百人隸焉。大德十一年，益以懷孟從行控鶴二百人，陞衛候直都指揮使司。至大元年，復增控鶴百人，總六百人，設百户所六，爲其屬。至治三年罷之。泰定元年，以控鶴六百二十人歸于皇后位下，後復置立。左、右衛阿蘇親軍都指揮使司，至大二年改立。元兵志：至元九年，初立阿蘇巴圖達嚕噶齊，後招集阿蘇正軍三千餘名，復選阿蘇柴齊齊拉袞集賽台軍七百人，扈從車駕，掌宿衛禁軍，兼管潮河、蘇沽兩川屯田，并供給軍儲。二十三年，爲阿蘇軍南攻鎮巢，殘傷者衆，遂以鎮巢七百户屬之，并前軍總爲一萬户，隸前、後二衛。至大二年，始改立右衛阿蘇親軍都指揮使司。左阿蘇衛亦至大二年改立。

隆慶衛親軍都指揮使司，皇慶元年改立，以哈喇婁軍千户所隸焉。元兵志：睿宗在潛邸，嘗于居庸關立南、北口屯軍，徼巡盜賊，各設千户所。至元二十五年，以南、北口上千户所總領之。至大四年，改千户所爲萬户府，分欽察、唐古、桂齊、西域、左右阿蘇諸衛軍三千人，并南北口、太和嶺舊隘漢軍六百九十三人，屯駐東西四十三處，立十千户所，置隆鎮上萬户府以統之。皇慶元年，始改爲隆鎮衛親軍都指揮使司。延祐二年，又以哈喇婁軍千户所駐焉。至治元年，置蒙古漢軍籍。衛率府，至大元年立。元兵志：至大元年，命以中衛兵萬人立衛率府，屬之東宮。時仁宗爲皇太子，曰：世祖立五衛，象五方也，其制猶中書之六部，殆不可易。遂命江南行省萬户府，選漢軍之精鋭者一萬人，爲東宮衛兵，立衛率府。延祐元年，改爲忠翊府，未幾復改爲御臨親軍都指揮使司，又以御臨非古典，改爲羽林。六年，英宗立爲皇太子，復以隸東宮，仍爲左衛率府。同上。延祐五年，立右衛率府。元兵志：延祐五年，以詹事圖們岱爾所管薩勒奇諸爾萬户府，及迤東、西直兩萬户府，右翼屯田萬户府兵，合爲右衛率府，隸皇太子位下。又有喀喇衛，至大三年立。元兵志：至大三年，定喀喇軍籍，凡喀喇氏之非者，皆别而黜之，驗其實，始得入籍。及諸侯王阿濟格、呼嚕蘇所領默齊，屬喀喇氏者，令樞密喀喇衛遣人乘傳，往置籍焉。中都威衛使司，至治元年改爲忠翊侍衛親軍都指揮使司。元兵志：至元二十九年，立屯田府。大德十一年，增軍數，立爲大同等處侍衛親軍都指揮使司。至大四年四月，皇太子修五臺寺，遂移屬徽政院，并以京兆軍三千人增入。延祐元年，改中都威衛使司，仍轉徽政院。至治元年，始改爲中翊侍衛親軍都指揮使司。宗仁衛，至治二年立。元兵志：至治二年，右丞相拜珠奏，先圖卜特穆爾叛時，没入伊奇喇斯人一百户，與今所收蒙古子女通三千户，清州徹匠二千户，合爲行軍五千户，請立宗仁衛以統之。于是命右丞相拜珠總衛事，給降虎符牌面，如右衛率府，又置行軍千户所隸焉。至元二十三年，依河西等衛例，立欽察衛。至治二年，分爲左右兩衛。天曆二年，屬大都督府。元兵志。又云：始至元年立衛時，設行軍千户十有九所，屯田三所。大德中，置濟爾噶朗、特古納兩千户所。至大元年，復設四千户所，至是分爲左、右二衛。龍翊衛親軍都指揮使司。同上。增置元兵志敘。虎賁親軍都指揮使司，左翊蒙古侍衛親軍都指揮使司，右翊蒙古侍衛親軍都指揮使司，宣忠俄羅斯扈衛親軍指揮使司，威武阿蘇衛親軍都指揮使司，東路蒙古侍衛親軍都指揮使司，女直侍衛親軍萬户府，高麗女直漢軍萬户府管女直侍衛親軍萬户府。元兵志。又鎮守海口侍衛親軍屯儲都指揮使司，宣鎮侍衛，見元史。中統元年四月諭：隨路管軍萬户，有舊從萬户僧格西征軍人，悉遣至京師，充防城軍。同上。又云：孟古岱軍三百一十九人，嚴萬户軍一千三百四十五人，濟南路軍一百四十人，塔齊爾軍一百四十九人，奇扎爾軍一百四十五人，馬總管軍一百四十四人。

禁兵用之大朝會，則謂之圍宿軍。元兵志敘。元史兵志：至元二十六年七月，命大都侍衛軍内，復起一萬人赴上都，以備圍宿。元貞二年十月，樞密院臣言：昔大朝會時，皇城外皆無牆垣，故用軍環繞，以備圍宿。今牆垣已成，南北西三面皆可置軍，獨御酒庫西，地窄不能容，臣等與丞相諤勒哲議，各城門以蒙古、漢軍列衛，及于周橋南置戍樓，以警昏旦。從之。至大四年正月，省臣等傳皇太子命，以大朝會調蒙古、漢軍三萬人備圍宿，仍遣使發山東、河北、河南、淮北諸路軍至京師。復命都府、左右翼、右都威衛整器仗、車騎。皇慶元年六月，命衛率府軍士備圍宿，守隆福宫内外禁門。十一月，樞密院臣言：皇太后有旨，禁掖門可嚴守衛。臣等議，增置百户一員，及于欽察、桂齊、西域，唐古、阿蘇等衛調軍士九十人，增守諸掖門，復命千户一員，備巡邏。從之。延祐三年十月，以諸侯王來朝，命圍宿軍士六千人增至一萬，復命伊爾根、圖嚕分左右部領其事。十一月，詔圍宿軍士，除舊有者，更增色目軍萬人，以備禁衛。十二月，樞密院臣言：圍宿軍士不及數，其已發各衛者，地遠至不能如期，可遷刈葦草及青塔寺工役軍先備守衛，其各衛還家軍士，亦發二萬五千人，令備車馬器械，俱會京師。制可。六年閏八月，命知樞密院事忠嘉領圍宿，發五衛軍代羽林軍士，仍以千户二員、百户十員，擇士卒精鋭者二百人屬之。至治元年正月，帝詣石佛寺，以其牆垣踈壞，命副樞準台、僉院阿薩爾領圍宿士卒，以備巡邏。八月，東内皇城建宿衛屋二十五楹，命五衛内摘軍二百五十人居之，以備禁衛。天曆二年二月，樞密院臣言：去歲嘗奉旨，依先制，調軍把守圍宿，此時各翼軍人皆隨處出征，亦有潰散者，故不及依次調遣，止于右翼侍衛及右都威衛内，發軍一千一百二十六名以備圍宿。今歲車駕行幸，臣等議于河南、山東兩都府内，起遣來差軍士一千三百名，以備扈從。制可。五月，樞密院臣又言：比奉令旨，放散軍人。臣等議：常制以三月一日放散，六月一日赴限，今放散既遲，可令于八月一日赴限。從之。用之大祭祀，則謂之儀仗軍。又曰驛衛清路軍。見元史兵志。

車駕巡幸用之，則曰扈從軍。元兵志：至元十七年三月，發孟古岱、綽爾齊所領河西軍士，及額勒赫麾下二百人，入備扈從。至大二年，太后將幸五臺，徽政院官請調軍扈從。省臣議：昔大太后嘗幸五臺，於住夏特默齊及漢軍內，各起扈從軍三百人，今遵故事。從之。十一月，樞密院臣言：去歲六衛漢軍內，以諸處興工役，故用六千軍士於上都。臣等議：來歲車駕行幸，復令騎卒六千人，備車馬器仗，與步卒二千人扈從。制可。守護天子之帑藏，曰看守軍。元兵志：至元二十五年十一月，以軍守都城外倉。初，大都城內倉廒有軍守之，城外豐閏、豐實、廣貯、通濟四倉無守者。至是收糧頗多，丞相僧格以爲言，乃依都城內倉例，每倉發軍五人守之。十二月，中書省臣言：樞密院公廨後，有倉貯糧，乞調軍五人看守。從之。大德四年二月，調軍五百人，于新浚河內看閘。至大四年六月，帝御大安閣，樞密院官奏：嘗奉旨，令各門置軍守備。臣等議：特默齊軍士去其所戍地遠，卒莫能至，擬發阿蘇、唐古等軍，參漢軍用之，各門置五十人。制可。延祐元年閏三月，隆禧院官言：初，世祖影殿，有軍士守之。今武宗御容于大崇恩福元寺安置，宜依例調軍守。從之。三年二月，嶺北行省乞軍守衛倉庫，命于綽哈所屬萬户三千特默齊軍內，摘軍三百人與之。至治元年，增守太廟牆垣軍。初，以衛士軍人共守園宿，故止用蒙古軍四百人，至是以衛士守內牆垣，其外壖止用軍士，乃增至八百，復命僉院哈克、院判阿拉克特穆爾領之。四月，勑吹戳斡齊爾巴克實寺內，常令軍士五人守衛。或夜以之警非常，則爲巡邏軍。元兵志：延祐七年五月，詔留守司及虎賁司官，親率衆于夜巡邏。或歲漕至京師，用之以彈壓，則爲鎮遏軍。元兵志：延祐元年閏三月，樞密院官奏：中書省言，江淛春運糧八十三萬六千二百六十石，取日開洋，前來直沽，請預差軍人鎮遏。詔依年例，調軍一千名，命右衛副軍指揮使巴延往鎮遏之。三年四月，海運至直沽，樞密院官奏：今歲軍數不敷，乞調軍士五百人巡鎮。從之。七年四月，調海運鎮軍一千，如舊制。

明京營，明兵志。有五軍，五軍變而爲三大營，三大營變而爲團營，團營敝而戎政府立。蒼霞草。初，太祖建統軍元帥府，尋改大都督府，明兵志。籍留守等四十八衛之衆訓練之。蒼霞草。已，又分前、後、中、左、右五軍都督府。洪武四年，士卒之數二十萬七千八百有奇。明兵志。鄒德溥京營戎政題名記：國朝業以錦衣諸衛衛宮禁矣，而京營之設，獨立巡徼，彷彿漢南北軍相制，所謂班換兵，取諸山東、河南，中都又彷漢調三輔規。蒼霞草：五軍無事則戒弓馬，習技藝，環衛都城，有事則簡師命，率分統以出，事已而休，制至善也。永樂時，北伐歸，始設三大營，曰五軍，曰三千，曰神機。京營戎政題名記。增京衛爲七十二，分步、騎軍爲五軍。明兵志。五軍者，中軍、左掖、右掖、左哨、右哨也。菽園雜記。立于德勝關外之西，春明夢餘録。歲調中都、山東、河南、大寧兵番上京師隸之。設提督内臣一，武臣二，掌號頭官二；大營坐營官一，把總二；中營坐營官一，馬、步隊把總各一。左右掖，哨官如之。又有十二營，掌隨駕馬隊官軍，設把總二。又有圍子手營，掌操練上直叉刀手及京衛步隊官軍，設坐營官一，統四司，以一、二、三、四爲號，把總各二。又有幼官舍人營，掌操練京衛幼官及應襲舍人，坐營官一，四司把總各一。明兵志。皆五軍營之支分。菽園雜記。已，得邊外降丁，明兵志。以龍旗、寶纛下三千小達子立三千營，菽園雜記。分五司。明兵志：分五司：一、掌執大駕龍旗、寶纛、勇字旗、負御寶及兵仗局什物上直官軍。一、掌執左右二十隊勇字旗、大駕旗纛、金鼓上直官軍。一、掌傳令營旗牌、御用監盔甲、尚冠、尚衣、尚履什物上直官軍。一、掌執大駕勇字旗、五軍紅盔貼直軍上直官軍。一、掌殺虎手、馬轎及前哨馬營上直昭甲官軍。又有隨侍營，菽園雜記。明兵志：隨侍東宮官舍，遼東備禦回還官軍。提督内臣二，武臣二，掌號頭官二，坐司官五，見操把總三十四，上直把總十六，明甲把總四。此三千營之部分也。明兵志。征交阯，得神鎗火箭法，立神機營。蒼霞草。提督内臣、武臣、掌號頭官，皆視三千營，亦分爲五軍。中軍，坐營内臣一，武臣一。其下四司，各監鎗内臣一，把司官一，把總官二。左右掖、哨皆如之。明兵志。按：菽園雜記云，各把牌官爲明史所未及。又有五千下者，得都督譚廣馬五千匹，所謂譚家馬即此，菽園雜記。置營，掌操演火器及隨駕護衛馬隊官軍。坐營内臣、武臣各一，其四司各把司官二。此神機營之分部也。居常，五軍肄營陣，三千肄巡哨，神機肄火器。大駕征行，則大營居中，五軍分駐，步内騎外，騎外爲神機，神機外爲長圍，周二十里，采樵其中。三大營之制如此。明兵志。當此之時，蓋有勝兵四十萬，稱最勁焉。鄒德溥京營戎政府題名記。洪熙時，始命武臣一人總理營政。宣德五年，以成國公朱勇言，選京衛卒隸五軍訓練。明年令科道及錦衣官覈諸衛軍數。明兵志。又云：帝之征高煦及破兀良哈，皆以京營取勝焉。明宣宗都督府箴：天命太祖，興自武功。海宇既甯，武備實崇。皇祖、皇考，敬繩祖武。兵戎之政，總以督府。朕嗣大統，祗率舊章。居安慮危，夙夜不忘。惟昔帝王，咸奮武衛。靖亂保民，安内攘外。凡今兵衛，布在四方。總制于中，有維有綱。惟是樞機，爾司其柄。宜敬念之，以修其政。將有才智，士有勇鋭。部伍有訓，儲峙有備。除治戎器，以戒不虞。政修兵堅，誰敢侮予？爾敬念之，毋忽毋怠。必壯其猷，以輔予治。至於正統，京兵至不能受甲。蒼霞草。二年，復因勇言，令錦衣等衛、守陵衛卒存其半，其上直旗校隸錦衣督操，餘悉歸三大營。土木之難，京軍没幾盡。景帝用于謙爲兵部尚書。謙以三大營各爲教令，臨期調撥，兵將不相習，請于諸營選勝兵十萬，明兵志。按：鄒德溥京營戎政府題名記云：于肅愍更簡驍鋭十五萬，而蒼霞草亦云分爲十營，營萬人。分十營訓練之，命曰團營。鄒德溥京營戎政府題名記。每營都督一，號頭官一，都指揮二，把總十，領隊一百，管隊二百。于三營提督中推一人充總兵官，監以内臣，兵部尚書或都御史一人爲提督。其餘軍歸本營，曰老家。明兵志。蒼霞草：統之之官，隊長統五千人，隊官統百人，把總統千人，都指揮統五千人。訓練之方，則有八陣，八陣分爲六十四陣，蒼霞草。京軍之制一變。英宗復辟，謙死，團營罷。明兵志。天順八年三月，會昌侯孫繼宗、兵部尚書馬昂議：將五軍三千、神機三大營原選馬步官軍十一萬九百餘，選足十二萬，分爲十二營。遂立奮武、耀武、練武、顯武、敢勇、果勇、鼓勇、効勇、立威、伸威、揚威、振威十二營名，以内臣十二監槍，明英宗實録。按明兵志云：憲宗立，復之，增爲十二，其事實在天順八年，今依實録。成化初，革。二年而復。蒼霞草。分一等、次等訓練。尋選得一等軍十四萬有奇，仍分十二營。明兵志。三年四月，設十二營坐營官，明憲宗實録。命侯十二掌之，各佐以都指揮，監以内臣。提督以勳臣，名其軍曰選鋒。不任者仍爲老家以供役，團營之法又稍變。明兵志。蒼霞草：其任者名曰選餘，不任者歸本營，名老家，老家固孱弱，而選餘歲久浸失其初，供役于私門，掊克于主帥，愈益脆弱，與老家何異。菽園雜記：三大營所存無幾，名老家兒，專備營造差報等用。按：餘乃鋒之譌。十年，以舊教場還五軍營。明憲宗實録：成化十年八月，英國公張懋上言：五軍營舊教場在德勝門外，初以狹不容衆，而三千營兵少，教場廣，因而易之，復立十三營，又以大教場移與團營，而五軍營暫就錦衣衛教場，愈狹不能容。今觀三千營兵終少，宜就錦衣衛教場，仍以舊教場還五軍營爲宜。允之。二十年，立殫忠、効義二營；練京衛舍人、餘丁。二營，永樂間設，後廢，至是復設。未幾，以無益，罷。帝在位久，京營特注意，然缺伍至七萬五千有奇，爲權貴隱占。又用汪直總督團營，禁旅專掌于内臣，自帝始。孝宗即位，乃命都御史馬文升爲提督。時軍苦工役。成化末，余子俊嘗言之，文升復陳不可。請每營選馬步鋭卒二千，遇警徵調。且遵洪、永故事，五日一操，以二日走陣下營，以三日演武。從之。明兵志。又云：時尚書劉大夏陳弊端十事，後奏減修乾清宫卒。内臣謂其不恤大工。大學士劉健曰：愛惜軍士，司馬職也。帝納之。會户部主事劉夢陽極論役軍之苦，并及内臣主兵者。以語侵壽甯侯，下詔獄，遂格不行。武宗即位，十二營鋭卒僅六萬五百餘，稍弱者二萬五千而已。明兵志。又云：給事中葛嵩，請選五軍三千營精鋭歸團練，而存八萬餘人於營以供役，惠安伯繆引舊制以争，事遂已，隱占如故。

寘鐇反，太監張永將京軍往討，中官權益重。用中貴人，號曰監槍。鄭德溥京營戎政府題名記。流寇起，邊將江彬等請調邊將入衛。于是集九邊突騎家丁數萬人于京師，名曰外四家。立兩官廳，選團營及勇士、四衛軍于西官廳操練，正德元年所選官軍于東官廳。自是兩官廳爲選鋒，十二團營且爲老家矣。武宗崩，大臣用遺命罷之。給事中王良佐奉敕選軍，按籍三十八萬有奇，存者不過十四萬，中選者僅二萬餘。久之，設文臣知兵者一人領京營，時額兵十萬七千餘，存者半。專理京營兵部尚書李承勛請足十二萬之數。部議遵弘治中例，老者補以壯丁，逃、故者請軍官依期借補。從之。十五年，都御史王廷相提督團營，條上三弊。一、軍多工作，二、替代需索，三、賄置老家。明兵志。又云：王廷相條上三弊：一、軍士多雜派工作，終歲不得入操，雖名團練聽征，實與田夫無異。二、軍士代替，吏胥需索重賄。貧軍不能辦，老羸苟且應役，而精壯子弟不得收練。三、富軍憚營操征調，率賄將弁置老家數中。貧者雖老疲，亦常操練。語頗切中。既而兩郊九廟諸宮殿之工起，役軍益多。兵部請分番爲二，半團操，半放歸，而收其月廩雇役。詔行一年。邊警急，團營僅選騎卒三萬，仍號東西官廳，餘悉私役。明兵志。庚戌之役，無能加一矢者。蒼霞草。明兵志：二十九年，俺答入寇，兵部尚書丁汝夔覈營伍不及五六萬人，驅出城門，皆流涕不敢前。諸將領亦相顧變色。汝夔坐誅。大學士嚴嵩乃請振刷，以圖善後。吏部侍郎王邦瑞攝兵部，因言：京營弊不在逃亡，在占役；不在軍士，在將領。明兵志：吏部侍郎王邦瑞攝兵部，因言：勁旅不減七八十萬，元戎宿將常不乏人。自三大營變爲十二團營，又變爲兩官廳，雖浸不如初，然額軍尚三十八萬有奇。今武備極弛，見籍止十四萬餘，而操練者不過五六萬。支糧則有，調遣則無。比敵騎深入，戰守俱稱無軍。即見在兵，率老弱疲憊、市井遊販之徒，衣甲、器械取給臨時。此其弊不在逃亡，而在占役；不在軍士，而在將領。蓋提督、坐營、號頭、把總諸官多世胄紈袴，平時占役營軍，以空名支餉，臨操則肆集市人，呼舞博笑而已。先年，尚書王瓊、毛伯温、劉天和常有意飭振。將領惡其害己，陰謀阻撓，軍士又習于驕惰，競倡流言，事復中止，釀害至今。乞大振乾綱，遣官精核。帝是其言，罷團營、兩官廳，復三大營。更三千曰神樞。罷提督、監槍等内臣。設武臣一，曰總督京營戎政，以咸甯侯仇鸞爲之；文臣一，曰協理京營戎政，卽以邦瑞充之。明兵志。所謂戎政府也。鄒德溥京營戎政府題名記。在東燈市大街，春明夢餘録。又云：團營，景泰初立于安定、德勝兩關外之中。嘉靖二十九年罷團營，始更于此。南面建閲武門。閲武門起，至北土城止，長一千七百四十二步，設將臺一座，前設旗臺二座，石榜牌一座，鼓棚二座，石旗架二座，演武廳一座。其下設副參等官二十六員。已，又以四武營歸五軍營中軍，四勇營歸左右哨，四威營歸左右掖。各設坐營官一員，爲正兵，備城守，參將二員，備征討。又遣四御史募兵畿輔、山東、山西、河南，得四萬人，分隸神樞、神機。各設副將一，而增能戰將六，分領操練。大將所統三營之兵，居常名曰練勇，有事更定職名。五軍營：大將一，統軍一萬，總主三營副將、遊擊、佐擊及坐營等官；副將二，各統軍七千；左右前後參將四，各六千；遊擊四，各三千。外備兵六萬六千六百六十人。神樞營：副將二，各統兵六千；佐擊六，各三千。外備兵四萬人。神機營亦如之。已，又定三大營官數：五軍營一百九十六員，神樞營二百八員，神機營一百八十二員，共五百八十六。在京各衛軍，分隸三營。明兵志。春明夢餘録：中曰五軍，東曰神樞，西曰神機。五軍析營十六，神樞析營十，神機析營九，凡三十五營，聯之則三大營，又聯之則總曰戎政府。春明夢餘録。按：明兵志云，分之爲三十三營。終帝世，其制屢更，後中軍哨掖之名亦罷，但稱戰守兵兼立車營。故事，五軍府皆開府給印，主兵籍不與營操，營操官不給印。戎政之有府與印，自仇鸞始。鸞言于帝，選各邊兵六萬八千，分番入衛，與京軍雜練，復令京營將領分練邊兵，于是邊軍盡隸京師，邊事益壞。鸞死，罷戎政廳首領官之屬，而入衛軍則惟罷甘肅者。隆慶四年，大學士趙貞吉請收將權，更營制。極言戎政之設府鑄印，以數十萬衆統于一人，非太祖、成祖分府營本意。請以官軍九萬分五營，營擇一將，分統訓練。詔下廷臣議。尚書霍冀言：營制，世宗熟慮而後定，不宜更。惟大將不當專設，戎政不宜有印，請如貞吉言。制曰：可。明兵志。鄒德溥京營戎政府題名記：趙文貞上言：兵權獨主，强者挾之可虞，弱者引嫌而不敢振，非强兵固國之術。請倣祖宗分府意，錯置五營，各擇一將董治之，大臣以時巡覈校閱焉。乃行之三日，見謂號令不一，而復議專統。于是三大營各設總兵一，副將二。參佐等官，互有增損，各均爲十人。而五軍營兵，均配二營，營十二枝，屬二副將分統。以侯伯充總兵，尋改曰提督，用三文臣，亦稱提督。自設六提督，各持意見，遇事旬月不決。給事中温純言其弊，乃罷，仍設總督、協理二臣。萬曆二年，從給事中歐陽柏請，復給戎政印，汰坐營官二員。五年，巡視京營科臣林景暘請廣召募，立選鋒。時，張居正當國，羣臣多條上兵事，大旨在足兵、選將，營務頗飭。久遂廢弛。明兵志。三大營先在五軍營操練。二十年，郭士吉等題準，分三營操練。春明夢餘録。又云：合操仍歸五軍營，凡車兵輪演日期，亦赴五軍營，以軍就車耳。三大營官軍選鋒，除弓矢各隨帶外，其一應軍火器具，俱安置于安定、德勝二處京營局，遇操日赴局領用。三十六年，尚書李化龍理戎政，條上京營積弊。兵事起，總督京營趙世新請改設教場城內，便演習。太常少卿胡來朝請調京軍戍邊。天啓三年，協理侍郎朱光祚奏革老家軍，補以少壯。老家怨，以瓦礫投光祚，不果革。時，魏忠賢用事，立内操，增内臣爲監視及把牌諸小内監，益募健丁，諸營軍多附之。莊烈帝卽位，撤内臣，已而復用。戎政侍郎李邦華憤京營弊壞，請汰老弱虚冒，而擇材力者爲天子親軍營。勳戚中官惡害己，蜚語日聞。帝罷邦華，代以陸完學，盡更其法。京營自監督外，總理捕務者二員，提督禁門、巡視點軍者三員，帝皆以御馬監、司禮、文書房内臣爲之，于是營務盡領於中官矣。十年，兵事益亟，命京軍出防，皆監以中官。周延儒再入閣，勸罷内操，撤諸監軍。京兵班師還。明兵志。又云：時營將率内臣私人，不知兵，兵惟注名支糧，買替紛紜，朝甲暮乙，雖有尺籍，莫得而識也。帝屢旨訓練，然日不過二三百人，未昏遂散。營兵十萬，幸抽驗不及，玩愒佚罰者無算。帝嘗問戎政侍郎王家彦。曰：今日惟嚴買替之禁，改操練之法，庶可救萬一，然勢已晚。帝不懌而罷。十六年，襄城伯李國楨總戎政，内臣王承恩監督内營。明年，流賊至沙河，京軍出禦，聞礮聲潰而歸。賊犯闕，守陴者僅内操之三千人，京師遂陷。大率京軍積弱，由于占役買間，其弊實起於紈袴之營帥，監視之中官云。明兵志。

侍衛上直軍之制，永樂中置五軍、三千營，增紅盔、明甲二將軍，及叉刀圍子手之屬，備宿衛。校尉、力士，僉民間丁壯，無惡疾過犯者。力士先隷旗手衛，後改隷錦衣及騰驤四衛，專領隨駕金鼓旗幟及守衛。四門校尉，原隷儀鑾司，司改錦衣衛，仍隷焉。

曰鑾輿，曰擎蓋，曰扇手，曰旌節，曰旛幢，曰班劍，曰斧鉞，曰戈戟，曰弓矢，曰馴馬，凡十司，及駕前宣召差遣，三日一更直。設總旗、小旗，而領以勳戚官。官凡六，管大漢將軍及散騎舍人、府軍前衛帶刀官者一，管五軍營叉刀圍子手者一，管神樞營紅盔將軍者四。明兵志。又云：聖節、正旦、冬至及大祀、誓戒、册封、遣祭、傳制，用全直，直三千人，餘則更番，器仗、衣服、位列亦稍殊焉。凡郊祀、經筵、巡幸，侍從各有定制。居常，當直將軍朝夕分候午門外，夜則司更，共百人，而五軍叉刀官軍，悉于皇城直宿。掌侍衛官輪直，日一員，惟掌錦衣衛將軍及叉刀手者，每日侍。尤嚴收捕之令，及諸更離直者。共計錦衣衛大漢將軍一千五百七人，府軍前衛帶刀官四十，神樞營紅盔將軍二千五百，把總指揮十六，明甲將軍五百二，把總指揮二，大漢將軍八，五軍營叉刀圍子手三千，把總指揮八，勳衛騎舍人無定員，旗手等衛帶刀官一百八十，此侍衛親軍大較也。正統後，妃、主、公、侯、中貴子弟，多寄禄錦衣中。正德時，奏帶傳銜冒銜者，又不下數百。武宗好養勇士，嘗以千、把總四十七人注錦衣衛帶俸舍，餘千一百人，充御馬監家將勇士，食糧騎操。又令大漢將軍試百户，五年實授，著爲令。萬曆間，衛士多占役買閒，其弊與三大營等，雖定離直奪月糈之例，然不能革。太祖之設錦衣也，司鹵簿，有罪者往往下衛鞫。文皇倚錦衣爲心腹，所屬南、北兩鎮撫司，南理本衛刑名及軍匠，北治詔獄。明兵志。按：錦衣緝民間情僞，以印官奏敕領官校，東廠太監緝事別校，亦從本衛撥給，因是恆與中官相表裏。

皇城守衛，用二十二衛卒，不獨錦衣軍，而門禁亦上直中事。京城巡捕有專官，然每令錦衣官協同，地親要權，遂終明世。初，永樂中定制，諸衛各有分地。自午門達承天門左、右，建長安左、右門，至皇城東西，屬旗手、濟陽、濟川、府軍及虎賁右、金吾前、燕山前、羽林前八衛。東華門左、右至東安門左、右，屬金吾、羽林、府軍、燕山四左衛。西華門左、右至西安門左、右，屬四右衛。元武門左、右至北安門左、右，屬金吾、府軍後及通州、大興四衛。衛有銅符，頒自太祖，曰承，曰東，曰西，曰北，各以其門名也。巡者左半，守者右半。守官遇巡官至，合契而從事。各門守衛官夜各領銅令申字牌巡警，自一至十六。内皇城衛舍四十，外皇城衛舍七十二，俱設銅鐸，次第循環。内皇城左、右坐更將軍百，每更二十人，四門支更官八，交互往來，鈐印于籍以爲驗。都督及帶刀、千百户，日各一人，領申字牌直宿，及點各門軍士。後更定都督府，改命侯、伯僉書焉。洪熙初，更造衛士懸牌，時親軍缺伍，選他衛軍守端、直諸門。明兵志：時親軍缺伍，衛士不獲代，帝命選他衛軍守端、直諸門，尚書李慶謂不可，帝曰：人主在布德以屬人心，苟心相屬，雖非親幸，何患焉。宣德三年，命御史點閲衛卒。天順中，復增給事中一人。明兵志。又云：成化十年，尚書馬文升言：太祖置親軍指揮使，不隸五府；文皇復設親軍十二衛，又增勇士數千員，屬御馬監；上直，而以腹心臣領之。比者日廢弛，勇士與諸營無異，皇城之内，兵衛無幾，諸監門卒尤疲羸，至不任受甲。宜勅御馬監官，即見軍選練，仍勅守衛官常嚴步伍，譏察出入，以防微銷萌。帝然其言，亦未能有所整飭。正德初，嚴皇城紅鋪巡徼，日令留守衛指揮五員，督内外夜巡軍，而兵部郎中、主事各一，同御史、錦衣衛稽閲。嘉靖七年，增直宿官軍衣糧，五年一給。萬曆十一年，皇城内外設把總二員，分東、西管理。時門禁益弛，衛軍役于中官，每至空伍，賃市兒行丐應點閲，叉刀、紅盔，日出始一入直，直廬無人。坐更將軍皆納月鏹于所轄，凡提號、巡城、印簿、走更諸事悉廢。十五年再申門禁。按：明給事中吴中煒乞盡復舊制，不報。末年有失金牌，久之始覺者。挺擊之事，張差一妄男子得闌入殿廷，其積弛可知。啟、禎兩朝，屢飭莫挽，侵尋以至于亡。京城巡捕之職，永樂中置五城兵馬司。宣德初，京師多盜，增官軍百人，協五城逐捕，已復增夜巡候卒五百。成化中，始命錦衣官同御史督之，末年，撥給團營軍二百。弘治元年，令三千營選指揮以下四員，領精騎，巡京城外，又令錦衣官五，旗手等衛官各一，分地巡警，巡軍給牌。五年，設把總、都指揮，專職巡捕。正德中，添設把總，分畫京城外地，南抵海子，北抵居庸關，西抵盧溝橋，東抵通州，增城内二員，益以團營軍，官卒賞罰例。末年，邏卒增至四千人，特置參將。嘉靖元年，復增城外把總一員，并舊爲五，分轄城内東、西二路，城外西南、東南、東北三路，增營兵爲五千。又十選一，立尖哨五百騎，厚其月糈，命參將督操，而監以兵部郎。時京軍弊積，捕營亦然。三十四年，軍士僅三百餘。按：以給事中邱岳等言，削指揮樊經職，而禁以軍馬私役騎乘。萬曆十二年，從兵部議，京城内外盜發，自卯至申責兵馬司，自酉至寅責巡捕，賊衆則協力捕勦。是後軍額倍增，駕出及朝審、録囚，皆結隊駐巷口，籍伍雖具，而士馬實凋敝不足用。捕營提督一，參將二，把總十八，巡軍萬一千，馬五千匹。

盗縱横，至竊内中器物。明兵志。添設内臣一員名，内提督及王之俊爲之，練爲戰兵，改名練捕營。明遺録。莊烈帝時，以兵部侍郎專督。明兵志。十六年，襄城伯李國楨明遺録。總督京營，明史李濬傳。請選京衛幼官，應襲舍人六十充護衛，名選練營。明遺録。

四衛營者，永樂時，以進北逃回軍卒供養馬役，給糧授室，號曰勇士，後多以進馬者充，而聽御馬監官提調，名隸羽林，身不隸也。軍卒相冒，支糧不可稽。宣德六年，專設羽林三千户所統之，凡三千一百餘人。尋改武驤、騰驤左右衛，稱四衛軍。選本衛官四員，爲坐營指揮，明兵志。以御馬監掌印太監爲提督，明遺録。别營開操，明兵志。爲天子禁旅，明遺録。往往爲中官占匿。弘治末，勇士萬一千七百八十人，旗軍三萬一百七十人，歲支廩粟五十萬。孝宗覈之。令内臣所進勇士，由兵部驗送乃給廩，五年籍其數，著爲令。省金錢歲數十萬。武宗卽位，中官甯瑾乞留所汰人數。言官及尚書劉大夏持不可，不聽。後兩官廳設，遂選四衛勇士隸西官廳，掌以邊將江彬、太監張永等。世宗立，詔自弘治十八年存額外，悉裁之，替補必兵部查駁。而御馬監馬，令巡視科道覈數。既而中旨免覈，馬多虚增。後數年，御馬太監閔洪矯旨選四衛官。給事中鄭自璧劾其欺蔽，不報。久之，兵部尚書李承勛請以選覈隸部，中官謂非便。帝從承勛言。十六年，命收復登極詔書所裁者，凡四千人。明兵志。按：後五年，内臣言，勇士僅存五千餘，請令子姪充選，以備邊警。部臣言：故額五千三百三十人，八年清稽，已浮其數，本非爲備邊設。帝從部議。然隱射、占役、冒糧率如故。萬曆二年，減坐營官二，已，復定營官缺由兵部擇用。後爲中官所撓，仍屬御馬監。四十二年，給事中姚宗文點閲本營，言：官勇三千六百四十七，僅及其半，馬一千四百四十三，則無至者。官旗七千二百四十，止四千六百餘，馬亦如之，乞下法司究治。帝不能問。天啟末，巡視御史高弘圖請視三大營例，分弓弩、短兵、火器，加以訓練。莊烈帝時，提督内臣曹化淳奏，改爲勇衛營，明兵志。以黄得功、周遇吉爲將，練爲戰兵，明遺録。出擊賊，輒有功。軍士畫虎頭於皂布以衣甲，賊望見黑虎頭軍，多走避。明兵志。京營兵不下數十萬，可用者獨勇衛營而已。明遺録。

華陽吴祖椿校